U0642192

有一种境界叫

苏东坡

贰

冷成金 著

北京联合出版公司
Beijing United Publishing Co.,Ltd.

图书在版编目（CIP）数据

有一种境界叫苏东坡.2/ 冷成金著.—北京：北京联合出版公司，2014.3（2024.3 重印）

ISBN 978-7-5502-2594-7

Ⅰ.①有… Ⅱ.①冷… Ⅲ.①传记小说—中国—当代 Ⅳ. ① I247.5

中国版本图书馆 CIP 数据核字 (2014) 第 007179 号

有一种境界叫苏东坡. 2

作　　者：冷成金
出 品 人：赵红仕
责任编辑：王　巍
封面设计：吴黛君

北京联合出版公司出版
（北京市西城区德外大街83号楼9层 100088）
北京新华先锋出版科技有限公司发行
小森印刷霸州有限公司印刷　新华书店经销
字数266千字　787毫米×1092毫米　1/16　18印张
2014年5月第1版　2024年3月第5次印刷
ISBN　978-7-5502-2594-7
定价：49.00元

版权所有，侵权必究

未经书面许可，不得以任何方式转载、复制、翻印本书部分或全部内容。

本书若有质量问题，请与本社图书销售中心联系调换。电话：（010）88876681-8026

【目录】

二十六　治国三策·001

二十七　谏买浙灯·014

二十八　君子无党·025

二十九　一道试题·037

三十　青苗之狱·050

三十一　除恶·063

三十二　杭州三美·073

三十三　佛印和尚·081

三十四　罢相·090

三十五　密州救灾·103

三十六　十年生死·116

三十七　复相·124

【目录】

三十八 明月几时有 · 134

三十九 徐州抗洪 · 142

四十 劝农 · 151

四十一 乌台诗案 · 164

四十二 诗谶 · 175

四十三 赤子 · 187

四十四 范镇打殿 · 200

四十五 初到黄州 · 212

四十六 秧马 · 224

四十七 东坡居士 · 234

四十八 小舟从此逝 · 247

四十九 救儿会 · 262

五十 本色 · 272

二十六　治国三策

　　黄昏，小莲和巢谷走进院落。小莲背着竹筐，里面盛满草药，身上挂着碎草叶，显然是从乡间采摘归来。巢谷也背着一大捆草药，看起来很高兴。采莲迎上来帮小莲卸竹筐，并劝小莲身子不舒服，就不要外出劳作了。小莲微笑着擦汗，说："我身子好多了，去乡间走一走，神清气爽，又觉恢复了几分。夫人气色不好，我惦记着采点草药，为她调气补血。"说着问起王闰之，得知苏轼和王闰之又吵架，王闰之一直在屋子里发脾气，也不做饭，而采莲要照看迨儿。小莲便捋起衣袖，走向厨房。

　　小莲走进厨房，惊讶地看到苏轼扎好衣袍，正忙着切肉洗菜。巢谷跟在她身后，在门边远远地看着。

　　看到小莲，苏轼勉强一笑，故作轻松地说："小莲，你回来了。今日由我主理厨下，以我这书写锦绣文章之手，将生米煮成熟饭，定然是满室生香，其味无穷。小莲，你且歇着去，今日我要让你们大饱口福。"

　　小莲在一旁无奈地看着苏轼，说："先生，夫人见你终日郁郁不欢，才想劝解你，你却嫌她话多，她怎能不生气呢？"苏轼好像没有听见："小莲，锦绣文章这就下锅了。"说着，把菜倒入锅中，"扑哧"一声响，烟雾腾腾，苏轼掌勺炒菜。

　　这时，苏辙和史云走了进来。苏轼看到他二人吃惊的样子，说："子由，你二人来得正好，来尝尝我的手艺。"不想苏辙却郑重地说："哥哥，我是来向你辞行的。"原来，由于苏辙反对《青苗法》等新法，被吕惠卿、曾布等人排挤出条例司，改任京外闲职。

苏轼一愣，王闰之在里屋听见这话也是一惊。小莲、史云、王闰之接过苏轼手中的炊具，继续做饭。

苏轼和苏辙走出屋外。晚风阵阵，兄弟二人漫步而谈。

苏辙说："哥哥近来肝火甚旺，嫂嫂有委屈自然也是常理，还望哥哥爱惜身体。"苏轼："咳，不说这个了。子由，你离开条例司，我看也好。"苏辙感叹说："新法已经实施，我留在条例司已无意思。再说，条例司已成小人竞进之所，如再不离开，怕真是近墨者黑了！"苏轼说："子由之言甚是。"

朝廷已准苏辙改任陈州教授，苏轼嘱咐他利用这个机会多读一些书。苏辙回答说："是。只是我走后，哥哥太孤单了，还须小心保重……"

苏轼感叹说："唉，子由，如今时势，谁能保重？只有走一步看一步！只管我行我是，何管贵贱生死啊！"苏辙深情地说："哥哥，父亲和母亲都走了，我只有哥哥一个亲人了。如今我们又要分开，哥哥遇事一定想开些。"

兄弟俩深情而伤感地对望着。头顶上明月高悬……

第二天，苏轼一直送行到汴京郊外。兄弟二人忆及当初苏轼带着王弗、采莲赴任凤翔，苏辙相送的情景，唏嘘不已。苏辙再三让苏轼不要再送，兄弟二人洒泪而别。苏轼望着弟弟的马车直到完全看不见了，才落寞地转身回城……

《青苗法》推行后，王安石向神宗推荐李定，神宗便欲授予李定官职。但是宋敏求、苏颂、李大临三人对他的任命拒不草诏，认为李定母死却不守丧，实是大不孝之人，不能担任官职。神宗便将王安石、李定传进迩英殿。见神宗询问，李定忙跪伏在地，哭泣着说："……臣非禽兽，焉能有此不孝之举，实在不知吾母为谁。微臣从记事之日起就在伯父家长大。伯父曾告诉微臣，母亲生下微臣就离开人世了。"

王安石也起身施礼，说："陛下，李定是微臣的入室弟子，微臣可以担保，李定确无此不孝之事。"

神宗见有王安石的担保，登时大悦，便命张茂则去传王珪，并对宋敏求、苏颂、李大临三人十分不满。王安石又指出，宋、苏、李三人抗命不遵，并非只为李定任用之事，而是反对变法。神宗听后，更加生气。这时，王珪趋步而进，神宗便命他拟写两道圣旨：一是擢李定为监察御史里行；二是外贬苏颂、李大临、宋敏求为知州。

李定至此已是泣不成声，他伏地断断续续地说："谢陛下圣恩。陛下，天下者乃陛下之天下，取舍由君，当臣子的只有唯命是从之理，焉有抗旨不遵之说。不过，因微臣区区一人，而罪加三位学士之身，微臣心有不安。微臣纵有万死，难报吾主知遇之恩，必当肝脑涂地，为陛下尽忠。"

神宗点点头，说："难得你有如此忠心。变法大业，举步维艰，望卿家为朕分忧。"李定以衣袖拭泪，信誓旦旦地说："陛下，纵是赴汤蹈火，微臣也在所不辞！"神宗满意地点了点头。

当晚，吕惠卿、李定、曾布三人到王安石府上商量变法事宜。

突然，管家王全进来禀报苏轼求见。王安石正在疑惑苏轼为何事而来，吕惠卿在一旁劝他不要见苏轼。王安石却一摆手，认为吕惠卿并不如他了解苏轼。此时的苏轼虽然也反对变法，与他政见相异，但在王安石心中，苏轼是君子，所以仍是他的朋友。王安石还是不愿意失掉苏轼这个朋友，便决定会见苏轼。

但吕惠卿仍不死心，指出如今反对变法的大臣过去大多是王安石的朋友，而且苏轼又不可能一夜之间改弦易辙，找上门来支持变法大业。所以，见苏轼则是听他那蛊惑之辞、无理之辩；而不见苏轼则是耳根清净、心如磐石，一心致力于变法大业。听了吕惠卿的话，王安石沉吟半晌，便让管家以他已经睡下为由回绝苏轼。

寒风凌厉，苏轼知道王安石不肯见自己，神色木然地走在汴京空荡的街道上，心中冰冷。

他明白王安石还不至于如此决绝，但王安石不擅用人，如今身边群小麇集，已经被吕惠卿、曾布、邓绾这些小人所蒙蔽了，连李定这种人也当个人才放在身边。变法的核心人物亲佞远贤，变法前途着实可忧。面对如此景况，苏轼忧心如焚，一刻不得安坐。

翌日清晨，苏轼决定不再劝谏王安石，而是直接劝谏神宗皇帝。他来到范镇府上，正好司马光在向范镇痛骂吕惠卿，说吕惠卿在朝堂上对《青苗法》所致的民间祸乱只字不提，偏提那万中之一有成效者，妄图偷梁换柱，混淆视听，以塞面圣言路，实是小人行径，实是欺君之罪！

苏轼向二位说明不想再劝谏王安石直接劝谏神宗皇帝的想法。司马光摇头，说："你不能面圣，圣上也不会见你。"苏轼急切地说："晚辈心中如坠千斤，更如有鲠在喉，必欲吐之而后快。若能亲口说与圣上，晚辈不信圣上会不为所动。"

范镇起身徘徊思索，说："圣上以为我等老臣对变法怀有成见，对我等早已言不听计不从。子瞻，你是新人，圣上对你没有成见，也许反倒能听进去。子瞻，就这样办，老夫明日上朝，就向圣上举荐你！"

司马光仍是正襟危坐，心中并不太相信苏轼能够劝动神宗皇帝。但他知道苏轼之才，也愿意让他一试，便决定明日与范镇一同举荐。

苏轼听后大喜，感谢范镇、司马光两位。

翌晨，皇宫候朝房内，大臣们叽叽喳喳议论不止。

四十多岁的范纯仁嚷道："诸位，有些人蒙蔽圣听，以致圣上为了一个忤逆不孝的李定，竟然把宋敏求、苏颂、李大临三位翰林学士贬了，简直闻所未闻！"

众臣也纷纷表示不满，这个说："真是小人当道，暗无天日！"那个说："我大宋历来以孝治天下，岂能容这不孝之人玷污了朝堂圣地！"一时群情激昂、义愤填膺……

忽然，吕惠卿来到房内，大声说："这分明是诬陷，宋敏求等人罪有应得！"邓绾也忙帮腔，说："你们连圣上的话都不听，听谁的？"

司马光一听二人又是拿皇帝压人，一副唯圣上之命是从的嘴脸，反驳说："圣上的话对的听，不对的也听吗？那还要谏官干什么？！"

吕惠卿被司马光、范纯仁批驳得无话可说，却认为他二人如此说话无法无天，与造反无异，大声叫道："反了，反了！"

这时，范镇怒目圆睁，来到吕惠卿近前，喝道："你说什么？你要造反？"

范镇怒目金刚的气势吓得吕惠卿边退边嗫嚅着说："范公，你，你不要血口喷人！"

范镇嚷道："我血口喷人？你说要造反嘛！"众大臣纷纷附和，暗自发笑。吕惠卿尴尬不已。

突然，内侍高喊"时辰到——上朝——"王珪急忙做和事佬，说："大家不要争了，该上朝了。"吕惠卿趁机退去。众大臣走出候朝房，列队向崇政殿走去……

冬日阳光下，苏轼冷得直呵手，在崇政殿宫墙下徘徊等候……

文武百官在崇政殿内站定后，神宗登上龙台，众臣举笏板高呼："陛下万岁，万岁，万万岁！"神宗说："众位卿家，有事则奏，无事退朝。"

范镇看看司马光，司马光点头示意。不料，范纯仁却抢先出班，询问宋敏求、苏颂、李大临因封还诏谕被贬一事，并指出：根据祖训，诏谕下给翰林院后，作为知制诰，有权封还，不为抗旨。神宗一时无语。

吕惠卿忙出班护驾，说："陛下，范纯仁曲解祖训。所谓翰林院封还诏谕，拒不拟旨，本不违祖训。但陛下一而再、再而三地下诏谕，翰林院依然我行我素，就是抗旨不遵！"

司马光忍无可忍，出班奏道："自从祖宗以来，孤远小官，改任京官已是恩优。陛下，李定连个进士都不是，也无政绩，只是个寻常小县的县尉，却提拔成监察御史里行，皆因其善于攀附迎合。况其母谢世，不守丁忧之制，已是大逆不道。此等小人还得以重用，让君子心寒，让百官难堪！"

此时，范镇已是怒气冲天，出班直接质问神宗："陛下，若是非不分，认为一味迎合变法则为贤；不分好歹，人为一味排除异己则为能，那还要谏官台官作甚？还要上朝听百官言论作何？"

神宗极力压制心头怒火，问宰相曾公亮的意见。没想到曾公亮却施礼回答说："陛下，老臣年迈昏庸，若再久处相位，必误陛下大业。恳乞陛下恩准老臣，辞去相职。"

朝廷官员立即大哗，神宗也为之一惊，迟疑不决。曾公亮伏地接着说："陛下，老臣多病缠身，已不能处理政务。与其素食其位，被人弹劾，不如全节以退。恳请陛下体谅老臣风烛残年之苦，即是对老臣皇恩浩荡了。"

神宗无奈地命曾公亮平身，接着召唤王安石、韩维二人出班。神宗说："朕拜二位为左右相。"王安石回答说："谢陛下重用之恩。陛下，臣自随陛下变法以来，积怨甚多，恐难胜任。"

韩维也说："陛下，臣为东宫旧人，陛下重用微臣，恐遭天下异议，亦给陛下带来不利影响，乞望陛下收回成命。"

神宗并不接受，表示其意已决，不能收回。王安石、韩维便叩谢神宗。

范镇、司马光一脸愠怒，王珪则一脸平静。

范镇气冲冲地走过崇政殿宫墙，宫墙下的苏轼正要上前问他如何，范镇连脚步都不曾停下来，边走边说："气杀老夫，气杀老夫也。子瞻，皇上竟准了曾公亮辞去相位，拜王安石为左相。这个官我不做了，你找别人举荐吧！"

随后，司马光喊着"气杀老夫，气杀老夫也！"气冲冲地走过宫墙，他看一眼苏轼，叹息离去。

这段时间，苏轼精神不振，郁郁寡欢。这一日，苏轼、王闰之、小莲、巢谷、采莲等正在吃饭。王闰之见苏轼茶饭不香，不动碗筷，凝神沉思，便起身给苏轼倒了一杯酒，置于苏轼面前。苏轼举起酒杯，又摇摇头，并未喝下。

王闰之出言询问，苏轼摇头感叹，说："面君之难，难于上青天啊！"

巢谷放下碗筷，豪爽地说："子瞻，这又有何难？我带你去面君，走到崇政殿外，谁敢拦咱俩，我就打他个万紫千红，咱俩直接去见皇上。"

苏轼哈哈大笑，说："巢谷，你这样倒简单。"说完，目光无意中转向小莲，小莲急忙低头夹菜吃饭。

这时，画学博士米芾衣冠不整地来到苏家。苏轼请他到书房说话，米芾说神宗皇帝派苏轼、驸马王诜和他一起去禹州监制钧瓷，苏轼不禁愕然。

原来，自《均输法》施行以来，钧瓷也是由官家统一购买，各种品级的瓷器都是同一个价，故而窑户不再用心烧制好瓷。今年上贡的钧瓷也大不如前，神宗见后大为光火，传监制官米芾责问。米芾说明情由，神宗也一时无法。但太后大寿在即，只好派米芾去禹州官窑为他特制几件，并言明须是极品，以为太后祝寿之用。米芾领命，同时请求派驸马王诜以及苏轼监制，因为苏轼颇懂钧瓷，定能助其一臂之力。神宗点头答应。

米芾此举大有深意，一是让苏轼离开京师，出外散心，钧瓷之美或可令他抛却心中烦恼；二是苏轼一直想要面君，却苦无机会，这次去禹州监制钧瓷，说不定会有转机。

苏轼起初苦笑，摇头称没有领略美妙钧瓷的风雅心情。待听到面君一事，苏轼一愣，终于会意，笑着说："噢……元章啊元章，人都说你是米癫子，原来你看似疯疯癫癫，心中比谁都明白！"

钧瓷始创于唐代，兴盛于北宋，其名源于"钧台"。钧台位于今河南省禹州市北门里。据文献记载：夏启曾在今城南的钧台坡宣誓即位，故有"夏启有钧台之享"的传说，历代观瞻者络绎不绝。唐代，禹州城北门里建禹王庙，庙前立山门台基，命名"钧台"。此后附近相继设窑烧造瓷器，因地名"钧台窑"，或谓其产品曰"钧瓷"。北宋以来，禹州渐成钧瓷的中心，是当时的五大名窑之一，与汝、官、哥、定窑并驾齐驱。

在宋代五大名窑中，钧瓷以"釉具五色，艳丽绝伦"而独树一帜。钧瓷烧出窑变铜红釉，并衍生出茄皮紫、玫瑰紫、鸡血红、海棠红、丁香紫、朱砂红等多种窑变色彩，宛如蔚蓝色的天空出现一片彩霞，五彩渗化，斑斓绮丽。釉中的流纹更是形如流云，变幻莫测，意境无穷。这就是钧瓷的名贵之处——独特的窑变釉色。其釉色皆天然生成，非人工描绘，而且每一件钧瓷的窑变釉色都是绝无仅有，此即"钧瓷无双"之谓。它的釉变色五彩缤纷，在人的艺术想象力下，构成一幅富有意蕴的图画。古人以"出窑一幅元人画，落叶寒林返暮鸦"，"峡谷飞瀑菟丝缕，窑变奇景天外天"等来形容钧瓷窑变之妙，民间有"黄金有价钧无价"，"纵有家财万贯，不如钧瓷一片"的说法。

苏轼、米芾昼夜兼程，这一天终于赶到禹州。二人问明方向，来到禹州钧官窑厂。窑工们疲惫不堪、精神委顿。他们打开窑门，从里面掏出一件件瓷器，但均是色泽晦暗，毫无生气。众人哀叹一声，纷纷沮丧不堪。众窑工身后的一名官员不耐烦地说："好了，好了，只要不破，就都装上车吧。"

苏轼和米芾见此情景，摇头叹息。米芾感叹说："鱼目混珠，不，如今只有鱼目了！"苏轼也叹息一声，说："再好的名声，也禁不住这么败坏啊！元章，你领了圣旨，但这钧窑可不是好烧的！"米芾道："所以须劳子瞻救驾。你也知道，我只会造造器形，要说监造，我可没那个本事。"

这时，那官员走过来，躬身施礼说："哎呀，苏大人、米博士驾到，下官有失远迎，恕罪，恕罪。"这官员名叫房帷，是这里的窑官。

苏轼说："罪倒不用恕了。可是这次若烧不好钧瓷，你我可都是要吃罪的。"房帷忙回答："当然，当然。"

米芾接着说："房帷，圣上钦定的期限已越来越近，这烧制可不能再耽误了。"房帷又回答说："那是，那是。但凭大人吩咐。"

苏轼见他只是唯唯，便问禹州烧瓷手艺最好的师傅，房帷极力推荐王古斋师傅，说他的手艺最好，在禹州可谓无人不晓。米芾立刻反驳他，说："呸，你还说王师傅的手艺好，上几窑就是那王古斋烧的，害我这几个月的心血全白费了，一件也不成。"

房帷忙解释说："哎呀，米博士，这钧瓷全凭天然窑变，非人力可为。烧得成与不成，都靠运气。"窑变虽实属天然，但经验老到的窑工也可通过材料搭配、炉温控制等手段促成窑变。米芾反问房帷："都靠运气？那还要你这窑官做什么？待我去奏明圣上，免了你这无用的闲职。"房帷一时无语，便向苏轼求救，苏轼不语，低头沉思。房帷眼珠一转，忙笑着说："二位大人鞍马劳顿，下官已备下酒席，为二位接风洗尘，请一定赏光。"苏轼却冷冷地说："等烧出好瓷，再喝酒不迟。"房帷讪讪地笑着立在当地，恭送米芾、苏轼二人离去。

日暮时分，苏轼让米芾先去馆驿安排，自己一个人走到禹州民窑窑场。在正在干活的工人们中，苏轼看到一位老者正在制坯，走上前去，递给他一壶水。两人攀谈起来，苏轼从老窑工的口中得知，烧瓷并不挣钱，还不够官府抽税的，但现在冬末无农事可做，烧瓷可以挣口饭吃。接着便谈起钧瓷的价值和烧制方法。在当时，民窑不得烧制钧瓷，烧出好钧瓷，三分釉料，五分火候，剩下的二分就是运气了。窑变的颜色也因釉料、烧制的温度、时间等不同，千变万化，正所谓"入窑一色，出窑万彩"。钧瓷的色彩以红紫为最好，话说"钧瓷不带红，一辈子都受穷"。

老窑工见苏轼不但对钧瓷颇为了解，而且诚恳、谦逊，自然知无不言。两人相谈甚欢。苏轼问起禹州烧瓷手艺最好的师傅，老窑工不加思索地说出孔效仁师傅的名字，他是祖传的手艺，本来主持官窑，但自从姓房的窑官来了，就辞退了孔师傅，官窑的主事换成了王古斋师傅，王师傅手艺不行，瓷器十有八九烧不好。苏轼得知这一消息，十分感激老人家，再谈片刻与他辞别，回到馆驿。

第二天清晨，苏轼、米芾一起来到孔效仁师傅家拜访。一个年轻人打开门，他是孔效仁的儿子，忙将苏、米二人请进去。听到苏轼、米芾两位大人来访，正在制坯的孔师傅两手是泥，摸索着走出来。孔师傅常年烧窑，有时为了查看窑变，不等窑凉就下去，所以把眼睛伤了，现在已经失明。孔氏父子将苏轼、米芾请进屋里。苏轼、米芾进屋一看，屋里到处摆着瓷器坯胎。苏轼道明来意："老人家，当今圣上专爱禹州钧瓷，命我二人来此监制烧窑。这器形呢，由米博士定。这烧制，还得请您老出马啊！"

孔师傅仰着头，听苏轼说话，眨巴着空洞无光的眼睛，用力地点头。

在苏轼、米芾、孔效仁三人的指导下，窑工们选土、练泥、定型、干燥、上釉，最后将毛坯放入窑炉，进行烧制。窑炉旁窑工们不断向炉膛内填着柴，孔师傅用手抚摸着炉壁，并用脸贴近炉膛，试着炉温。听到他加火的命令，几个彪形大汉赤裸着上身，用力拉着风箱，炉膛内火光熊熊。孔师傅又用手摸了摸炉壁，高呼："退火！"彪形大汉立即停下风箱，迅速抬起一块长条青石板向炉膛内伸去……苏轼看着这一切，激动地上前拉住孔师傅的手翻看着，说："孔师傅辛苦了！"孔师傅急忙抽回手，说："苏大人，不碍事。老汉我双眼不中用了，只有靠这双手了。"

经过几天的烧制，这一天黄昏，终于到了开窑的时刻。残阳如血，窑口前燃烧着一堆熊熊大火，火堆前摆放着丰厚的鱼肉瓜果祭品，祭师挥着剑暗自诵念。一汪鸡血飞溅，披着红绸的壮汉不断地跳过火堆。祭窑神的人群穿着大红衣衫，牛羊都披挂着红绸，红色的鞭炮挂满四周，铺天盖地的红色，布满了整个窑场。人们跪在地上，向着苍天喃喃祷告。孔师傅跳跃祈祷着："宇宙洪荒，天地玄黄；泥为土之子，火是日之光；土德和火德，百瓷钧为王。土德和火德，百瓷钧为王……"

米芾、苏轼和窑官站在窑口一边，禁军把守着窑口四周，威严雄武。窑工们举起双手对着苍天，站成一排围住窑口。双目几欲失明的孔师傅站在最里面，手捧一碗鸡血，静候在窑口。

苏轼高声命令："开窑！"孔师傅将一碗鸡血泼在窑中，鸡血刺啦作响，冒着蒸汽，霎时窑口一阵水汽蒸腾。孔师傅站在水汽中，熟练地打开窑门，将一件件钧瓷掏了出来。巧夺天工、摄人心魄的一套四件精美钧瓷折扇屏风出现在众人眼前。孔师傅抚摸着屏风瓷器，无比激动地大声喊道："好瓷，好瓷！"接着，他掏出其他瓷器，每一件都是色彩神奇，美丽异常，孔师傅不住地感叹。听到终于烧出了窑变，众人纷纷激动地喝彩："好瓷，好瓷！"顿时锣鼓齐鸣，鞭炮四响，人群欢呼，红色涌动。米芾和苏轼急忙上前察看，米芾看到窑变的瓷器光彩照人，釉色温润，不住地感叹烧出了宝物。苏轼指着那屏状瓷器上窑变出的图画，说："太美了，真所谓钧不成双，窑变无对。元章你看，这里如水墨山水，如彩虹雪岭；这里有孤松悬崖，有落日孤烟。鬼斧神工亦不及也。"

在苏轼的赞叹声中，米芾将这件钧瓷装入一个大红木箱，钉好盖子，贴上封条，举手示意。禁卫军立刻将其他瓷器当场全部砸碎。这时孔师傅突然抚摸胸口，手剧烈颤抖，吐出一口鲜血，封条上立时血迹斑斑。他近一个月来四处选材、指导诸多工序，这几日又监视炉温，昼夜不歇，老迈的身体已是极度透支，全凭烧出好瓷的心愿支撑着。现在看到心愿终于实现，再也支持不住，口吐鲜血，慢慢倒在地上。苏轼、米芾上前大声呼唤孔师傅，孔师傅却木然不动，已经溘然长逝。苏轼试了一会儿孔师傅的脉搏，站起来悲痛地说："元章，古人说干将、镆铘铸剑，十年不成，后以鲜血溅之方成，我起初不信，今日见了，方知古人不欺我也。"

苏轼和米芾帮着孔师傅的儿子埋葬了老人家，在墓前凭吊良久，才率领禁军押着瓷器赶回汴京。

来到皇宫外，驸马王诜迎着。王诜让米芾、苏轼等在外面，自己则带领禁军抬着内装瓷器的大红木箱来到御书房，请神宗御览。太监们从箱中取出钧瓷摆在御案上，华美娇艳的钧瓷令满堂生辉，引来神宗赞赏的目光。神宗爱不释手地抚摸着说："真是宝物啊！驸马有功啊！"

王诜说："微臣岂敢贪功。陛下，所谓釉色窑变，千变万化。红里透紫，紫中藏青，青中寓白，白中泛红，真真是画家笔拙，丹青难绘。太平盛世，物华天宝，得此宝物乃是皇上龙恩浩荡，上天瑞祥之兆。"

神宗小心地把玩着，接着问王诜如何命名这宝物。王诜早有准备，谦逊地说自己才疏学浅，给宝物命名力所不能及，并说自己此前费尽心力烧制钧瓷十窑十不成，此次苏轼到了禹州，监制有方，宝物方成。

神宗迟疑了一下，便命张茂则去宣苏轼觐见。苏轼进殿，叩见皇上。神宗命他免礼平身，并赞他有功。苏轼回答说："谢陛下。为圣上出力是臣子应尽的本分，臣也不敢贪图其功。此功应归禹州老窑工孔效仁师傅，他已殒命于窑场。臣恳请陛下，予禹州官窑窑工孔效仁一家以安抚，以显陛下爱民之心。"

神宗准奏后便命苏轼为瓷器题名，苏轼说声"遵旨"，然后指着瓷器窑变图画中的一棵青松，说此有太后万岁不死之寓意，故以"寿松屏"为名甚佳。神宗击节赞叹，又命再题诗一首。苏轼看着寿松屏，略微沉吟，说："臣却之不恭，陛下请听。何人遗下瓷屏风，上有水墨希微踪。不画长林与巨植，独画峨嵋山西雪岭上万岁不老之青松。崖崩涧绝可望不可到，孤烟落日相溟濛。含风偃蹇得真态，刻画始信天有工……"

神宗听后大悦："好！果真名不虚传，大宋第一才子非你莫属！朕很高兴，今日特许你与朕对坐而谈，凡事不必太拘礼！"神宗久闻苏轼对变法新政有话说，也想借这个机会，听听他对新政的看法。

苏轼谢恩坐下。听到神宗问及他对新政的意见，苏轼请神宗先恕他直言之罪。神宗笑着说："今日你我君臣之间，可以敞开心扉，但说无妨。"

苏轼终于得到这一难得的机会，心中激动，略微沉吟，缓缓地说："谢陛下。我大宋基业百年余，实属不易，太祖接受大唐教训，杯酒释兵权，行以文治，杜防割据，集权中央，威统四海，可谓洋洋大哉。然则太平承久，弊端渐多，兵多、官多、税多，致使天下积贫积弱。陛下欲维新图强，威加四夷，神明邦国，实为我大宋之福也，天下之幸也。然则要兴先王之业，实现陛下富民强国之志，现行变法不可取。"

神宗脸色不豫，隐忍不发，反问道："以卿之意，该当如何？"

为引起神宗兴趣，苏轼说："治大国分上、中、下三策。"

神宗果然问："哪三策？"

苏轼说："这上策是道法自然，无为而治；中策是纲常并举，有为而治；下策是劳师天下，夺民而治。"

神宗沉吟了片刻，说："上策如何？中策怎样？下策又是什么？"

苏轼说："陛下，天下之事，朝廷有可管者，有不可管者；可管者不管则乱，不可管而管则锢。为政之道，就在顺其自然。所谓自然，就是天下的实际情况；所谓道法自然，必须按照国家的实际情况施政。无为而治呢？并非不作为，而是根据国家的实际情况，顺势而为。说是无为，其实把该做的事情都做好了，也就成了无不为。虽只有一道，但运用之妙，存乎一心。此谓上策。"

神宗听了点头同意，只是觉得有些玄妙，让苏轼以实例相佐。苏轼便直接以现在施行的《均输法》为例，认为《均输法》就是政府管了商人的事，违背了商业的自然之道，成了与民争利的贩夫走卒。官商弊端甚多，仅增加众多官员经商一事，吃皇粮者倍增，官多之弊端又何以能除呢？

神宗对《均输法》之弊不置可否，接着问起中策。苏轼回答说："中策所谓纲常并举，就是以法家和儒家常道并施，勇猛精进，刷新吏治，在祖宗的成法之上时维时新。"

神宗顿时欣喜不已，觉得自己现在推行的新政就属于勇猛精进、刷新吏治的中策，但询问苏轼，却得到否定的答复，苏轼认为现在的新政实是下策。

神宗为之大惊，很是不服气地说："朕爱民之心，天日可鉴，岂是劳师天下，扰民而治？"

苏轼笑着回答说："陛下爱民之心，天日可鉴。但所出新法，与民争利，劳师天下，与陛下的初衷是背道而驰的。单就《青苗法》而言，天下之民，只看到了官府从他身上取二分利，而看不到有何好处。《青苗法》在于周济青黄不接时的民之急需，还上则利归官府；逾期贷款不能还，则有牢狱之灾。况且，强行摊派，富户或无须贷款之户皆纳利息，加之税赋，则天下负担日甚一日，民自苦不堪言，如此则是病民、害民，而非救民、济民。"苏轼顿一顿，接着说："陛下明文规定，不得强派。但是上有所好，下必趋之。陛下喜聚钱，官吏必取钱，为文饰政绩，何事不做？乞望陛下结人心，厚风俗，存纪纲。"

神宗半晌不语，最后他问苏轼："那，朕当以何计？"

苏轼凛然道："徐行徐立，不可操之过急。急，欲速则不达。边改边立，循序渐进，看似势慢，实则为快。圣上正当盛年，此乃国之福也。若去急躁，徐行徐立，大业必成。"

神宗却说："卿言有理有据，切实可行。然而，朕慢不起啊。朕必须迅速改变国之现状。"

苏轼便以扁鹊医病之事劝说神宗，他说："对于重病之人，扁鹊先探病因，后对症下药，不期一朝一夕。为何？病去如抽丝啊！三日不食之人，若一朝暴食，恐有腹破之祸。治国亦如此，陛下不可不察。"

神宗连连点头，然后又问："卿对朕有何评价？"苏轼回答说："陛下生知之性，天纵文武，不患不明，不患不勤，不患不断，但患求治太速，进人太锐，听言太广。"

神宗为之恍然："苏子瞻所献三言，朕当熟思之。"便命苏轼退下。

苏轼走出御书房，发现天色已暗，自己满腔话语终于说出，可是结果却不能预料。看到苏轼出来，张茂则提着一个食盒，赶忙悄悄地走进去。

二十七 谏买浙灯

转眼便是新年，除夕晚上，苏迈和邻居家的几个孩子在院子里放鞭炮。鞭炮声声，一派过年的景象。

书房内，苏轼在桌上画完一张财神像，颇为得意地笑了笑。小莲、采莲、巢谷在一侧围观。小莲在一旁窃笑不止。巢谷见苏轼画的财神像没有耳朵，不禁疑问，小莲笑着告诉他，先生是在讽刺王相国只为大宋聚财，而不纳忠言。

苏轼说："今天是大年三十，介甫公已荣升宰相，明日我无礼可送，就送给他这幅画吧。"小莲担心地说："先生，明日王相国家拜年的人必多，这画是要得罪人的！"采莲也劝苏轼不要惹麻烦。巢谷却高兴地自告奋勇，说："子瞻，让我送去，我就喜欢这又有趣、又得罪人的事。子瞻，若是没有我，你可有多少事不能做成。"苏轼和巢谷相视大笑。采莲和小莲无奈地摇头。

这时，王闰之出来叫大家吃饭。小莲看见王闰之，立刻收敛了笑容。

屋外的鞭炮声此起彼伏，一家人团团围坐，看着桌上热气腾腾的饺子，苏轼不禁想起远在陈州担任教授的弟弟苏辙……

大年初一的清晨，吕惠卿、曾布、章惇、邓绾、李定、张璪等纷纷前来拜年，王安石一一相见，门口一时热闹如市。王安石看着大门上张贴的桃符，捻须吟诗一首："爆竹声中一岁除，春风送暖入屠苏。千门万户曈曈日，总把新桃换旧符。"

王雱惊呼喝彩："太好啦，父亲的这首诗可封天下元日诗之口了！"吕惠卿也称赞说："宰相，这首诗可在我大宋诗林中独占鳌头。"张璪一脸赞叹，竖起两手的大拇指，说："总把新桃换旧符，变法大业就是要新桃换旧符，变出一个新天地。"邓绾接口说："宰相，司马光门前的旧符是不会换的。"众人一阵大笑。王安石将众人让进院落，与众人又说又笑，说笑声溢满了整个大院。

这时管家王全手托画卷呈于王安石，说："相公，苏轼托家人送来了一幅画。"

苏轼竟然会送画拜年，王安石惊喜万分，说："噢？快让我等欣赏一番。"于是接过画展开，看到画的是没有耳朵的财神爷，众人大惊失色，王安石也面露尴尬之色。吕惠卿恨恨地说："这个苏轼，太过狂悖无礼！"

苏轼一家人围坐在一起，准备就餐。巢谷送画未归，苏轼让大家等等他。王闰之抱怨他说："大年初一都图个吉利，你却扫了宰相的喜兴，太无礼数了！"小莲低着头不说话。苏轼笑着说明用意："平时尽忠言，他听不进去，大年初一印象深。"

这时，巢谷擦着额头的汗，拎着一卷画走了进来，气愤地说："王安石，欺人太甚也！"说着，将画卷递给苏轼。苏轼展开画卷，画的原是苏轼的一幅头像，画上的苏轼紧闭双唇。

采莲询问画的意思，巢谷认为那是明白得很，王安石只画子瞻头像，就是要取苏轼项上人头。接着说："子瞻，等我先取了他的去。"转身要走，苏轼急忙拉住巢谷。

王闰之看了画，又听到巢谷解释画的意思，非常惊慌，大声说："你看看，闯祸了吧？！这可怎么办啊？"苏轼不以为然地笑着告诉大家："你们会错了宰相的一片好意。"巢谷却坚称不会有错，这画画得很明白，而且王安石府上的管家王全也是亲口这样和他说的。

小莲微微一笑，指着画，说明宰相的真实用意是叫先生闭上嘴，不要对变法说三道四、论长论短。

苏轼笑着点头称赞，王闰之见状撇撇嘴。采莲劝苏轼说："子瞻，现在朝廷上下，罢的罢，贬的贬，还有几个敢直言新政的。你可不要逞强。"

苏轼正色说："身为臣子，上忧君，下忧民。我以蝼蚁之命，度雷霆之威，无非大则身首异处，破坏家门；小则削籍投荒，流离道路。但事关国计民生，让我闭口不言，万难从命。"

听着这又是死又是贬的，王闰之立刻怨道："你呀，大年初一，说些吉利话！"苏轼严肃地说："遵命。祝夫人长命五百岁，红颜三百八！"王闰之瞪了一眼，说："那是妖精！"小莲也忍不住抿嘴一笑，王闰之多少有些得意。众人在笑声中开席吃饭。

饭后，苏轼想及神宗已批准王安石等专以策对取士的建议，走进书房，一边研墨一边思索，片刻后挥笔如飞……

崇政殿早朝，神宗高坐殿上，众臣分列。新年伊始，神宗心情大好，早朝一开始便命苏轼上殿。王安石等人一惊，司马光和范镇则喜出望外，王珪则强作镇定。

苏轼穿着崭新的官服，昂首步入大殿，叩见神宗。神宗擢升苏轼为殿中丞直史馆判官告院。苏轼谢恩后，神宗接着说："苏轼，朕已看了你所上奏剳。你说得很对，学校贡举之事的确难以施行，若真是形成进士半天下的局面，恐将造成更多的弊端。朕拟准你所奏，取消以策对取士的动议。"

苏轼回禀说："圣上能纳谏如流，善莫大焉。"神宗满意地点头微笑，见王安石趋前欲辩，神宗以手阻止，说："朕意已决，不必再讲了。"

这时，王珪灵机一动，趋前启奏，说："陛下，微臣早闻苏轼才华过人，明理善辩，实乃我朝可用之才。开封府推官一职已空缺数日，微臣推举苏轼兼任此职。"

吕惠卿瞬间领会王珪之意，推波助澜地说："陛下，微臣也以为苏轼兼任此职再合适不过。"

神宗点点头，便问苏轼意见。苏轼回禀："臣当鞠躬尽瘁，不负皇恩。"神宗即刻宣布委任苏轼兼开封府推官一职。

退朝后，范镇、司马光欣喜不已，勉励苏轼。

贡举之事因苏轼一状而被圣上否决，王安石愤愤然地率众人回到条例司。曾布不禁说出自己的疑问："苏轼人微言轻，何以一状能动圣听？"张璪却认为苏轼笔如钢铁，舌如巧簧，圣上怎能不听？

王安石捻须点头，说："我听宫里的人说，苏轼向圣上提出了一整套治国之论。"吕惠卿忙劝谏王安石不可小视苏轼，他断定以苏轼所言所行，日后必为新政大敌。章惇纠正吕惠卿说："我与苏轼是故人，我对他还是有所知的。苏轼并非反变法之人，他只是反对一些做法。"

吕惠卿却说："子厚啊，这正是你这位老故人的奸猾之处。不反变法，圣上自然对他多一份好感。反做法呢，可以从根本上动摇圣心，推翻新政之法。"张璪也附和着说："吉甫兄言之有理。"

曾布向吕惠卿询问他在朝堂上附和王珪推举苏轼任开封府推官的原因。吕惠卿颇为自得地说："王珪深知我心也。京师之地，闹事者甚多，棘手之事堆积如山，让苏轼兼任开封府的推官，等于给他手中放一个烫手的山芋，他接也不是，丢也不是。哈哈，好你个王珪。"说着，扭头对章惇说："只是子厚啊，你是苏轼的故人，有些话可不能对他说啊。"

章惇听后大怒，拍案而起，高声说："吉甫兄，你把我章惇看成什么人了？！宰相，如信任下官，则用之；不信任，则罢之！这等专事算计人的下流阴谋，子厚不忍为也！"

王安石抬手相劝，说："吉甫戏言而已，子厚不必计较，苏轼与我也是朋友嘛。新政初立，圣上又听言太广，像子瞻这等人物，若动圣心，亦非难事。为了变法大业，有时我也……唉，自变法以来，本相故友离我而去者，已有十之八九，岂不痛哉？然而，变法大业，焉能因此而废！"

上元节将至，宫中年年要办灯会。这天，皇宫门口成群结队的宦官们手拿着一只只灯笼，鱼贯而入，像是皇宫里流动着的一条灯笼长河，十分好看。吕惠卿、张璪一众站在皇宫朱门前，眼看着灯笼从身边流过。吕惠卿得意地说："变法见效，国库日渐充盈，四海欢腾，今年的灯会要大办，以增喜庆之气。"张璪、曾布、李定、邓绾等纷纷附和，认为一定要比往年办得热闹，皇上必定龙颜大悦，自然对变法更有信心。于是决定命令下面的官吏尽可能多地收灯，越多越好。这就给普通百姓、特别是灯商带来了巨大灾难。

开封府大堂内，苏轼稳坐于"明镜高悬"的匾额下，两班衙役挂大板立于两侧，大堂外挤满了围观的百姓。一少妇上堂号啕大哭，在苏轼的劝慰下，才在哭泣中陈述出冤情。原来，她丈夫是卖灯掌柜，贷公款置了很多浙灯，本来还二分息，交了税，也还能稍赚点。谁料想，官府命令压价收购，因资不抵债，她丈夫见走投无路上吊死了。自己觉得这是莫大的冤屈，却不知该状告何人。

听完这女子的哭诉，苏轼为之震惊，并亲往店铺探查。店铺里停着一具尸体，盖着白布，店内家徒四壁，凄惨萧瑟。少妇和灯铺伙计纷纷痛哭。苏轼背着手站在店内，悲悯之情激荡于胸。少妇哭诉："苏大人，我家老实做生意，官府说贷款就贷款，说还息就还息，谁料到他们却在这时候压价收灯，这是要人命啊！"接着不住地哭泣。两行清泪从苏轼的脸上流下来，两个小吏吃惊地看着苏轼。小吏不解地问苏轼为何哭泣，苏轼不答他话，也不拭泪，只是悲愤地看着这空荡店铺中不幸的大宋子民……

安慰罢灯商家人，苏轼一个人走在灯市街上。大多数店铺都已关门，一片冷清。仅开的两三家灯店，店家也都是无精打采，垂头丧气。店家看见苏轼穿着官服走过来，大感恐惧，迅速地关上店门躲避。苏轼知道，他们这是把自己当成追收贷款本息的官员了。

走在清冷无人的街道，苏轼凝神沉思。突然，他抬脚碰到路上一只破旧遗弃的灯笼，便拾起来端详，若有所思。

第二天，崇政殿内神宗临朝。神宗问起上元节灯会的安排情况。吕惠卿忙出班，奏说："陛下，开封府和众官皆云，陛下自兴变法以来，国库充实，已取得不小成效。此时四海欢腾，应当大办灯会，以增喜庆之气。"神宗点头赞许。

苏轼手捧那只破旧的灯笼，出班上奏，说："陛下，微臣有一物伏乞陛下御览。"

神宗命张茂则将灯笼呈上，神宗拿在手中端详，说："一只普通的灯笼，只是破旧了一些。苏轼，此物有何意？"

苏轼回禀说："陛下，此物确是一只普通灯笼，是臣昨日于开封府灯市街偶然拾到。陛下，正值上元闹灯来临之际，微臣昨日所见之灯市街却人迹罕至，门可罗雀，多家店铺已关门停业。满大街上竟只有这个破灯笼，微臣便拾来呈交陛下。"

神宗有些怀疑地说："关门停业，灯市街何至于此？"

苏轼回答说："陛下，关门停业已算是好的了，现已有卖灯商民，因压价收购不抵官息而自缢身亡。"

苏轼说完，满朝哗然。神宗惊问："什么，朕何时压价收购浙灯了？"

苏轼说："陛下，卖灯之民，例非豪户，举债出息，积蓄经年，衣食之计，全在上元闹灯之日。陛下为民父母，唯可添价贵民，岂可减价贱买？此事至小，体则甚大，有与民夺财之意。"

神宗怒道："上元闹灯，本意官民同乐，扬国泰民安之瑞气，以此害民，岂是朕意！"吕惠卿忙说："陛下，恐是一些不法下官所为，臣也不知。臣等欲隆重办理上元灯节，意在庆贺陛下新政之功绩，并无聚敛之意。苏轼所奏，有违事实。"

苏轼并不同意只是一些不法官吏之缘故，他认为此事之所以发生，皆乃《均输法》之错也！听到苏轼直接批评新法，众官皆惊，纷纷看着苏轼。王安石脸色铁青，但并不言语。

吕惠卿反驳苏轼，说："陛下，苏轼原来是借贱买浙灯之名，行攻讦变法之实。下面几个官吏失职强派，压价收购了点浙灯，他竟借此一举否定整个变法大计。陛下，苏轼一贯反对新政，此是他借题发挥。"

神宗默默不语。苏轼说："陛下，微臣并非反对变法新政，微臣以为变法草率施行，刚猛伤民，以生民怨。贱买浙灯即是铁证。"

吕惠卿还要再说，神宗摆手止住，说："好了，都不要奏了。朕就事论事，苏轼及时奏明此事，甚好。吕惠卿，即刻传旨下去，浙灯立即恢复原价收购，怠慢者严惩。"吕惠卿只好领旨。

散朝后，神宗回到迩英殿，便命张茂则将宫中的灯运往灯市街去，今夜宫里不点灯。太监宫女们在张茂则指挥下，依次把宫中挂着的灯摘下拿走。偌大的迩英殿内只有一支大红烛燃着，神宗独自坐在殿上，陷入沉思之中。

太皇太后在两名宫女的搀扶下来到殿内，示意宫女不要惊扰神宗，她慢慢走近神宗。神宗突然发现了太皇太后，慌忙跪在地上，说："老祖宗，孙儿有失远迎，请恕罪。"太皇太后询问上元之夜宫里不点灯的缘由。神宗回答说："老祖宗，孙儿今日得悉，灯市街的百姓连灯都买不起，孙儿就将宫里所有灯笼都送回灯市了。老祖宗，百姓在上元夜无灯可买，孙儿这个皇帝当得无能呀！老祖宗，孙儿对不起您呀！"说完，神宗伤心痛哭。太皇太后安慰神宗说："孙儿，若你心中装着臣民百姓，上元夜的皇宫又何患无灯呀！"

汴京城灯市街上，一官差敲锣宣告："皇上有旨，浙灯恢复原价，还灯于民，还灯于民！"听到这一好消息，人们纷纷涌到街上欢呼不已。浙灯店铺也重新开张，店商喜笑颜开，人们纷纷上店铺买灯。热闹的灯市街，人流涌动，欢声笑语。街市上挂着各式各样的浙灯，辉映了整条街道。

十几个灯商，也包括前天告状的女子，提着灯笼围在苏轼家门口。采莲不住地推辞，灯商们你一言我一语地坚持让采莲一定收下："是苏大人救了我们。要不是苏大人，我们连家也回不去了。我们无以报答苏大人，只好送几盏浙灯给苏大人过上元节，也好表达我们的心意。"说着便要一起帮忙把灯挂起来。

采莲慌忙阻止，说："不可，不可。我家大人从不私收民财，朝廷不许啊！我家大人要是被御史参上一本，只怕将来想替你们说话也没机会了。"

一灯商说："朝廷不许？御史还参苏大人？难道有天理就没有人情了？"众灯商面面相觑，不知如何是好。采莲见众人一片真情，不忍心完全拒绝，只好替苏轼做主，决定按价付款，买两盏灯。说着，采莲掏出钱交给灯商。灯商本不想收，又不知如何是好。采莲请他们帮忙挂灯，众灯商一起动手把灯挂上。

汴京城里挂起灯笼，街上处处欢声笑语，条例司的人却皆愤愤不已。

吕惠卿咬牙切齿地将一叠文稿摔于案上，大骂："苏轼这个西蜀贼子，可恶至极！"曾布也狠狠地说："切不可轻视这西蜀贼子，他连上两道奏章，皆被圣上采纳，我等一番努力，付诸东流。"

邓绾接着抱怨说："要不是苏轼危言耸听，皇上怎会不点灯呢？宫里黑灯瞎火的，变法正在进行中，你们说多丧气呀！"张璪好似早已料到今日这一幕，老气横秋地说："我早跟你们讲过，范镇不足惧，司马光不足忧，韩维不足虑，就怕这苏轼……唉！"

吕惠卿说："他口口声声不反变法，只反做法，什么徐行徐立、边改边立，这是以退为进、绵里藏针，何其凶险！"他脸色由愤恨转为愁闷，迟疑一瞬，接着说："不过，这苏轼也委实厉害，实在不好对付，须从长计议。对付苏轼一事，你们都不要与相公讲，相公总把他当朋友，反成阻碍。明白吗？"说完，环视众人，众人点头称是。

自此，这群嘴上只关心新法、关心神宗皇帝，骨子里却只关心个人私利的小人开始背着王安石更加肆意妄为。韩维、苏轼等人所担心的一步步地变为现实。

王闰之、巢谷和采莲带着孩子们推门而出，正好迎着办完公回家的苏轼。王闰之说："今日上元节，我们到灯市上看看热闹去！"苏轼说："你们去吧，我还有一些公文要看。"王闰之有些迟疑："嗯，好吧。表姑，咱们走吧！"巢谷向院里瞟了一眼，也迟疑了一下，抱起苏迨而去。

苏轼走回院子，忽然看见小莲的房子亮着灯，犹豫了一下，走近敲门。小莲在屋内问道："噢，是先生啊，有事吗？我这就要歇息了。"苏轼在门外问："家人都去看上元灯节了，你为何不去？"小莲声音有些颤抖地说："我困了，不去了。先生，有事吗？"苏轼支吾道："没……没事！小莲，你能开门吗？"小莲心中迟疑，走到门口，欲开门，终又没开，说："先生，我要歇息了。"

苏轼道："小莲，上元灯夜，歌舞欢会，你这房门不该这么早就关上的。"小莲回道："先生，谁说上元灯节就不能独享其乐？先生不也是劳形于案牍，却乐在其中吗？"苏轼长叹一声，说："小莲，任我自诩雄辩，却总是说不过你。你这又是何苦呢？也许是我害了你！"小莲泪光莹莹，说："不，先生没有害我，这是小莲的……命！"苏轼诧异地说："你也信命？"小莲回答说："不信命时有命，信命时无命！"

苏轼伤感地喃喃着："无命！无命！"他离开小莲房前，走到院子中，呆呆地站着，仰望天上的明月。小莲熄掉灯，黑暗中隔窗默默地望着外边的苏轼，抚摸着王弗送她的玉镯。

上元冬夜的汴京城，灯市街上彩灯琳琅满目，游人如织，处处欢声笑语。巢谷让苏迨骑着脖马，手牵着苏迈兴高采烈地在前面看灯，王闰之和采莲二人走在后面。王闰之看着热闹的人群，却高兴不起来。采莲陪在她身边，叹了一声气，劝王闰之不要总和小莲怄气，弄得家里整日不得安宁。王闰之却很委屈，认为苏轼对她不好，总觉着他的人和心不在一块儿。

采莲语重心长地说："我明白。子瞻对你好，但是他不只对你好，对小莲也好。你要他放下小莲，除非……除非你比小莲好！"

王闰之又伤心又恼怒地说："男人纳个三妻四妾，本是稀松平常的事，子瞻要娶她，我也不会怎么样。可是你，还有巢谷，你们谁都觉得她比我好。"

采莲立刻指出："这不是谁好谁坏的问题，而是闰之你不懂得子瞻的心！"王闰之很不服气。采莲便问她："那你说说，子瞻是个什么人？在子瞻眼中，你是个什么人，小莲又是个什么人？"

王闰之被采莲问得哑口无言，心中吃惊不已，因为她从来没想过这个问题。

采莲接着说："闰之，我跟你讲。你是子瞻的夫人，而小莲却是子瞻的知己。夫人可以有几个，但知己只会有一个。"王闰之仍是不服气地说："表姑，我看不尽然。她不就是会帮子瞻出出主意嘛，这个我也会。"

这时，巢谷从前面转回来，把苏迈、苏迨两个孩子交给采莲，便辞别回去了。采莲看着巢谷的背影，深深地叹了一口气。

吕府内，吕惠卿正独自下围棋，手拿一枚黑子。门童领着王珪进屋，正要通报，王珪制止，走上前看棋盘，吕惠卿浑然不觉，"啪"的一声落子，王珪赞叹说："好棋！"

吕惠卿忙起身，施礼问候，请王珪落座，并亲自端茶。王珪接过茶碗，说："吉甫，找我来有何事相商呀？"吕惠卿迟疑着说："禹玉公，找您来，是想与您聊一个人。"

吕惠卿请王珪来，主要是想与其商议对付苏轼之法。王珪早已猜到了几分，现在吕惠卿吞吞吐吐，王珪捻须微笑，直接说出自己的猜测。吕惠卿忙称赞王珪谋略过人，接着说起上次皇上要擢升李定的事，当时朝中居然无一人愿宣旨执行，唯有王珪深明大义，不信谣言，为圣上草写诏书，使李定走马上任。李定与吕惠卿是好友，吕惠卿向王珪深表感激之情。

王珪摆摆手，煞有介事地说："身为朝廷大臣都是替皇上办事，这是分内之事，何言谢之？"听了王珪的话，本欲以私情交接的吕惠卿略显尴尬，讪讪一笑，说："说到苏轼，实不相瞒，我颇感头疼。近日他连上两道奏章，皆是指责变法，干预新政的言论，而皇上居然都听了。苏轼声名在外，在朝中也有一些朋党拥戴，长此以往，我深恐他树大根深，于变法大不利呀。"

王珪谦逊地称自己无才无德，反问吕惠卿为此事找他的缘由。吕惠卿心中生气，暗骂他真是个老狐狸，脸上却挂着诚挚的微笑，说："禹玉公太过自谦也。吕某知道，禹玉公对苏轼一直也是放心不下的。前几次的事，吉甫看得出来。"

王珪心中一震，仍是微笑不语。吕惠卿暗骂不已，更加谦恭地说："禹玉公不必谦让，吉甫愿闻其详。"

王珪见架子摆得差不多了，便说："吉甫权倾朝野，如此高抬老夫，老夫着实受宠若惊。依老夫所见，当今皇上深谙制衡之术，皇上虽施行新政，但亦不愿让王安石大人独大，故皇上需要司马光。有了司马光新政才能更平稳。现在出了个苏轼，他与司马光不同，他希望变法，却又反对今之变法。他站在两派之间，脱颖而出，加之其确是有才气，故而皇上喜欢他。皇上既然喜欢他，吉甫你就不能拿他奈何。"

听着王珪的话，吕惠卿频频点头，决绝地说："禹玉公，若我真要奈何于他，你说该如何呢？"

王珪并不给出具体方法，而是给出大的策略，他说："老夫以为：其一，苏轼人才难得，而且如他所说，并不是根本反对变法。若吉甫能晓之以理，动之以情，与之结为朋党，则吉甫如虎添翼；其二，若不能说服苏轼，吉甫则要当机立断，痛下杀手，将苏轼逐出朝廷，贬官外放。他离皇上越远，对吉甫你越好。"

吕惠卿不住地称赞王珪有"真知灼见"，不愧三朝元老。接着请王珪推荐游说苏轼的人选。

王珪自陈苏轼从来就没喜欢过他，所以他不可以去游说，最好的人选是正在条例司任职的张璪。因为他是苏轼考进士时的老友、凤翔时的同僚，近年来虽无往来，但旧情仍在。

见吕惠卿略微沉吟，点头同意，王珪嘱咐他不要把自己今日的谈话告诉王安石，有些话只可对吕惠卿说，却不能对王安石说。吕惠卿会意地看一眼王珪，深深点头。

二十八　君子无党

自从上次元宵节灯市听了采莲的话后，王闰之从苏轼书房取了好多经史子集到卧房阅读。这一日，她像煞有介事地捧着一本《史记》在读，却不住地打瞌睡，终于昏昏睡去。

采莲进屋摇醒王闰之，看到王闰之手中拿着的书，惊讶地问："闰之，你怎么也读起书来了？这《史记》，你能看懂吗？"王闰之微皱眉头，很是不服地说："表姑，你怎知我就看不懂呢？我也是书香门第的大户人家出身，她能读我更能读。"这个"她"自然指的是小莲。

采莲微笑着说："谁也没说你不能读。现在该准备午饭了，你说做什么饭好呢？"王闰之打了个哈欠，站起身来，说："表姑，你说读书确是一件奇怪的事，坐着一动不动，却累得昏昏欲睡，真是奇怪。"采莲忍俊不禁。两人一起走向厨房，正好苏轼从前面过来，让烧水沏茶，说是有客人来访。

来访的是张璪。他听吕惠卿让自己来劝说苏轼，心里极度不愿意，百般推脱，却终究不能让吕惠卿相信苏轼不可能被他说服，只好硬着头皮来到苏轼家拜访。

对于张璪的来访，苏轼也非常意外，但终究是科考的同年和昔日的同事，还是笑容满面地说："邃明兄，没想到你竟会来我这里。你现在可是条例司里的高官，我只是一个小小的判官告院，本末倒置了。"

张璪忙陪着笑，说："子瞻，我早就想来拜访你了，只是公务繁冗，不能成行。"

苏轼感叹说："是啊，你我当初在凤翔，一天说的话倒比如今一年的话都多。"

张璪故作唏嘘："原来子瞻兄与我一样，都是恋旧的人。今夜我冒风寒而至，就是来找子瞻兄叙旧的。"

苏轼一脸严正，早已猜出了张璪的用意。他说："邃明兄今夜之行，就单单是叙旧吗？若是关乎变法之事，我该说的都在朝堂说过了，邃明兄早该知晓了。"

张璪尴尬地说："除了叙旧，别无他事。今夜我们不论时政，只谈情谊。"

这时，采莲端茶上来，苏轼微笑，请张璪喝茶。张璪几次欲言又止，将一碗茶都喝掉后，微笑着说："子瞻，你一定是对吕惠卿大人有所误会，他其实十分赏识你的。他时常在私底下对我等说，你是大宋第一才子，将来可堪大用。如今委身于一个小小的判官告院，实乃不得已而屈就。子瞻，你若想有大作为，吕大人是愿意举荐提拔你的。"

苏轼故作惊讶，说："喔？我几次三番反对变法，吕大人倒还愿意提拔我？"

张璪语重心长地接着说："你跟司马光那个老顽固不同，你说过你赞成变法，只是对具体做法略有微词。君子和而不同，吕大人说与你之间只是有所误解，大家谈清楚就好。吕大人愿意与子瞻你化干戈为玉帛，同进退，共祸福。岂不善哉？"

苏轼怒气慢慢涌上来，说："要是我不愿意呢？"张璪仍不死心，说："子瞻，你莫要意气用事。你是才子不假，但你当明白，值此新政施行之际，皇上未必愿用你。但若有吕大人鼎力举荐，我等同人推波助澜，皇上重用子瞻之期则指日可待。"

苏轼拍案而起，大声斥责道："行了！邃明，你竟能说出这种话！你还有半点读书人的尊严吗？你要我与那佞臣奸人结为朋党，你是第一天认识我吗？他们叫你这般说，你就这般说吗？"

张璪一怔，苦着脸说："子瞻，你不要误会了我的好意，除了对你，我还能对谁这般推心置腹？"苏轼摆摆手，说："休要再提了，邃明，不送了。"

见苏轼不听劝说，还下了逐客令，张璪一时无语，尴尬地站起身来，走向门口。苏轼背对张璪，说："邃明，你已不是当年我所认识的邃明，我仍是当年你所认识的苏轼。"张璪一愣，终于夺门而出。

吕惠卿招揽苏轼之举以失败告终，不由得怒斥苏轼："小人得势之后便不知天高地厚，把自己看得也太大了！

崇政殿内，神宗高坐，苏轼、范镇、王安石、吕惠卿、张璪等人在朝。苏轼走出列班躬身施礼，禀明自己有本奏。得到神宗允许后，苏轼愤慨地说："陛下变法图新，乃是兴祖宗大业之壮举，然则实行新法之时，却有诸多有违圣意之怪事。"

自欧阳修和韩琦外放、曾公亮辞官归乡、王安石和韩维拜相后，除了司马光、范镇几人，朝廷便很少有人再指斥变法弊端了。今天苏轼继之前劝谏上元浙灯、学校贡举两事后又一次禀奏变法之怪事，众官都吃惊地把目光一齐投向苏轼。张璪则眼含恐惧。听到怪事，神宗不禁疑问。

苏轼接着说："南京官府已有人把河渡坊场承包，司农寺也把祭祀阏伯、微子的祠庙卖掉。此乃王业所兴之地，居然变成了贾区！此事若不制止，全国各地官员为聚敛生财，请功邀赏，必然效仿。如此，天下则无神圣可言。"言毕，苏轼从袖中取出奏劄，交给张茂则。

神宗接过奏章，打开阅读。宫殿里异常寂静，只听神宗的呼吸声越来越急促，突然神宗手拍龙案，龙颜大怒，高声说："慢神辱国，无甚于此！"

群臣都低下头去，吕惠卿气得脸无血色，狠狠地看一眼张璪，张璪羞愧地低下头。王安石忙出班奏说："陛下，请息雷霆之怒。变法之中，出现偏差，实属正常，只要及时制止，无有大碍，断不可以一处之差而废全局。"

神宗听罢，怒气稍缓。

范镇出班请奏，得到神宗准许后，说："陛下，自施行《均输法》以来，官冗之弊端不仅没有解决，反倒增三成之多，朝廷财政负担愈来愈重，贫民增加一成。如此下去，天下将苦不堪言。况且，官家经商，易导致官员腐败，不可不察。《均输法》准备不足，对其利害估计不足，草率施行，岂不误圣上大业？"

吕惠卿立刻出班，为《均输法》以及新法辩护说："任何新生之事，都不可能完美无缺。时不我待，若等到你这把年纪，什么事都耽搁了，国家等得起吗？你这等挑剔，无非是鸡蛋里面找骨头。"

众人叽叽喳喳地议论。神宗有意放纵大臣争论，并不制止。

苏轼出班批驳吕惠卿说："吕大人差矣！过去汉武帝时，财力匮竭，用商人桑弘羊之说，买贱卖贵，那就是所谓的《均输之法》。于是商贾不行，盗贼蔓延，几乎天下混乱。今之所谓《均输法》，乃袭桑弘羊之说，有何新意？世上固然没有十全十美之法，但既知其弊，就必欲改之而后安，决不能袖手旁观，使灾祸滋生。见星火而不灭，待其焚屋毁厦而后灭之，又有何益！明知非尽善尽美之策，却要封他人之口！议天下之事，匹夫有责，况复大臣乎？若是吕大人之私事，恐送范公万金亦不屑一言。君为朝臣，忘记圣人之言，耻笑人老，是何操行！吕大人还斥责范公鸡蛋里面找骨头，鸡蛋里若是没有骨头，哪来有骨头的小鸡？"

听苏轼的鸡蛋骨头论，大臣们哄然而笑。吕惠卿一时语塞，一张脸都涨红了。司马光之前批评变法，吕惠卿等人总是百般狡辩，自己又辩不过他们，一直气鼓鼓的，也没办法。今天苏轼几句话就批驳得吕惠卿哑口无言，司马光觉得苏轼替自己挽回了面子，兴奋不已，出班说："陛下，苏轼之言，正可对佞臣！"

听到司马光称自己是佞臣，吕惠卿气得脸都紫了，手指司马光，却不知如何反驳。

冷场片刻之后，神宗仍是就事论事，命王安石查办《均输法》施行中的种种纰漏、弊端，改善《均输法》，然后挥挥手，张茂则宣布退朝。

群臣三三两两地走出崇政殿外。苏轼与范镇并肩交谈，傲然走下汉白玉阶梯，敬佩、畏惧、忌恨的目光一齐投向苏轼。司马光兴冲冲地跑过来，高兴地说："子瞻，奏得好哇！祖宗之法不能变！"

苏轼迟疑一瞬，为难地说："君实公，晚生不敢苟同此论。"司马光为之一惊。苏轼说："自古以来，天下无尽善尽美之法，怎么能不变呢？"一听苏轼赞同变法，司马光立刻翻了脸，大声说："什么！你……你……终究还是介甫之党！"苏轼躬身一揖，坦荡荡地说："君实公，古人云君子无党，苏轼不敢妄称君子，但苏轼无党！"司马光"哼"了一声，拂袖而去。

这时，王安石走过来，怒气冲冲地说："子瞻，你屡次非难新政，司马光之党也！"说完，并不给苏轼解释的机会，扭头便走。

范镇见状，哈哈一笑，说："子瞻哪，你成了风箱里的老鼠，两头受气。不过不要紧，还有我这只老耗子给你做伴嘛！"接着另有一人从后面赶上来，说："还有我呢！"

二人回头，见是右相韩维，大惊不已。韩维是东宫旧人，能持如此政见，实是难能可贵，范镇不住地称赞韩维。苏轼说："韩公和介甫公乃是莫逆之交，怎么不劝劝他呢？"

韩维叹息一声，说："何止一次劝他呀。他是天下第一拗，不惜断绝我与他多年的友谊，发誓弄出个结果来让天下人看看。"范镇又建议韩维以右相之便劝圣上行稳健之策，韩维听了一脸愁容地说："变法，我乃始作俑者，是我向圣上推荐的介甫啊！奈何介甫尽用小人，我大宋必毁在这帮小人手中。"说完叹息不已……

迩英殿内，神宗凝神沉思。张茂则示意内侍们上热毛巾、热茶。内侍们举玉盘鱼贯而入。神宗取过热毛巾擦拭着手，对张茂则笑着说："朕以为吕惠卿辩才天下无双，却不料他被苏轼数言驳得体无完肤。看来，我朝有人哪！"张茂则施礼说："陛下圣明。陛下有所不知，早在先帝登基之初，就欲擢苏轼为翰林学士知制诰，奈何韩魏公用人老成，一言抑之。始进之年，两次丁忧守制，误于用时。"神宗点头说："朕何尝不知，早在仁考之时，苏轼就对策三等了。"见张茂则眨巴着一双眼，似乎颇不理解，神宗接着说："苏轼难用呀！没事了，你退下吧。"待张茂则退后，神宗神色凝重地在殿中踱起步来。

条例司内，张璪、曾布、李定、邓绾等人围坐在一起。吕惠卿怒不可遏，在屋内走来走去，咬牙切齿地说："苏轼这个西蜀贼子，不仅不识抬举，反而变本加厉。他既要与我为敌，我就奉陪到底。从即刻起，你们盯紧苏轼，他若有半点差池犯在我手上，定要将他贬官外放，永不回朝！"众人点头应诺。

这时，突然从外面传来阵阵打斗和吆喝的声音，吕惠卿眉头一皱，命李定出去查看。

李定走到条例司门口，只见无数衣衫破烂的农民拿着棍棒、锄头等农具与禁军缠斗在一起，一个中年男子在人群中不断地吆喝着，让大家住手，却无人肯听。农民越聚越多，场面越来越乱，还有许多农民冲向条例司大门，高喊"废除《青苗法》"，"强行摊派，丧尽天良"等等。李定胆战心惊，躲在护卫后面观察局势。终于看到大队官兵赶来，将所有请愿农民围在中央。李定这才走出门来，大声呵斥："放下凶器！不放就用箭射死！"

那中年男子见状，再次高声劝说众农民："乡亲们，放下手中器械，有话好好说，听我的，放下吧。"他在众人心目似乎颇有威望，农民们也看见围上来的士兵正弯弓搭箭，于是渐渐住手。李定命手下将那中年男子带过来问话。一问之下，李定才知道，中年男子竟然是范仲淹的女婿杜政。众乡亲都是京郊的农民，因为不满《青苗法》的强行摊派，才到条例司请愿，希望废除《青苗法》。李定紧皱眉头，沉思片刻，客气地让杜政稍等，自己去向吕惠卿报告。

吕惠卿一听范仲淹的女婿杜政是挑头人，大叫棘手，张璪等人也低头苦思。李定见众人无语，建议吕惠卿把这个案子交给开封府，让苏轼处理这个烫手的山芋。吕惠卿、张璪等纷纷喊妙。

于是李定命兵丁押着杜政及所有农民来到开封府衙，引得无数京城百姓围观，叽叽喳喳地议论不止。李定走上大堂，见了苏轼施礼问候。苏轼忙起身还礼，说："原来是李大人。你是监察御史里行，不在御史台，来开封府有何指教啊？"

李定说："是这么回事，范仲淹范文正公的女婿杜政，带着一帮农民进京闹事。事情发生在开封府，官宦子弟的事嘛，又属告院管，我们御史台只好把杜政交开封府了，请苏大人秉公而断。"

苏轼满不在乎地说："哦，原来如此。给李大人设座。"

巢谷立即下去，把椅子搬到台下一侧。巢谷没好气地瞪了李定一眼。李定装作没看见，向堂外的兵丁一招手，然后坐下。三十多岁的杜政蓬头垢面，被两个兵丁押了上来，衙役们立即喊出堂威。苏轼问明杜政姓名等，便问为何被御史台押来。

杜政回答说："大人，自《青苗法》施行以来，州官强行摊派，搞得民怨四起。众村民推举我晋京上告，并非闹事。大人，圣上有旨，不准强行贷款于民，可州府抗旨不遵，该被追究的应该是州官，而不是在下。"

李定哼了一声，说："几百个农民，手拿凶器闯入京师，与禁军动武，又当怎讲！"

杜政说："大人容禀。这些农民，是到条例司衙门请愿，怕吃亏，才带上些器械。因遇禁军围打，才发生纠缠之事。"

苏轼点点头，问他是否有州官强行摊派的证据。杜政忙说："有，有，铁证如山！"这时，几个农民手持状纸，跑进堂来，跪在地上，说："大人，状纸在此。这是《万民书》，能证明州官强行摊派一事。"

此事大出李定预料之外，不由慌张起来。巢谷下堂将状纸取了过来，呈给苏轼。苏轼看完，心中有了主意，说："强行摊派，有违圣意。杜政啊，你可以持万民书上告登文鼓院嘛，带着一干农民手持器械喧哗于京畿重地，成何体统！岂不有损范文正公的贤名吗？你也是读书之人，枉读圣书。你知错吗？"杜政回答说知错了。苏轼接着说："现在宣判：强行摊派，有违圣意；农民有怨，实属无罪；杜政敢言，举措失度。判汝守范文正公墓一年，忏悔思过。下去吧。"

堂外围观的群众和被兵丁押着的农民立即高呼起来："噢！判得好！"杜政磕头谢恩后，走出大堂，被众多百姓簇拥着离去。李定气得蹦了起来，语无伦次地说："这这这……苏大人，你就这样把人犯放走了？！"

苏轼笑着招了招手："李大人，少安毋躁。"拿着《万民书》向李定晃了晃，说："李大人，圣上爱民之心日月可鉴。若看了这万民书，《青苗法》就面临寿终正寝之险，你的恩师就要责你办事不力！"

李定恍然大惊，忙施礼说："苏大人判案明察秋毫，执法严明，在下告辞了。"说完便在百姓的欢呼声中灰溜溜地离开了。

苏轼并没有将《万民书》瞒下不报。迩英殿内，神宗打开苏轼奏上的《万民书》，愁眉不展地仔细看着。张茂则禀报李定求见，神宗点点头，张茂则躬身退下，去传李定。

李定进殿施礼问候，神宗面无表情地命他起身，并问："这《万民书》是怎么回事？"李定一惊，腹中暗骂了一句，说："陛下，前日有杜政带农民上京闹事一案，此《万民书》乃当地农民所写。臣在移交此案时，亲眼目睹苏大人审理此案。"神宗便问他对此案审理结果的看法，李定不甘心地说："以臣看来，若臣审理此案，亦或如此审理。因为圣上爱民之心，天下皆知，有人强力摊派，有违圣意，自然也就该如此宽释一干闹事之民了。"

神宗对李定的态度甚是欣赏，神色和缓，继续问道："那么，你也认为这《万民书》乃民众之声了？"李定见终于问到了正题，忙说出刚刚想好的说辞：他在提问此案时，农民并没有呈递这《万民书》，因为他是护法者。而苏轼反对变法，农民自然愿交给苏轼，以为苏轼可以将其面呈圣上。

听到李定丝毫不关心《万民书》是否是民心民意，却将问题扯到护变法、反变法上，神宗一皱眉，有些不悦，说："谁呈于朕，皆为次要，重要的是这《万民书》是民心民意。"

李定心有不甘，继续辩驳："陛下，苏轼是如何想，微臣不知，但此折绝非民意。"神宗更加不悦，说："折子在此，岂能有假？"

李定回答说："陛下明察，杜政乃一小小闲官，何以如此大胆呢？据臣所查，杜政乃是文彦博心腹之人，事发前夕，多次出入文彦博府上。文彦博还接见了几个领头闹事的农民，这些人皆是受文彦博的暗中操纵。像这样的《万民书》，匹夫小人们就是造十个、二十个也能轻易做到。"李定竟然从杜政、文彦博的交往中推断《万民书》是伪造的，神宗也不禁动容。李定看在眼里，接着说："陛下，政府贷款，则大户上等人家就不能放高利贷，自然堵塞了他们兼并土地的方便之门。文彦博这些老臣们以世家大族之利为重，心中哪里还有君王、国家、百姓！他们口口声声为民是假，切切实实为己是真。不然，他们对《青苗法》不会有切齿之恨。"

《青苗法》确实冲击了世家大族的利益，其目的之一就是使小农小户避免因为还不起向大户借贷的钱财而将抵押的土地转让，从而抑制土地兼并。李定以阴谋论将这些和《万民书》联系起来，来论证其为伪造，不能代表民意。年轻的神宗深以为然。

这时，张茂则禀告苏轼在殿外乞求见驾。神宗命人宣他上殿。

苏轼神色庄严，大步流星地走上殿来，与李定眼神一对。李定为之一凛，低下头去。苏轼施礼后说："陛下，微臣有奏劄呈上，奏劄名曰《上皇帝书》，是微臣近日来对变法弊端与民怨所做之总结，伏乞陛下圣鉴。"

张茂则将苏轼的奏劄呈给神宗，神宗并不高兴。他想打开看，又似不愿看，处于一种矛盾两难之地，便命他二人先退下。

李定怒气冲冲地回到条例司后，大骂苏轼："苏轼贼子，欺人太甚也！竟将我玩弄于股掌之间，他以那群暴民所写的《万民书》要胁于我，转手就呈给皇上，幸好我见机较快，将此事搪塞过去。他竟然又当着我的面把诋毁变法的《上皇帝书》呈给圣上。吉甫，若我等再作退让，只怕会误大事。"吕惠卿也生气地哀叹："原来我等是作茧自缚。"

曾布低声说："我有一计，可扭转局面。"见众人引颈恭听，他接着说："我等之中，能夺苏轼锋芒的只有一人。"众人你看看我，我看看你，皆不语。吕惠卿说："是宰相。"见曾布点头称是，吕惠卿接着问他："那子宣，你以为宰相该怎么做？"

曾布回答说："宰相若以退为进，以守为攻，苏轼自然退却。"吕惠卿心领神会："对，宰相若主动向陛下提出辞呈，反倒坚定圣上变法之心，苏轼如何鼓噪都无济于事。"邓绾也附会说："对，圣上最敬重急流勇退，有高位而不就，视显爵如粪土的人。宰相越是急流勇退，陛下越是舍不得！"

之后几人便猜度为人端直的王安石会不会这么做，几人决定轮流竭力劝说王安石。

迩英殿内，神宗正在蜡灯下看苏轼奏劄。奏劄写道："……这等变法，民忧军怨，吏制解体，实是祸乱之源……"神宗越读越不高兴，将奏劄合上，起身踱步，寻思："这个苏轼，几天就上一道折子，全是说变法之害的。直谏也不是这个直谏法！实在令朕不堪烦扰！"

这时，张茂则禀告王安石求见。神宗心想王安石此时求见很可能是为了变法之事，犹豫片刻，便命人宣他入殿。

王安石进殿施礼后，说："陛下，这些时日来，反对变法者日多，且花样翻新，惑人耳目。微臣实在不堪重负，常常暗夜徘徊，甚至想过辞官而去，中止变法……可此时微臣看陛下如此为民痛心，微臣有愧……微臣实不知说什么好！陛下恕罪！"

神宗听到王安石的话，既感动又惊讶，说："卿何出此言？朕从未想过不行新法！"王安石道："陛下圣明！陛下既如此想，那些污蔑新法的言辞就不可全信！反对新法之人也要慎用啊。"神宗略微沉思，点头同意王安石所讲，并说："但要彻查各地官员是否有强迫贷款的。若有，严惩不贷！"

王安石领旨告退。神宗瞥了一眼苏轼的《上皇帝书》，然后扔在一边。

夜色弥漫，吕惠卿和王珪在吕府院外散步。吕惠卿叹息一声，很是无奈地说："禹玉公，苏轼难办呀。我向他示好，他说君子无党；我为难他，他反而使我更加为难。"

王珪苦笑着说："吉甫，满朝之中，就数我吃他的苦头最多，我也最了解他，老夫早就和你说过，苏轼非等闲人也，要小心防范他啊！"

吕惠卿心中暗骂王珪狡猾、无耻。他从来未说过小心防范苏轼的话，笼络苏轼的主意反倒是他出的，现在又来说这种便宜话。但吕惠卿脸上并不表现出来，只是恨恨地说："苏轼借着皇上的恩宠，反变法之势愈演愈烈，引人效尤，人心必会大乱，任其闹下去，我等将置身何处？"

王珪捻须微笑，说："苏轼，才大而无心机，对苏轼，要避其锋芒。你强，他更强；你避开他，他无事可做，自己就会出错。吉甫，你要给他机会让他自己出错。"

吕惠卿恍然大悟，脸上满是佩服，嘴上不住地称赞王珪，说："有理，有理，禹玉公所言甚是。那禹玉公你的意思是……"王珪只说了一个字："等。"吕惠卿心领神会，二人相视而笑。

品尝了吕惠卿特意准备的美酒佳肴之后，微醉的王珪辞别吕惠卿，上轿回府，命轿夫缓慢前行。忽听路边的几个书生正在说开封府乡试一事。一个书生说："听说了吗，今年开封府乡试的题目由苏轼大人出。"另一个书生接着说："以苏大人旷世之才，想必能出个不同凡响的题目。"王珪忽然喜上眉梢，心生一计，命令轿夫快去苏轼家。来到苏轼家一问，才知道苏轼尚未归家，王珪辞别，又赶往开封府衙。

开封府大堂内一片寂静，昏黄的烛光下，苏轼正专注地批阅公文。王珪出现在堂前，仿佛不愿打搅苏轼，缓缓向堂上走去，表情平静，在灯影中显得苍老而忧伤。苏轼专心致志地阅读文件，并没发现王珪的到来。

王珪走到案前，看着苏轼，更显慈眉善目，低声说："子瞻，这么晚还在阅览公文？"苏轼也不抬头，随口答应一声。王珪又叫了一声"子瞻"，苏轼回答说："知道了，你先回去吧，我还有公文待看。"忽然发觉来人的声音有些特殊，这才抬头看见了一脸慈祥的王珪，一时不能相信，迟疑着说："是……老师，老师你怎么来这里了？"说着，苏轼起身让王珪坐，但不知道该说什么。王珪坐下后，说："子瞻，我去你府上找过你，家人说你在这里，我便找来了。"

苏轼说："老师，深夜而至，不知找晚生何事呀？"王珪却说："子瞻，也无大事，你忙你的。"苏轼含笑不答，只等着王珪的下文。

王珪便故作深情地说："子瞻，近些日子，老夫一直在看你。你为民请命，还灯于民，力抗变法，解救杜政，言老夫所不敢言，行老夫所不能行，老夫真是感佩万分啊。而反观老夫，顾影自怜，垂垂老矣，这半生功名富贵，皆为浮云。子瞻，以前老夫为难你的事，你莫要怪罪啦。你毕竟还年轻，而老夫已是老朽了……"王珪说到此处，竟掩面抽泣起来。苏轼被王珪的哭声打动，有些不知所措地说："老师，你何必这样，晚生不知如何是好了。"

王珪渐渐止住哭泣，低声说："子瞻，你不必管我。子瞻你要答应我，莫要为以前的事怪罪我。"听到苏轼说自己生性就不会怪罪人，也没恨过谁，王珪以袖拭泪，偷看苏轼，见他神色诚挚，就接着说："子瞻真乃宽厚之人，老夫又佩服几分。不瞒子瞻，你对变法之见，立足于民，老夫以为甚对。今日老夫路过开封府门前，听人说子瞻要为乡试出题。老夫心想，子瞻为何不以变法为题，让天下书生皆论变法，以达圣听。岂不妙哉！"

苏轼点点头，说："对呀，我正为乡试之题犯愁，老师此语倒是提醒了我。"

昏黄的烛光下，王珪看着苏轼，眼神中充满鼓励，说："老夫就知道，天下敢出此题者，唯子瞻耳。"见苏轼坚定地点点头，王珪便起身告辞，苏轼送他出门上轿。坐在轿中，辞别苏轼，放下轿帘，王珪"嘿嘿"一笑，哼起了小曲。

二十九　一道试题

　　苏轼回家后，采莲端上饭菜，一家人围坐在桌旁开始吃饭。王闰之却仍举着《史记》在读，口中念念有词，与其说在读书，不如说是想让别人看见自己在读书。苏轼专心吃饭，并没注意王闰之。王闰之故意咳嗽几声，希望引起苏轼的注意，苏轼也不理会。王闰之又故意举书靠近苏轼，却不慎碰倒了苏轼的酒杯。

　　苏轼嗔怪地说："吃饭就吃饭，看书做什么？"王闰之没好气地放下书，嘴里嘟囔着。采莲和小莲都竭力忍住笑。此时巢谷走了进来，坐下来端起碗筷，对苏轼说："子瞻，公文交给王大人了，他让我问你，开封府乡试的题目如何了？"

　　苏轼回答说："还未想好呢，我自去跟他说，巢谷兄快吃饭吧。"巢谷吃饭，却看见小莲几个笑容满面，觉得奇怪。

　　饭后，苏轼来到书房，铺纸挥毫。他为今年开封府乡试取了两个题目，写完后沉思到底选哪一个，迟疑不决，便叫小莲过来参谋。小莲进屋看题，沉吟不决。王闰之故意进屋来收拾东西，一边听二人对话。小莲意识到王闰之在屋内，因此不自然起来，说："先生，我以为这个题是万万不能取的。"苏轼看着小莲指着的试题："齐小白专一任用管仲而霸，燕哙专一任用子之而败。事情相同，而结果不同，是何缘故？"随口读出后，问小莲此题不能取的原因。王闰之仔细听着苏轼读出的题目，似在琢磨着此题的意思。小莲说出她的担忧，因为此题影射当今变法过于直白，恐遭致言论之罪。

苏轼点点头，说："你说得有理，但此题若能引发开封府书生广发议论，其实是有助于圣听的。于我，则凶；但于国于民，则大吉。"

小莲并不同意苏轼所言，说："先生这样讲，其实有失偏颇。若此题一出，言论激进，惹怒圣上，恐怕因小失大，欲速不达。"

苏轼回答说："话是这么说，但变法之害此时已愈演愈烈，若不行非常之举，怕是无用。"

小莲说："先生说的自然不错，但此事还须从长计议，不可操之过急。"

苏轼沉吟不语。一直侧耳倾听的王闰之则撇撇嘴。

苏轼回到卧室，坐在桌边思考两道题目的取舍，终于在沉思中支颐睡去，鼾声如雷。王闰之过来准备叫醒他，却看见桌上的两张试题纸以及一个封试题的官用信封。王闰之拿起那张小白、燕哙的试题，心想："这试题怎么不好？《史记》里都写过这几个人的，既然《史记》都写过，就不会有错。皇上知道我家先生是为他好，一定懂得先生用心的。皇上又不是女人，哪里会这么小气？你说不好我偏说好，你说不行我偏说行，什么从长计议，先生为民说真话，片刻都不能耽搁。"想着，把试题封入信封，装好，并把另一试题扔掉，得意地笑了笑。

第二天早晨，开封府衙内，苏轼坐在堂上，把手中信封交给考官。

考生们走出考场，议论纷纷。一个书生说："苏大人怎么出这么一个题目呀？所影射者太过明白了。"另一个书生也说："不知道皇上看到这个题目会如何想呀，苏大人的胆子也太大了。"其他书生也三三两两地聚在一起小声议论着……

神宗皇帝见到苏轼出的试题后大为光火，将王安石、吕惠卿、王珪、司马光、韩维、范镇等召到迩英殿，手扬着试题卷，大声说："好个苏轼，朕放任于他，他竟虚骄恃气，越发放肆了！这出的是什么题目，这不是影射朕独断专行吗?！好大的胆子！这朝廷他是不能待了，贬放外地吧！"

韩维说："陛下明鉴，苏轼讲春秋战国时期，晋武王平吴国，以独断专行而失败，齐桓公坚持己见，任用射了自己一箭的仇人管仲而称霸，并不是说独断专行不好，而是说要看情况而论！"

神宗仍怒道："理虽如此，但这样的题目，有谁会以为他说的不是朕呢？苏轼有替朕想过吗？他是图一己之快，想出风头，此人不堪大用。"

吕惠卿见神宗气得不轻，又反驳了韩维的辩护，意识到这就是自己盼了好久的机会，忙正色说："陛下明鉴，苏轼太不识体统，草率轻浮，不宜在朝为官。"

范镇反驳吕惠卿，说："陛下，苏轼德才兼备，有安邦治国之才，可堪大用也！"

韩维接着说："陛下，苏轼忠君之至，以致不择言辞，乞望陛下原谅！"

神宗怒气不减，站起身来，大声说："这已不是第一次了。上次他给朕上的那个《万言书》，言辞疾厉，把变法贬得一文不值，以朕为懵懂顽童！而且忠君……忠君也要有个忠君之法！"

王珪见韩维、范镇屡劝不成，神宗又气成这个样子，知道这次苏轼彻底没戏了，决定使出杀手锏，放上那最后一根稻草，于是出班奏说："陛下，谢景温已上书弹劾苏轼，说是苏氏兄弟二人在回西蜀为父守孝时，用灵柩之船贩运私盐，大赚其利。"

神宗更加生气，高声说："竟有这样的事！他竟是营私之吏，何忠可言？！"

司马光一惊，躬身说："陛下，这纯属栽赃陷害，说子瞻不拘小节、恃才傲物我信，说他贩运私盐，我不信。"范镇、韩维也都表示不信苏轼会做出此等小人行径，并认为此事尚未查实，不可轻下断言。

神宗踱步，略微沉吟，说："幸亏尚未查实，若是查实，就不是贬官外放了。"

一听神宗要外放苏轼，范镇急忙劝阻，神宗气呼呼地说："为何不行？朕非外放他不可。"

王珪立刻站出来支持神宗，恭恭敬敬地说："陛下息怒！陛下息怒！陛下，普天之下莫非王土，取舍由君，臣不能言。"

范镇狠狠地瞪了一眼王珪，高声说："陛下，苏轼不能贬！今陛下唯王安石诸人之言是信。谗附安石者谓之忠良，攻难安石者谓之谗慝。满朝文武敢直言者都被排挤出京了。苏轼再走，朝廷里一个敢直言的官员也没有了。言路一堵，人主则不明，天下何事不生？陛下乃英明之人，何以对此大是大非失察？忠言逆耳，臣之所为，明似保苏轼，实为保陛下。望陛下三思而后行。"

神宗大怒，猛拍龙案，大声质问范镇说："范镇，难道王安石和力主新政的锐进之人都是奸臣吗？"

此时，一直没有说话的王安石出班奏说："陛下，臣为变法殒身不恤，鞠躬尽瘁，却落得范镇如此诘难。陛下，臣心力交瘁，不堪重负，请求辞官回家！"吕惠卿也急忙附和一同请辞。

见他二人请求辞官，以退为进，近乎要挟神宗，范镇怒目圆睁，不加思索地说："是忠是奸，迟早水落石出！王安石虽非奸臣，但他秉性执拗，迟早有后悔之日；陛下与王安石所重用新进，巧言令色，机诈百出，一味迎合圣上，看似百依百顺，实则欺圣上年轻识浅，将圣上玩弄于股掌之上！"

神宗气得发抖，将龙案上的文房四宝、奏劄推到地上，吼着："够了，来人！"指着范镇说："朕……朕年轻识浅，朕……朕被人玩弄于股掌之上？！你正好在这里倚老卖老。好，我就再识浅一回。"张茂则急忙进来，见此状况大惊失色，吓得浑身哆嗦，神宗大声命令他把范镇押到御史台，以忤逆罪论处。范镇毕竟是三朝元老，听到要将范镇捉拿下狱，张茂则不禁惊得略微迟疑，神宗低声说："你……你也想抗旨？"张茂则醒悟过来，忙说遵旨。

范镇哼了一声，说："微臣早知有此下场！"说完，昂首走出。神宗一下瘫倒在龙椅上，命王安石、韩维等人退下。

不久，这件事就惊动了曹太皇太后，她在高太后的搀扶下走入迩英殿。神宗慌忙跪在地上，说："老祖宗，孙儿有失远迎，请恕罪。"太皇太后面露愠怒，让神宗平身。太皇太后待神宗站起来后问："怎么，你要让范镇下狱？"神宗流下了泪，说："范镇忤逆，无视天子，可恶至极！"

太皇太后沉着脸，说："你这是气话呢，还是真要这么做？"神宗略微迟疑，说："请老祖宗垂教。"

太皇太后说："仁宗帝时，有三个钢铁人物，一个是铁面御史包拯，另一个是铁面御史赵抃，再一个就是被仁宗帝褒奖为一肚子钢铁的范镇。当年，为了使你的父皇继位，这三个人冒死力谏，不惜被罢职，竟与仁宗帝吵了起来，相比之下，你这点小委屈算得什么！包拯已去世了，范镇、赵抃已是老年，他们为了你的江山子民，殚精竭虑，这是你的福分。你竟然是非不分，想把这三朝元老股肱大臣投入大牢，你要做暴君吗?！"

听到太后说得如此严重，神宗吓得马上跪于地上："老祖宗，孙儿知错了。"

太皇太后慈祥地扶起神宗，说："你知道这样做的后果吗？孩儿啊，你要记住，你不能离开范镇这些元老忠臣，因为他们不想从你这里得到什么。而那些一味奉承迎合你的人，就不一样了。起来吧，起来吧。孩儿啊，整个大宋江山压在你的肩上，你也不容易。可你别忘了，谁是君子，谁是小人，亲什么人，远什么人，靠什么人，用什么人，这是当好皇帝的不传之经啊！记住了吗？"

神宗抹着泪说："老祖宗，孙臣记住了。"

随后，太皇太后和高太后亲自到监牢中，将范镇放了出来。

御史台内，邓绾、李定正在得意忘形地互相吹捧着，原来正是他二人指使谢景温诬告苏轼贩卖私盐。李定竖起两手的大拇指，敬佩地对邓绾说："文约兄果然计高一筹。"邓绾嘿嘿一笑，不无得意地说："苏轼的文章再好，学问再大，也经不起私盐这盆污水。圣上最讨厌的是要官之人，最恨的是营私之吏。"李定也恨恨地说："我就瞧不起他一贯傲慢。"

话音刚落，张茂则走进来，说："圣上口谕。"二人慌忙施礼候旨，张茂则脸上露出鄙夷之色，说："敕。查苏轼贩运私盐之事，查清后速来呈报。钦此。"待二人说"臣遵旨"后，张茂则转身离去。

苏轼贩运私盐之事，本就是他们编造出来的，现在皇上让彻查这无中生有之事，李定顿时犯了愁吔有些慌了神，问邓绾说："我等应怎样回禀圣上呢？"邓绾不以为然地说："这有何难。就说，当时确实有一条运盐的船与苏家所租的灵柩船停靠在了一起。经过查证，这是转运司运盐的公船，是举报人弄错了。"

李定不禁拊掌赞叹道："妙！对，就这么说。"

邓绾略微沉吟，低声说："不过，现在不要急于回禀圣上。就说，西蜀路途遥远，查清尚需时日。等过一段时间，挑圣上正忙的时候，再把结果回禀圣上。那时苏轼已经上贬官船了！"二人看着对方，彼此心领神会，相视一笑。

御史台外，张茂则听到李定、邓绾的笑声，哼了一声，对身边的小太监说："我就不信，这样的人能有好报！你们以后小心着，免遭报应！走，我们去苏轼家传旨。"小太监点头答应。

张茂则持圣旨来到苏轼家大门口。宣旨完毕，苏轼接过圣旨凝思，自言自语地说："皇上命我到杭州任通判，这是贬我呢，还是升我呢？"

张茂则意味深长地笑笑，说："咱家不知！苏大人，南方风暖，不似汴京水冷，还不尽快上任！"

苏轼拱手谢过张茂则，张茂则带小太监回去。苏轼站在院子里沉思……

第二天，苏轼到开封府衙将公文、官印交割完毕，回到家中，吩咐采莲、巢谷、小莲等拾掇行李，准备前往杭州。王闰之见状又大哭起来，边哭边说："都是我的错，都是我要逞强。是我把试题装进去的，先生是我害了你，你把我休了吧。"这些话王闰之昨天哭哭啼啼地说了一夜，苏轼怎么劝也不管用。现在见她又哭诉起来，苏轼微微一笑，说："夫人，怎么老说这些话啊。此事不怪你，我其实早已决定，你不出题，我也会出。我命中该有此劫，与你无关。"王闰之仍是痛哭不已。

采莲收拾好自己的行李后，又帮苏轼将他夫妇二人的行李打点好，就来到小莲房内，想帮小莲拾掇，却发现小莲神色憔悴呆呆地站着。采莲询问小莲为何还不拾掇，小莲却说她想留下来，不去杭州了。采莲大吃一惊："什么？姑娘，你要留下？"转念心中却也明白几分，又不知该说些什么，只好摸摸小莲的头，转身走出去。

片刻后，两眼红肿的王闰之走了进来，见小莲呆坐着。王闰之说："姐姐，能告诉我你为何要留在汴京吗？"

小莲站起身，说："夫人，小莲说过多次，夫人该叫我小莲！夫人，小莲在先生家多年，让先生和夫人操心，这次去杭州，先生家境不宽裕，再说还有表姑照顾你们。故而……小莲不想去杭州了。"

王闰之忽然号啕大哭，低声说："姐姐，你说的什么话啊子瞻离了你能行吗？平时都是我的心眼太小，姐姐你千万不要跟我一般见识。我怎么能跟你比呀，你有学问，脾气好，待人心善。我是想跟你比，可我不仅没帮上子瞻，反而害了他。姐姐，到今日我才明白你对子瞻有多重要，对我们全家有多重要！你是我们的亲人，你不能留在这里！姐姐，你要是记恨妹妹，妹妹给你赔礼了。"说着跪下身来……

经历这一风波，王闰之终于明白自己和小莲的差别，也心甘情愿地承认这种差别，所以才说出这番话来。小莲扶王闰之不起，自己急忙跪下，二人相抱哭泣。

熙宁四年（1071）七月，汴京码头的汴河酒家内，范镇、韩维、司马光为苏轼送行。苏轼站起，举着酒杯说："苏轼先干为敬，谢诸公对我苏某的护爱！"说完，一饮而尽。

司马光呵呵一笑，说："子瞻，这次我可是没有护爱你啊！我是敬佩你的为人。你明知皇上好恶，却又不假辞色，不事逢迎，专逆龙鳞，岂不可敬！"

范镇摆摆手，忙说："君实你天天编史书，此言却差矣！苏子瞻并非专逆龙鳞，不过是据实而奏，因情而发罢了！"

司马光初时一怔，听完范镇的话，恍然大悟，深深点头。韩维也称赞说："好一个'据实而奏，因情而发'，来，为此干杯！"众人共同举杯，一饮而尽。

苏轼接着低声说："我苏轼生性愚直，历久不改，真怕拖累了诸位。范公，您不该为晚生顶撞皇上啊！"

韩维道："子瞻此言也不对。范公并非是为你顶撞皇上，而是为大宋顶撞皇上，为了皇上而顶撞皇上！"众人听了韩维的话，纷纷点头同意。

这时，范镇说："我已经给圣上递交了辞呈，准备辞官养老去。"众人吃惊不已，苏轼更是"啊"的一声喊了出来。范镇接着说："我这辈子，干过召试学士院、开封府推官、起居舍人、知谏院，当过翰林学士兼侍读、银台司、左执政，官职一大把，没意思了，又遇到这个时局，该向皇帝乞骸骨了！"司马光皱着眉，劝他不要告老还乡，因为范镇一走，朝中恐怕没有人能坚持正言了。范镇摆摆手，说："六十七了，该活埋了。我在给圣上的辞呈中言道：陛下有纳贤之资，大臣进拒谏之计；陛下有爱民之性，大臣用残民之术。"

听了范镇的话，苏轼激动地站起来，高声说："说得对！人说苏某的文章泼辣，今日与恩师一比，那是小巫见大巫了！我敬恩师一杯！"

司马光也大声说："说得好！范公，我有个提议，不管谁先死，未死的人给已死的人撰写碑文。"范镇爽快地答应，韩维也加入其中。

苏轼想及自己外放而范镇请辞归乡，感伤不已，哽咽着说："诸位大人，今日为苏某饯行，虽非生离死别，但苏某……"

范镇语重心长地说："子瞻啊，朝局险恶，在朝者前途未卜；你虽在外，也要好自为之啊！"苏轼躬身施礼谢恩师教诲。

苏轼与王闰之、小莲、巢谷、采莲等登船起程，一家大小立在船头向众人揖别。苏轼仰望蓝天，叹息不已……

迩英殿内神宗正在阅读苏轼的《万言书》奏折，不住地点头叹息。张茂则呈上茶水，禀告说："陛下，邓绾、谢景温他们调查苏轼贩盐的事已有结果，当时苏家所租的灵柩船是与一条转运司运盐的公船停靠在一起，所以是举报人弄错了。"

神宗"哼"了一声，道："朕早就知道，苏轼哪里是贩运私盐的趋利之徒啊。"放下劄子叹息着说："唉，这么好的文章，以后是看不见了。"

张茂则很是不解地问："既然如此，陛下又何以将其外放呢？"

神宗无奈地笑着摇了摇头，说："不是朕外放他，是他自己外放的自己。"说完，望着远处，叹了一口气。

此时的苏轼正独立船头，两岸杨柳树上传来的知了声不绝于耳。苏轼手拿酒杯，醉醺醺地眯着眼睛，倾听那知了的叫声，突然放怀大笑，自言自语地说："哈哈，吉了吉了，既然都了，我何不了？"

王闰之和小莲正在船舱引着苏迨蹒跚学步。苏迨逐渐走出船舱看见了苏轼，喃喃地说："爹爹，我想走路。"

苏轼醉醺醺地蹲下身来抱起苏迨，说："是啊，迨儿，你都三岁了，该学会走路了。可是迨儿，你知道走路有多难吗？爹爹都四十岁了，还没学会呢！"说完，松开手臂，躺到甲板上，两行清泪从眼角流下来，流过他已显斑白的鬓角。苏迨以他那清脆的牙牙学语声说："爹爹，你哭了。"

自苏轼外放杭州，司马光便抱病不朝。反变法之言渐趋式微，王安石、吕惠卿的变法主张得以畅通无阻地推行。吕惠卿也觉得此时耳根清净，美妙无比。正是他们苦心积虑以求的局面，但又觉得有一丝遗憾挥之不去，因为如今这朝上全无以前的生气。皇上都快睡着了，没人跟他们吵了，真有些不习惯。他向王安石说出了自己的想法。王安石摆摆手，说："吉甫，我等专心施行变法，不必在乎其他。"

吕惠卿忙点头称是，说："你说这个苏轼吧，他在朝上，你烦他，怕他，恨他；他不在这朝上了吧，可真冷清，倒又有几分想他。"

王安石哈哈一笑，说："吉甫，你说了一个活脱脱的苏子瞻。他如今已到杭州了吧？"吕惠卿略一计算，说："他此刻应该到了颖州，也许正在田间竹林中拜访故人呢。"

吕惠卿所言颖州田间竹林中的故人，就是苏轼的老师、北宋文坛领袖——欧阳修。

九月，颖州西湖亭内，白发苍苍、穿一身员外服的欧阳修正在饮茶看书，身旁立着的童子在不时地打着盹儿。欧阳修见童子如此困状，笑着说："童儿，坐在那儿睡一会儿吧。"童子听到欧阳修的话醒转过来，很不好意思。

欧阳修摆摆手，不以为然地说："没什么，老夫也是从你这么大过来的。若年轻人不知秋乏打盹儿，岂不怪哉？睡吧睡吧。"童子说："老爷您还要饮茶呢。"欧阳修说："老夫自己来。"

童子坐在一旁的石鼓上又问："老爷是天下文人的领袖，是最有学问的人了，怎么还是手不释卷呢？"欧阳修笑着说："学无止境啊！"

这时，两个白衣书生来到亭子的不远处。一个说："柳兄，如此好景，不能无诗啊。"另一个说："然也。你我兄弟二人好歹也是秀才啊，不赋诗一首，就太对不起这颖州西湖了。杨兄，咱们各来一首七绝如何？"那杨秀才说："好啊，请柳兄先吟吧。"

只听柳秀才清了清嗓子高声朗诵："兴高采烈下颖州，把扇轻摇来此游。看尽西湖一片光，烟波无处不风流。"杨秀才忙喝彩称赞，说："好诗，即使那文坛领袖欧阳修在，也不过如此。"柳秀才拱拱手，说："承蒙夸奖，该你了。"

杨秀才也清了清嗓子，摇头晃脑地高声朗诵："我到西湖作客游，西湖本该在杭州。碧波万顷空然在，何处佳人楼上愁。"柳秀才以扇抵掌，大声称赞："好诗，好诗！"

欧阳修望着二位酸秀才，忍俊不禁地摇头直笑。童子撇着嘴，低声说："关公面前耍大刀，蚂蚁不知天多高。"

听到童子的讽刺，柳秀才大为不满地说："童子，你如何轻蔑读书之人？"

童子不屑一顾地笑着说："像尔等这样的诗，不出一个时辰，本人能写一箩筐。"

杨秀才大声呵斥说："好大口气！"转头看着欧阳修，说，"请这位老先生评评，我等的诗虽不及唐朝的李杜，也不亚于本朝的欧阳修呀。老先生，你说呢？"

欧阳修点点头，微笑着说："嗯，诗很好，十分的好。"他特别重读了"十分"两字。

两位秀才大喜，柳秀才冲着疑惑不解的童子说："如之何？小孩子要学会尊贤敬老。"杨秀才自负地对欧阳修说："老先生，你倒不俗。能看出我等的诗十分地好，你且说说好在何处呀？"他听到欧阳修特别加重"十分"两字的读音，以为他必有深意，所以询问。

欧阳修放下书，笑着说："九分朗诵，一分诗。"童子"咯咯"地笑了起来。

柳秀才发觉自己被开了玩笑，恼怒不已，大声说："咦！你这老先生，好不自重，你这等狂妄，你也来一首，让我等听听。"

欧阳修站起身，面对一湖碧水，立即吟起诗来："一勺西湖水，大名耀九州。鸟欢犹识客，君独不知羞（修）。""羞"和"修"是同音字，既指两位书生不知天高地厚、不知羞耻，又指他们在当朝文宗欧阳修面前卖弄斯文而不自知。

柳秀才更加恼火，指着欧阳修说："你这先生，为老不尊，为何骂人！"杨秀才也大摇其头，哀叹着说："真是斯文扫地！"

突然，苏轼从远处疾奔而来，不住地叫着"恩师"。欧阳修大吃一惊，听出了苏轼的声音，回头一看，果然是他，急忙迈老步迎了上去。苏轼跪在地上磕了一个头，叫道："恩师！"欧阳修伸手把苏轼扶起。

童子瞥了一眼二位秀才，语气中满是蔑视地说："你二人才是真正无礼！这位老先生就是我家大人欧阳修，说你们不知修，难道还有错吗？这跪下的是他学生苏子瞻。"二位秀才听到是欧阳修和苏子瞻，惊愕不已，"哎呀"一声，拔腿就跑。

欧阳修师生二人眼里噙着泪花，久久不语。苏轼首先打破沉默，说："恩师，看看你，艰难苦恨繁霜鬓。"

欧阳修叹息一声，说："岁月催人，焉得不老。子瞻哪，听说你也被贬了？"苏轼点了点头，笑着说："圣上爱臣，发配天堂，不算贬。"欧阳修慨然大笑，大赞苏轼，拉着他回家。那小童子忙收拾书卷、茶壶等物，快步跟上。

在童子的引导下，苏轼一家人来到欧阳修的住所。苏轼环视左右，十分简陋，便十分感伤地说："恩师，这就是你的家？"欧阳修慨然地说："不好吗？修竹一丛，茅屋数间，老妻稚子，篱菊炊烟。有鸿儒来去，无文牍往返。此处之乐，朝堂之上岂得享焉！"苏轼微笑着说："恩师说的极是！"

这时，欧阳修的夫人得知消息，迎了出来。苏轼、王闰之、苏迈、小莲、巢谷、采莲等一一施礼见过。老夫人让大家不必客气，抱起苏迨，说："哎呀，孩子都这么大了。快屋里请，晚宴已经准备好了。"

在屋中攀谈片刻，稍事休息，欧阳修便引着众人进入家外竹林的亭子中。苏轼看着桌上的菜不禁一愣，桌上摆的都是素菜，但十分精雅。欧阳修说："是否嫌太淡了些？"苏轼略微迟疑，他知道恩师此举定有深意。欧阳修接着说："唉——吃得草根宴，百事皆可为啊！"

苏轼恍然大悟，躬身一揖，说："谢恩师教诲！"欧阳修却故作惊讶地说："没有啊，我教诲子瞻什么了？"

苏轼郑重地说："恩师教诲学生可富可贫，可官可民啊！"

欧阳修微笑点头。众人一一落座，席间欧阳修和苏轼谈话的幽默诙谐引得众人笑声不断。众人吃饱后一起离去，留下欧阳修和苏轼师生二人隔座对饮。

明月高照，微风拂过，竹影晃动，动人心魄。欧阳修与苏轼饮酒至酣。

苏轼举杯说："恩师，此情此景，倒让我想起一个人。"欧阳修问是谁，苏轼接着说："陶渊明，学生以为恩师如今与他好有一比。陶渊明采菊东篱下，写得诗文无数篇，学生猜恩师的笔砚也不会寂寞吧。"

欧阳修哈哈一笑，说："知我者子瞻也。老夫近收元珍的存问之诗一首，戏成一首，名曰《戏答元珍》。不知子瞻可愿斧正？"

苏轼惊喜地说："学生洗耳恭听。"欧阳修离席，在这月色竹影中，边舞边诵："春风疑不到天涯，二月山城未见花。残雪压枝犹有橘，冻雷惊笋欲抽芽。夜闻归雁生乡思，病入新年感物华。曾是洛阳花下客，野芳虽晚不须嗟。"

苏轼激动地站起，说："好诗，好诗！正所谓诗言志！恩师此诗，可谓说尽了恩师的一生，道尽了恩师的情志！'残雪压枝犹有橘，冻雷惊笋欲抽芽……曾是洛阳花下客，野芳虽晚不须嗟'，不是有大智慧、经大波澜之人，怎能吟得出这样的佳句！"

欧阳修也感叹说："朝堂烦扰，哪如山野之乐啊！"苏轼、欧阳修相视大笑，不觉豪饮起来，终于醉倒在地上。苏轼的脸上是沉醉的表情，但眼角分明还有泪珠闪动。

欧阳修说："子瞻，你且闭上眼，听这风声由竹叶上吹过。"苏轼闭眼听风，风声沙沙，犹入画境。许久，苏轼说："恩师，要不学生就不去杭州做什么通判了，领这一家子人随您隐居在此，也做个陶渊明如何？"

欧阳修回答说："子瞻，这竹林是专为老夫而生的，所以老夫该当在此；你杭州的官却不是为你自己而做的，所以你明日就启程上路吧。"苏轼微笑不答，闭眼听风……

第二天，苏轼一家辞别欧阳修夫妇，乘船顺江而下。苏轼站在船尾，望着颍州方向，满脸惆怅。巢谷关心地询问，苏轼回答说："不知何故，一想到恩师，就悲上心来。"

巢谷不语，似理解了苏轼的心情。苏轼接着说："巢谷，也许这是我和恩师最后一次见面。"

巢谷说："子瞻呀，任谁也挡不住西方路。你想也没用。"

苏轼默然不语。风袭来，水面皱，船轻摇。他眺望江面，忧思更甚。

三十　青苗之狱

江浙地区素有"天下粮仓"之称，苏杭更是物华天宝、人杰地灵之地。熙宁四年（1071）十一月二十八日，苏轼一家抵达杭州城外。巢谷勒了勒缰绳，放慢马车的速度，城外的人们看着这几辆马车，私下议论。一个年轻的胖大和尚走在人群中，侧耳细听众人的议论，微微哂笑。赵、张两书生在路上相互谈笑，二人决定难一难这才子通判，免得让他以为杭州无人。于是，二人站在路中，迎候马车到来。

巢谷勒马停车，询问两位书生为何拦路，赵姓书生上前一步，说："上有天堂，下有苏杭，通判来到，是行（xíng）是行（háng）？"

这时苏轼、王闰之、小莲等都下车，聚拢过来。苏轼笑着说："杭州果然是杭州，拦路者不是强盗是书生。巢谷兄，你来。"

巢谷虽然修道练武，但与苏轼兄弟在一起久了，文墨浸染，他应声对曰："前无古人，后无来者，书生在此，要折（zhé）要折（shé）？"

赵生不服气，接着说："钱王一箭，射退钱塘千重浪。"

巢谷立即对出："老子三鞭，赶起老天万顷波。"

自己出的对联，人家轻松对出，而且还只是为苏通判驾车的人！赵、张两人顿时不知所措。看热闹的胖大和尚也有些吃惊。张生又说出一联："马夫驸马，二马不同，一天上一地下。"

巢谷听这个上联太复杂，自己最讨厌这种烦琐的对联，说："什么驸马公主的，小气得紧，像是女人出的对子。莲妹，你跟他对。"

小莲看看王闰之，意思是请她允许。王闰之对小莲笑着说："哎呀，姐姐，你就对吧！"小莲点点头，笑盈盈地来到书生跟前，说："相国宰相，两相无异，分左栋分右梁。"

这一下又把二位书生惊吓不小。胖大和尚没想到这两个书生如此不济，有些生气，纵身往当街一跳，大声说："好个通判，尚未莅任就如此蛮横，听贫僧一联：史官所记者，直世界也；职方所载者，横世界也。到底要横要直？"

小莲蹙眉思索，一时有些对不出来。和尚得意扬扬，手舞足蹈地大笑起来。

苏轼笑着说："怪不得杭州人爱吃螃蟹，出联也爱横横竖竖。大和尚听了：道家概求之，东仙境乎；佛门概祈之，西仙境乎。究竟是东是西？"

和尚"啊"了一声，惊慌不已。赵、张二书生"呵呵"一笑，说："大和尚，人家说你是个东西。"和尚眼珠一转，忽然顽皮地说："我不是东也不是西，是佛爷。"

苏轼躬身一揖，说："大和尚，苏某这厢有礼了。南北东西，一定之位；前后左右，无定之位；问尔是哪位？"

和尚不禁一呆："哪位？哪位？这该如何对啊！"他猛然醒悟，接着说："你……你说什么？苏某，你……莫不是苏子瞻？"苏轼回答说："正是在下！"和尚说："啊呀，我说是谁，输在你的手里也不丢人。来来来，本大和尚再和你较量几个回合。"说着，挽袖搓手，跃跃欲试。

苏轼微笑不语，等他出联。巢谷看他纠缠，从马车上取出一根木棍用力扔于地上问："大和尚，此为何字？"

和尚一跳："啊呀，棍为木，地为土，土木相连，是为杜也。杜者，杜绝也。"又一搔光头，接着说："杜绝什么啊，啊呀，原来是苏大人不想和我理论了。既然如此，我佛印大和尚今天就不和你纠缠了，但你这个朋友我交定了！我此生缠上你了。哈哈，就此拜别！"说完，一溜烟跑了。

苏轼、巢谷、小莲莞尔，街上众人也大笑。苏轼感叹说："杭州不愧是文士的渊薮啊！"巢谷、小莲等点头。

这个大和尚就是佛印和尚。

欧阳修、韩琦、曾公亮、范镇、司马光、苏轼等反变法的代表人物或归乡，或外放，或称病不朝，竭力推行变法的吕惠卿等人没有了外部的敌人，他们与王安石之间的矛盾逐渐显现出来。

这一日，条例司内，王安石正对吕惠卿、张璪、曾布、李定、邓绾等人大发脾气。王安石逐渐察觉吕惠卿等不尽心尽力于新法实施、修正等，而是一味地四处奔走、百般钻营。王安石非常愤怒，他大声说："吉甫呀吉甫，变法大业，艰苦卓绝，任重道远。诸公应竭尽所能，上下督办，有错则及时修正，而非奔走钻营，图谋于党派之争。你们这样非但无助于变法，还会误了变法！"

吕惠卿却辩驳说："相公，皆是司马光等人苦苦相逼，我等才如法炮制，以其人之道还治其人之身，都是不得已呀！"

王安石听他竟然将小人手段的政客斗争归于不得已，更加生气，高声说："你计较这些做什么！现在你分明是舍本求末，而非舍身求法，这怎能办得好新政大业?！你等若专心于变法之本，又怎会跟别人去计较那些鸡毛蒜皮的小事?！吉甫呀，孰轻孰重，你等好自为之！"说完，愤然离去。

吕惠卿气得一屁股坐在椅子上，张璪等人皆低着头，不说话。吕惠卿喝了一口茶，看看王安石远去的背影，猛地摔下茶杯，低着嗓子说："就会发拗脾气，拗脾气谁不会发呀！"

吕惠卿发现自己更喜欢与王珪交往。王安石满脑子都是君子德行，这个不能做，那个不能做，条条框框太多；而王珪则在对付反变法官员等问题上与自己颇是"英雄所见略同"。王珪也一直在执行他自己在变法初期的默契就制定的"作壁上观"的策略。但是现在欧阳修、苏轼等人或归乡或外放，可以说变法之争以王安石、吕惠卿等人的胜利告终。因此王珪也逐渐参与其中，与吕惠卿来往得更加密切了。

这一日傍晚交了差，王珪又来到吕惠卿府上。二人施礼落座，吕惠卿请王珪品茗。王珪轻抿一口，眯上他那对小眼睛，细细品味，一脸陶醉地说："色绿、香郁、味甘、形美，西湖龙井是也。"

吕惠卿说："禹玉公，我平时喝茶，只品龙井。等会儿我拿一些与你。前日我送给介甫，拗相公大人不要，说喝不惯。"

王珪瞥一眼吕惠卿，不动声色地说："吉甫，听说介甫相爷最近肝火旺盛，常咆哮于条例司。这龙井去热解毒最适合于他，他怎会不要？"这情况自然是张璪禀报他的。

吕惠卿摇摇头，不耐烦地摆摆手，说："不提也罢。"显然是内心已不似过去那般尊重、倚仗王安石，甚至极度厌恶，但又不好说出来，所以烦恼不已，不愿提及。可这些又何尝瞒得过王珪的眼睛，他立刻转移话题，说："吉甫，品这西湖龙井，我倒又想起一个人。"

吕惠卿微微颔首，会意地说："禹玉公想的莫不是苏轼吧？"接着一凝神，说："禹玉公，在下一直有个疑问，不知禹玉公当初为何要鄙人上奏陛下将苏轼官贬杭州啊？杭州乃人间天堂，山美水秀，还有这西湖龙井可品，岂不是便宜了那苏轼吗？"

王珪呵呵一笑，说："吉甫，要的就是这人间天堂，山美水秀。"见吕惠卿不明所以，他接着说："吉甫，对于苏轼，你如今最怕他什么？"吕惠卿略微迟疑，说："怕倒谈不上，只是不愿他卷土再来，值此乱际，回朝廷也是与我添乱。"

王珪点头，说："苏轼此人，只可智取，不能强攻。若要让他不回来，只能让他乐不思蜀。"说着，老谋深算地微微一笑，接着说："放眼天下之大，还有什么地方比杭州更能让他乐不思蜀？"吕惠卿沉吟片刻，恍然大悟，拍案叫绝，说："好，好。杭州天堂，美酒美人，竹林僧院，文人骚客，哪一个不是苏轼喜欢的？他必流连忘返，哪还有工夫想其他的呢？"

王珪手捻胡须，微笑着说："正是，吉甫。老夫以为，以苏轼之绝世文采，诗人性情，他必爱杭州，而杭州也会爱他。如此苏轼则大喜过望，如遇知音，每日流连于杭州山水之间，美酒蚀骨，美色销形。苏轼在杭州越快活，我等也就越快活。"吕惠卿拱手称赞王珪，说："此乃不战而屈人之兵也。禹玉公，实在妙哉。"

苏轼的官邸设在西子湖畔凤凰山顶的北面——一套考究的宋式四合院建筑。四周青山苍翠欲滴，宝塔、寺庙、别墅棋布于湖边山间，画船如织，歌吹为风。苏轼应接不暇，陶醉于天堂般的秀丽佳境之中。

王闰之望着西湖感叹说："常听人说，'上有天堂，下有苏杭'，我还不信，这次真是开眼了！人就像活在画图之中。"

苏轼背手环视，饱赏秀色，乐不可支，吟道："山海诵经，江湖共歌，碧螺林立；物盛一隅，芳连千里，有地皆秀。徙蓬阙于人间，落瑶池、蕊宫于地上，真可谓澄心清魂、储精垂思之仙境也！"

王闰之笑着说："你呀，就知道吟诗，还不去拜过你的同僚。"

苏轼正醉心于满目美景之中，说："不着急，不着急。这般山水，正合隐居游玩。明日我先去泛舟西湖，游个痛快！"

王闰之苦笑着摇摇头，看见一旁的小莲，拉着小莲低声说话。王闰之说："姐姐，我们全家这就算安定下来了，你看这西湖景致，实在美妙，是个极好的所在。我也不想再搬动了，只求我们一家人远离是非，安居在此。所以，我就想……"小莲猜出了王闰之要说的话，忙说："夫人，您忘了来时答应我的事了吗？若不是夫人当初答应了小莲，小莲是不会随夫人来杭州的。"

王闰之迟疑着说："只是，姐姐，你这又是何必……"

小莲低头说："夫人，别的话都不必再提了，否则小莲也是可以走的。"

王闰之无奈地看看采莲，见采莲点头，只好说："嗯，那好吧，那就依姐姐。"一旁的巢谷听见了，低下头仿佛在心里叹了口气。

除夕将近，苏轼和巢谷漫步在西湖岸边，欣赏美景的同时，寻找舟船游湖。苏轼不断地为美景而赞叹，感到自由自在的快乐。巢谷也不禁赞叹西湖美景，认为比眉州家乡还要漂亮几分，连他都想即兴赋诗一首，笑着说："巢谷到了西湖，不做武人，做诗人啦！"

苏轼听了巢谷的话，哈哈大笑，忽然看见不远处一位衣衫褴褛的老大娘立在湖边正要跳湖，立刻让巢谷救人。巢谷三步并两步飞奔过去，救起老大娘。老大娘哭着说："你们救我干什么！我活不下去了，为何不让我死？"

苏轼握住老大娘的手，急问道："这位老人家，你遇上什么事了，何出此言?"老大娘哭着断断续续地说:"我家还不上那青苗贷款。我儿子跑了,我家老头子、儿媳还有我两个小孙子都被官府抓进牢里。官府说我若还不上钱,明日也要将我囚入牢中。"

苏轼眉头一紧,脸色凝重起来。苏轼向老大娘问明情况,巢谷让她放宽心,告诉她这是新来的苏大人,一定会为民请命,解决这青苗之狱。

安慰老大娘一番后,苏轼带着巢谷返回杭州城,来到杭州监狱查看。监狱里阴暗潮湿,空气污浊,到处是哭喊声,各个牢舍已人满为患,其中有很多是老幼妇孺。苏轼和巢谷皱眉走出监牢,沮丧地问随身而行的狱曹一共关押了多少人。狱曹表功似的说:"大人,足足有一万七千二百一十三人呢!"

苏轼震惊不已,一个杭州城的监狱竟然关押如此多无法偿还青苗之贷的老百姓。他接着问:"怎么这么多人?孩子犯的什么罪,为何把一些童子童女关进来了?"

狱曹得意扬扬地说:"大人,《青苗法》规定,只要到期还不上的都要抓进来;还有担保人,当事人跑了,担保人自然就要来顶罪;至于这些孩子,因为父母跑了,可是跑了和尚跑不了庙的,也要来顶罪;有些村里的年轻后生,领到贷款,便到城里来胡花享受,结果逾期还不上也关进来了。"

听完狱曹的说明,苏轼摇摇头,来到监狱大堂上坐下。大堂上,囚犯们排着长长的队伍在接受狱吏的点名。他们大都衣衫褴褛、面色枯槁。其中有一名男囚因体弱没有跟上队伍,他身边的狱卒连骂几声,上去就是几鞭,那男囚的哀号声不绝于耳,令人心裂。人犯队伍缓慢地向前挪动,苏轼紧锁眉头坐在那里,手中横抓着笔管,越抓越紧。这时,眼见一个狱卒又要打人,苏轼怒不可遏,拍案而起,大声呵斥说:"不许打他!"巢谷怒目圆睁,疾步上前,指着那欲打人的狱卒,大声说:"说你呢,不许打他!"

狱卒和狱吏纳闷儿地停下手,他们似乎不明白,这位通判为何不许鞭打犯人。

苏轼略微沉吟,对狱曹、狱吏说:"今日除夕之夜,当是合家团圆之时,团圆饭他们是吃不上了,能否给他们改善改善饮食,哪怕就这一顿。"狱吏听后颇以为难,支支吾吾,苏轼接着斩钉截铁地说:"就依我说的办!饭钱,我找太守要。另外，不要这样点人数了，这要点到猴年马月！你们多派人手，分几组同时点。他们吃不上饭，喝不上水，站一天要死人的。"

狱曹并不理解苏轼为何这么激动，但狱讼听断正是通判职权。他听到上司的命令，忙回答说："大人，下官这就去办。"说完，退去布置。

苏轼望着那些在冷风中瑟瑟颤抖的男女老幼，悲从心起，泪水盈眶。

苏轼安排好监狱的诸多事宜，走出监狱大堂。或远或近、鞭炮声不断响起，苏轼在巢谷的陪同下迈着沉重的步子回到家，满脸悲愤。王闰之、小莲等见状，忙扶着苏轼进屋。

王闰之关心地问："这是怎么了？你们不是去西湖游玩了吗？先生怎么这般不高兴?！"苏轼不语，径直朝内屋走去一把关上房门，一屁股坐在太师椅上，脸色灰白。

小莲便问巢谷到底怎么回事，巢谷一一说明。大家这才知道他们根本没游西湖，而是去了杭州的监狱。囚犯比西湖的游人倒还多上数倍，事务繁多，待了整整一天，还没处理完。王闰之愁眉叹气，走进内屋，抱怨着说："先生，全家人都高高兴兴等你回来吃饭，你这是何苦呢？"苏轼摇摇头，低声说："你们吃吧，我哪里吃得下去呀！"

众人无奈地看着苏轼。

第二天，正月初一，杭州太守沈立正在独赏院中的一株梅花。苏轼气冲冲而来，后面跟着一脸愁苦的沈府管家。苏轼走到沈太守跟前，气愤地说："沈太守，你这杭州太守当得可真风雅呀！只可惜我要来扰你这雅兴了！"沈太守猜到这位就是新来的通判苏轼，向管家挥挥手，让他离开，对苏轼说："阁下想必就是新任通判苏轼苏子瞻了，沈某久仰大名啊。这正值春节，你不拜年，怎么反说气话呢？"

苏轼仍是气呼呼地说："正是在下，久仰可不敢当。正值春节，沈太守倒是可以过个好年，而杭州的百姓却要在牢里过那连饭都吃不上的灾年！可是沈太守，据我所知，今年杭州非但不是灾年，反而是五谷丰登、风调雨顺之年。按理说他们该过一个有酒有肉的好年！"

沈立立刻明白了苏轼的意思，却笑着指指外面："子瞻，走，与我纵一叶小舟如何？"苏轼紧皱眉头，摆摆手，说："苏某无心游玩！有话在这儿说。"

　　沈立呵呵一笑，说："去吧，你就听我的。"说完拉着苏轼便走。苏轼看一眼沈立，觉得莫名其妙。

　　因为正月初一，人们忙着拜年，昔日游人如织的西湖也成为人迹罕至之所。岸边、湖面全都空荡荡的，只有水鸟偶尔鸣叫、飞翔，使这西湖显得愈发静谧、空灵。沈立与苏轼驾一叶小舟驶入缥缈的烟波之中。

　　此时，苏轼点明了沈立恐隔墙有耳之意，沈立说不止如此。为推行新法，除了朝廷所派监官，吕惠卿、邓绾等人还派了探子，或扮成仆人，或扮成商贩，神出鬼没，不知其所为。苏轼气愤地说："真是暴政！"

　　沈立接着说到杭州的青苗之狱。作为杭州太守，他为了避免更多人因青苗贷款而身陷囹圄，在推行《青苗法》之初，就少报了户口和亩数。这样，两户或三户人家分摊一户的贷款数额，杭州百姓的负担也就相对轻松了！听闻此言，苏轼不禁担心朝廷查出瞒报户口，为沈太守引来麻烦。沈立告诉他不必担忧，因为人口和地数永远是一本糊涂账。朝廷所派监官因不熟当地情况，也无可奈何。

　　他接着说："对那些监官，我等还应设法使其每日在酒楼倚红偎翠，堵塞其口，以缓青苗之害。我知道这是不齿之策，但也是被逼无奈啊。如果和他们硬顶硬抗，定然无济于事。而我等若罢官，新任官员必定竭力推行新法。我等丢官是小事，百姓生存是大事。为百姓杀身取义是仁，为百姓忍辱负重亦为仁。我已如此办了，不知子瞻意下如何？"苏轼忙抱歉一笑，说："我方才错怪太守啦，太守原来也是心系于民的。"沈立摇头连称惭愧。

　　苏轼接着说出今日拜访的缘由："太守，我今日找你是要跟你说，州监狱已经人满为患了，能否少抓几个？这些案子再让下官审下去，非气死不可！若是杀人、放火、偷盗、抢劫等刑事案例，苏轼当全力以治。可时下所审之人，皆是欠青苗款的当事人或他们的老婆孩子、年迈的父母。有些欠款，数额并不大，也被收监关押，这不是暴政是什么！苏某以为，如再不实行安民政策，官逼民反也未可知！此事甚大。试想，杭州乃是全国最富庶之地，杭州尚且如此，其他地方尤其是贫穷之地就更不堪设想了。"

沈立叹息一声，说："子瞻，你以为我不知道吗？可人生于世，无论大事小事、公事私事、官事民事，事事无奈者多，适意者少。你以为这是我想办就能办到的吗？"听了沈立的话，苏轼望着一湖烟波，颇为感慨地点了点头，说："是啊，无可奈何花落去……原以为是晏殊无病呻吟之作，现在想来，故相所言，乃至理名言。人生，十之八九不如意啊。"沈立接着说："我为官多年，素知官场之例，乃唯上不唯下。但如此一来，万民水深火热啊！"苏轼异常感动，点头同意："此言甚是。"

沈立说起因公务繁忙未能给苏轼接风洗尘，苏轼却一脸陶醉地望着水波缥缈的远处。慨叹有这西湖碧水，钱塘波涛，何需酒洗！沈立心中感叹苏轼的风雅、纯真，但还是说："唉……这也是不成文的规矩嘛！再说，达官贵人、社会名流不得不见，他们可是对你慕名已久了。那些官伎名媛，也渴盼一睹天下大才子的风采呀！"

苏轼收回目光，对沈立苦笑着说："沈公，一想到许多百姓陷于牢狱之灾，任那琼浆玉液、山珍海味在面前，下官也无半点胃口。几日来确有很多人邀游设宴，下官都推了。"

苏轼的前任甫一抵杭，便天天在有美堂和歌伎们呷乐狂欢。到现在与苏轼交接已完毕多日，却还舍不得离开杭州。沈立不禁感叹说："子瞻来杭州，杭州之幸啊！像你前任那样的人，如何会去好好问案呢？"

苏轼大声说："沈公，若我遇见那冤假错案，有违圣意之案，则该昭雪的昭雪，该放人的放人。"沈立立刻被吓得目瞪口呆："子瞻，你不是要从监狱放人吧？这个雷池半步都越不得！"朝廷全力推行新法，吕惠卿等人百般打压反对变法和推行变法不力的官员，有的官员甚至被直接解职、收押。所以沈立才会将释放那些还不起青苗贷款的百姓视为大忌。但是苏轼却豪气万丈地说："有何惧哉！"沈立惊惶不已，忙站起来，说："子瞻千万不要妄动啊，我给你作揖了。"苏轼扶住正欲行礼的沈太守，一时为难起来，只好答应会谨慎行事。沈立见苏轼仍坚持己见，担忧不已。

在沈太守的劝说和安排下，苏轼参加了本地官员、名流为他举办的宴会。宴会上虽有几位文雅之士，但无非是敬仰、幸会、关照之语。苏轼惦念青苗贷款案件，宴会过半便借故离开，匆匆赶回了杭州监狱大堂。

　　昏暗的灯光下，苏轼正翻阅面前堆积如山的案卷。师爷麦子青四十多岁，瘦高个儿，温文儒雅但不失精明。他拿着一张密密麻麻的清单走来，累得满头大汗。他将清单递给苏轼，并禀报清单内容。原来麦先生按照苏轼的安排，带领几个手下将一万七千多件青苗案归类复查，认定其中共有一万一千二百个案件属于强行摊派所致。这其中，因当事人跑掉，保人和家人受连累进狱的分别是一千零八十一人和一千八百七十六人，另外六千件则是因为触犯了《新盐法》而被抓入狱的。

　　苏轼听后更加震惊，没有想到强行摊派如此严重，愤然猛拍书案，高声说：“这些县官口口声声为民父母，为何如此这般大兴牢狱？他们当真不怕官逼民反吗?!”

　　麦先生小声地说：“大人有所不知，这些县官并不是罪魁祸首。全都是朝廷的司农寺硬压着，说吕惠卿专门下令，浙杭乃全国富庶之地，这里欠了青苗款还不上，那全国《青苗法》如何施行？还说，执法要严，必须把发放的青苗款连本带息收上去，凡逾期不交的，押监充牢。这才使得杭州监狱人满为患。”

　　苏轼怒不可遏，拍案而起，大声说：“吕惠卿，暴政之徒！为标榜新政，请功邀赏，不惜把千万百姓投入牢狱，这是什么良制美法？”麦先生再压低声音，说：“苏大人，小声些，此处也许有眼线。那……苏大人准备如何办理呢？”

　　苏轼不假思索地说：“这样来办，除去主动要求贷款而逾期不还关进大牢的，其余全部放回。”麦先生大惊失色，一下跪在苏轼面前：“大人，使不得，千万使不得！一旦放了他们，大人就恐有牢狱之灾呀！”

　　苏轼忙把麦先生扶起，说：“麦先生，你照我说的办，他们不敢把我怎样。”见麦先生满脸疑问，苏轼接着说：“我自有办法，你别问了。此事跟沈太守和你都无关，由我一人担着。现在我们就去监舍。”说完，抬腿就走。麦先生将信将疑地看着苏轼，快步跟上。

苏轼命令狱卒释放那些被强迫贷款的百姓。囚锁在"哐当"声中一个个被打开,牢门一扇扇敞开。众囚犯一时不敢相信,都不敢走出来。狱卒说:"为何还站着不动,在牢里住上瘾了吗?走吧,苏大人把你们都放了。"

几个胆大的囚犯先跑了出来,其他人见果真没事,才争先恐后地涌出囚牢。这时众囚犯看到苏轼,一齐跪在地上,磕着头,哭号着感谢苏轼。苏轼动情地大声说:"大家快起来吧,回家好好种地生活。等有了钱,再还上公家的贷款,起来吧!"百姓们纷纷说:"苏大人,放心吧。我们一定还上。""苏大人,我们不会让您失望的,您是我们的再生父母啊!""苏大人,您的大恩大德小民没齿不忘啊!"……

苏轼不停地劝大家快起身,接着说:"要谢恩,就谢圣上,是圣上开恩放你们的。"被释放的百姓不住地感谢神宗皇帝和苏轼,苏轼一直送百姓们走出监狱,并命衙役给大家分发火把、灯笼。站在监狱门口,看着欢天喜地的百姓们逐渐消失在杭州城的夜色中,苏轼欣慰地点点头。

苏轼此举立刻被王珪、吕惠卿等人在杭州的眼线飞报进京。王珪和吕惠卿商议决定,由王珪向神宗禀报。神宗听到"杭州通判苏轼擅自释放因拖欠《青苗法》贷款本息而触罪的数千人犯"时,不禁一惊,说:"竟有这等事!这个苏轼,他去哪里,哪里就有麻烦。王卿家,你即刻详查,如实呈报于朕。"王珪领旨后,立刻赶到吕府,与吕惠卿商议派杭州新政督办、巡察王广廉返杭查办苏轼。

王广廉本是来京候任新职的,得到要返回杭州查办苏轼的消息,马上赶到吕府拜谢。客套一番,吕惠卿恶狠狠地说:"猖狂如苏轼者,实乃我平生之所未见。我费尽九牛二虎之力把他贬官外放,指望杭州山水美色移其心志,使他老老实实做个本分的诗词文人。想不到他非但不领情,反倒私放青苗囚犯,把杭州搅个天翻地覆,给本官一个大难堪。这次我若不治他,其他的州官知县如何看我,我的话此后还有谁听!"王广廉忙表示他认为苏轼罪大恶极,回到杭州后一定严办不赦。吕惠卿接着说:"要毕其功于一役,我已对他仁至义尽。"说着摇摇头,摆出一副很是无奈的样子。

王广廉拱手说:"吕大人放心,苏轼虽然猖狂,也不过是个鲁莽之徒。下官以为，仅凭私放囚犯一项罪名，就可置其于死地。"吕惠卿低声嘱咐他千万不可小看苏轼。王广廉"呵呵"一笑，满不在乎地说："大人过虑了，苏轼他一个小小通判，能奈我何？"

吕惠卿摇摇头，叹息一声，说："若不是他意气用事，外放杭州，当通判的该是你。"王广廉颇不服气，但也不好反驳。吕惠卿便命他即刻动身，动作要快。

王广廉告辞而出，却并不回去收拾行装起身离京，而是赶到王珪府上。原来王广廉是王珪之妻的外甥，变法之初，王珪将他推荐给吕惠卿，吕惠卿派他到杭州督办、巡察新法。王广廉不顾百姓死活，强力推行新法，是王、吕都能放心的人物，所以才会被派去调查苏轼放私囚犯一事。

王珪正独自立于案几前画水墨，书童将王广廉引进来。王广廉躬身施礼拜见他的姨父大人，接着说："姨父大人安好。吕惠卿大人命小甥即刻返回杭州查苏轼私放囚犯案，小甥来不及收拾行囊，即来拜见姨父大人。"

王珪不动声色地问王广廉说："吕惠卿对你评价如何？"王广廉面有得色，说："吕惠卿大人对小甥两年来于杭州督办新政之实绩深表嘉许。"

王珪瞥了王广廉一眼，低声说："我数次在吕惠卿面前举荐于你，你才做了这个新政巡察大员。"王广廉忙一脸感激地说："姨父大恩，小甥感激不尽。"

王珪笑着点点头，问起吕惠卿对于苏轼一案的态度。王广廉将"火速查案"、"决不轻饶"等语一一禀明。王珪不动声色地点点头，眼珠一转，又问："你在杭州两年，这个新政巡察大员做得究竟如何？"听到王广廉"小甥忠于职守，鞠躬尽瘁，当不负圣上重托与姨父大人栽培之恩德"的回答，王珪意味深长地看了他一眼，说："那自然好，他叫你查，你就回去好好查。"

王广廉心领神会地说："姨父大人的话，小甥铭记在心。"王珪语气一顿，皱着眉说："说到此事，老夫倒有一个疑问。据老夫所知，苏轼此人虽刚直，但也不至于鲁莽，他敢置君命于不顾而私放囚犯，你以为是何原因？"

王广廉很是自信地说："姨父大人，若当日小甥身在杭州，苏轼是绝不敢这么做的。"

王珪摇摇头，说："你说这话，证明你还不了解他。"说着，两眼逼视着王广廉，说："你跟老夫讲实话，杭州是不是有强行摊派贷款的事发生？"

王广廉略一迟疑，努力挺直身子，说："姨父大人……此事……小甥在杭州未曾听闻过。"见王广廉这个样子，王珪早已洞悉他的心理和他在杭州的所作所为，叹了口气，说："杭州乃青苗重地，所有人的眼睛都盯着呢。我也知道，是吕惠卿亲自过问的杭州《青苗法》之实施，你不过也是奉命而行。"王广廉忙感激地说："姨父大人明鉴。"

王珪接着说："小心苏轼，你没把柄给他自然好；你若有，千万莫被他抓住。老夫以为，苏轼私放囚犯之举，后面还大有文章。"王广廉却仍是颇为自信地说："小甥以为，姨父大人高看了苏轼。苏轼行事急躁，小甥在朝中早有耳闻。"

王珪语重心长地说："记住老夫的话，宁可高看一个人，也不要小看他，何况你的对手是苏轼。你这就回去吧，有何事及时传信通报于我。"

王广廉躬身说："小甥铭记姨父大人教导。"语气中仍是对苏轼很不服气。王珪不甚放心地看着眼前的王广廉，命他回去收拾行装。

三十一　除　恶

苏轼料定吕惠卿等人必不会善罢甘休，将被强迫贷款的百姓释放后，他便与麦先生日夜不停地整理案卷档案。

这一日，巢谷和麦子青抱着最后一摞案卷走进杭州通判堂的一处密室，与其他案卷小心堆放在一起。苏轼站在门外仔细点数，待二人走出密室，苏轼连上三道锁将门锁住。苏轼把钥匙交给麦子青，说："麦先生，听说新政巡察大员王广廉就要回来了。这些释放囚犯的案卷绝不能丢失，钥匙你须小心保管。"见麦先生和巢谷面露疑色，苏轼点点头，问巢谷："你知我为何敢擅自释放青苗囚犯吗？"巢谷想也不想，一拍胸脯，大大咧咧地说："放就放了，他们若来找你，就说是我放的。"

苏轼说："吕惠卿在杭州强行摊派贷款。他这么做，肯定未经圣上和王安石大人同意，定是他擅自妄为。因为他是《青苗法》的始作俑者，放出那么多的青苗款收不回来，所以狗急跳墙，下令抓人。圣上是爱民之君，介甫是爱民之相，绝不愿意这样做。本官放人，是为圣上收民心，何错之有？吕惠卿要告我，我就反告他有违圣命在先，强派贷款。"

巢谷恍然大悟，欢喜地说："哦，原来如此。这些案卷里有人证物证，证明囚犯们皆是受迫贷款的。若这些案卷丢失，自然查无对证，子瞻你放人也就成了无法无天了。"麦子青也点头，钦佩地说："这就对了，难怪大人要秘密保管这些案卷了。"

突然，一名衙役飞奔来报，说："苏大人，王广廉大人此时正在大堂，叫小的速速唤大人前往！"苏轼一笑，说："说他他就来了。走，我们去会会这个王广廉！"一听王广廉到来，巢谷兴奋不已。麦先生却面有忧色，二人跟着苏轼来到通判大堂。

只见一个细高个儿官员盛气凌人地坐于判堂之上，想必就是王广廉了。王广廉手指苏轼，说："你就是苏轼？"苏轼不冷不热地回答说："下官正是苏轼。王大人，你坐了下官的判堂之座，劳烦王大人起身。这才是专为王大人预备的座椅。"说着手指堂下一边的椅子。王广廉勃然大怒，大声说："大胆苏轼，自恃清高，狂妄至极！见了本官，不来下跪，反让本官给你让座！"

苏轼仍是不冷不热地回答说："王大人，这是朝廷封给下官的判官座椅，就算王公贵卿、当今宰相来这堂上，也不能不让给下官。王大人就偏好夺人所有吗？"

巢谷哈哈大笑，麦先生强忍笑意，扯扯巢谷的衣襟。堂上的衙役们也都相视而笑。王广廉生气地站起身来，大声说："苏轼，你敢顶撞朝廷巡察大臣！"

苏轼脸色一沉，低声说："王大人可能有所不知，苏轼生性就爱顶撞，顶撞者甚广，遍及九州，连先皇都在其中。如今顶撞一下王大人，还请王大人海涵。"

王广廉一时语塞，说："你，你，苏轼竖子！气煞我也！你私放青苗囚犯，本官特来问罪于你！你尚不知大祸临头，还敢于此戏谑本官？！"

苏轼勃然大怒，高声说："王广廉，你这佞臣！你来问罪于我，我还要问罪于你呢！你兄王广渊，附会权贵，投机取巧，朝廷无人不知；而你，身为朝廷新政巡察大员，明知《青苗法》不得强行摊派，却强制百姓贷款，致使大量公款不得及时收回。从而大兴牢狱，陷圣上于不义，妄招天下之怨。你名为新政，实为害民；名为百姓，实为请功邀赏。如此罪臣，有何面目咆哮公堂？！"

沈立这时闻讯赶来，急忙从中劝架。他拉住苏轼的手臂，说："哎呀，苏大人你就少说一句嘛！王大人是浙东路的督察大员，我等应当尊重才是嘛。"又对王广廉说："王大人，请不要怪罪子瞻无礼，这放人的事，我是知道的。你想啊，这州监大牢最多只能关三千犯人，现在关了近两万多人。人挤人，坐都没法坐。这冬天还好，一旦天热，大牢里有了瘟疫，这些人要是死了，你怎么交代？瘟疫一旦流行，殃及整个杭州城又怎么办？圣上若知道了内情，你我的这顶纱帽倒是小事，弄不好，项上人头都得搬家！还请王大人三思呀！"

王广廉却并不理会沈立的说法，气呼呼地说："沈大人，你听见了吗？他竟然骂我是佞臣，太张狂了！我定要治罪于他！"苏轼挣脱沈立的手臂，怒吼道："你与吕惠卿沆瀣一气！身为朝廷督察大员，无视圣上爱民之心，不顾民生疾苦，不分好歹，大兴牢狱，将无辜的老人小孩都投入大牢。你如此害民，你是大大的佞臣！"

王广廉听到苏轼说自己与吕惠卿沆瀣一气，顿时理直气壮地说："他不光骂我，还骂吕惠卿大人。你可要给我做证啊！"沈立听了，一皱眉头，对苏轼说："哎哟，子瞻，你这就不对了，怎么能如此无礼呢！"

苏轼"哼"了一声，说："我以无礼对寡廉鲜耻之人，何错之有！"王广廉自见到苏轼，总是被骂，毫无反驳之力，气恼不已，高声说："好你个苏轼，我这就去告你！你私放罪犯，抗法乱纪，其罪一也；你顶撞上司，污蔑大臣，其罪二也。你就等着入狱吧！"沈立却无奈地朝他一摊手，说："王大人，你这是怎么说呢？人放了就放了，也不是放了不管，而是牢外监行。这些人不去外面挣钱，拿什么追回青苗贷款？总不能关在牢里追回吧。"

王广廉气呼呼地摆摆手，不耐烦地说："行了，沈立，你就别装了。你和苏轼串通一气，当我不知道？你也等着一同受审吧！"不想沈立立刻把脸一沉，提高声音说："王大人，你这是什么话？！沈某是为你讲话，你怎么给脸不要脸呢！"王广廉没想到往日多是唯唯诺诺的沈立今天也突然变得这般强硬，一时语塞。

苏轼说："王广廉，你尽管去告，苏某在此恭候！我有证明你和吕惠卿强制百姓贷款的所有案卷！你敢同我一起面见圣上吗？你敢当着圣上的面说你没有强制百姓贷款吗？！"

听到苏轼说有案卷证明，王广廉大惊，再也说不出话，只好灰溜溜地离开。他这时才想到王珪、吕惠卿"不可小看苏轼"的嘱咐，又愤恨苏轼拿到证据，仿佛天都塌了下来，灭顶之灾就在眼前。苏轼、沈立、巢谷、麦子青及众衙役看着王广廉盛气而来、委顿而去，不禁大笑。沈立赞叹苏轼拿到了证据，有备而来。苏轼也感谢沈立前来共同斥骂王广廉，两人相视大笑。

苏轼将王广廉呵骂走后，心情大好。回到家中，见小莲和一个十岁左右的小女孩送茶水进来。苏轼抬头看见那小女孩，她拘谨地将茶水放在桌上，立于一旁。苏轼问她是谁，小女孩急忙跪下，说"见过老爷"，苏轼上前将她扶起。这时小莲告诉苏轼，这小女孩是夫人收养的，叫王朝云。

原来，王闰之去集市上买菜，看到王朝云头插草标，胸前挂着纸牌，上书"卖身葬父"。王闰之与王朝云对视了一眼，都觉得似曾相识。王闰之回头注视王朝云，见她也望着自己，便停下脚步，上前问明情况。原来，王朝云母亲早死，就剩下朝云和父亲二人。去年官府要父亲贷了青苗钱，可今年收成不好，还不上。公差来催钱，她父亲又饿又急，就病死了。她家是从别处迁来的，这里没有亲族，朝云就只好卖身葬父！听完王朝云的泣诉，王闰之便答应帮忙。将她带回家，找出十两银子给她，让她去把父亲安葬了，然后回来这里暂时住下，再给她找个合适的人家收养她。王朝云听了王闰之的意思，跪下哭着叩谢，并说自己本是卖身葬父，夫人既帮忙葬了父亲，自己就理应到夫人家里做个使女。菜莲、小莲见朝云姑娘聪敏心善，家里也缺人手，就在一旁劝王闰之留下朝云。王闰之思忖片刻，便同意朝云留下，并说明朝云什么时候想走都可以，还让小莲教朝云和迈儿一起读书。

苏轼听完整件事情的来龙去脉，对王朝云说："朝云姑娘，既然是一家人，以后就不要叫老爷了。你先下去吧，我还有事商量。"朝云点头离开。

苏轼请小莲坐下，问她对自己释放青苗案犯一事的看法。小莲笑笑说："小莲以为，放人一事，吕惠卿只能装聋作哑，因为他有所忌惮。"苏轼点点头，他自己也是这么想的。小莲接着说："从表面看来，他的绊脚石都搬掉了，朝廷里成了一言堂，这他自然愿意。但从皇帝的驭臣之术上看，这是最忌讳的事。皇上如若追究，罢黜了先生，则朝野无人敢反对吕惠卿。那时，皇上就真成了孤家寡人了！其实，现在圣上已经将王相公和吕惠卿驾驭住了。"

苏轼"啊"的一声，恍然大悟，对小莲说："愿闻其详！"小莲说："小莲献丑了。先生和朝中的正直大臣屡次上书，圣上未必不知道吕惠卿等人是小人。但圣上正是用了这些小人，使变法一派形成了党中之党、派中之派，以便驾驭。先生在《上皇帝书》中说过'小人同而不和'，吕惠卿等人日久必起争端！"

苏轼迟疑着说："以你说，当今圣上是以术治国？"小莲点头说："正是！当今圣上自视极高，天资十分聪颖，功业心极重，但缺少先皇仁宗的宽仁和缓，故而不自觉地走到了以术治国的路上来了。"

苏轼拍拍脑袋，叹息一声，说："我好糊涂，怎么没有想到！"小莲笑着说："先生何事不明，不过是天生仁厚，不往此处想罢了！"

苏轼站起，郑重地向小莲一揖："莲妹一席话，使苏某如此受益，可做苏某之师矣！"小莲庄重而凄苦地还礼，低声说："先生之言差矣，小莲哪能当得起如此大礼！"……

王广廉从杭州监狱铩羽而归，无时不胆战心惊。苦思一夜，最终与管家王泽密谋，决定釜底抽薪，盗取苏轼所掌握的青苗一案的证据卷宗。

二人商议已定，王泽起身告辞。王广廉百般嘱咐，王泽领命离开。王泽将麦子青约到一处饭庄的雅间中，从袖中掏出五百贯面额的一叠交子，推与麦子青面前，请他笑纳。麦子青大吃一惊，说："王先生，无功不受禄，麦某岂敢收受如此重礼？"随即将银票推了过去。

王泽一笑，说："先生不必客气。鄙人知道，令尊正卧病在床，需要救治，但花费甚多，先生正为此事烦忧。"一边说，一边将交子推到麦子青眼前，麦子青皱着眉头，不肯收受。王泽只好直接说出自己的目的："好吧，咱们打开天窗说亮话，只要先生将青苗贷款所放人犯的案卷弄出来，必当重重酬谢。"

麦子青看了王泽一眼，伸手翻看一下眼前的交子，点头低声说："哎呀，钱是好东西，这么多钱，我忙活一生，未必能挣到。只是，用这么多钱换几个人头，王先生也太不划算了吧？"

王泽心中嘿嘿一笑，说："好说，好说。"忙又掏出两张五百贯面额的交子。麦子青看着这两份交子，不由得犹豫起来。王泽接着说："麦先生，你也知道，铁打的衙门流水的官。这苏通判任期不过三年，而我却是杭州的坐地户。是谁在这杭州地面上来日方长，你当明白。你好好想想吧，明夜此时，我在通判堂外等你，只要麦先生将案卷交给我就好。"

麦子青仍看着交子，若有所思，脸上犹疑不定，最终狠狠地点头，低声说："好！"王泽大喜，与麦子青约定明夜寅时，在通判堂外交接。

王泽赶回王广廉府中，见王广廉正在院中焦急地踱步等待，上前小声禀报已与麦子青约好。王广廉满腹狐疑，认为麦子青答应得也太爽快了。王泽点头说："开始我也有疑虑，但仔细想来，全在常理之中。麦子青是杭州人，他得罪不起咱们，他不能拿一家老少七口人开玩笑吧？再说了，他是聪明人。王大人你是这浙东路上的什么人物，他不是不知道。"

王广廉一皱眉，说："你没有对他提及我吧？"王泽忙说只说是自己要办的，只字未提王广廉，请他放心。王广廉点点头，说："还是小心为妙，不能在通判堂接头，要换个地方，临时再派人通知麦子青。"王泽点头称是。

第二天傍晚，王泽通知麦子青接头地点换到杭州监狱附近的一处房院中。夜幕降临，王泽带几个人弓着身子，偷偷地走进院子。见麦子青站在院中等待，王泽拱拱手，麦子青指了指墙角。王泽走过去，发现有一个麻袋，低声叫手下抬起，几人转身出门。

王泽等人刚一出门，眼前忽然出现若干火把，将四处照得通亮。王泽惊慌失措。巢谷和衙役们上前将王泽捆绑起来。苏轼从人群中信步走出，说："王管家，你等以为苏某的能耐就是作文写诗吗？！我已等你许久了！多亏麦先生深明大义，不为钱财所动，也不为你等淫威所屈。"麦子青拱手一笑，说："大人过誉了。与高人相处，岂能做小人之事。"

王泽想挣脱，却被巢谷制服。苏轼对他说："王管家，今夜你只好在监牢里度过了。"接着命令衙役将他关进监牢。

因为王泽犯的是重罪，衙役们将他押进牢舍后，又把他双手双脚都锁上镣铐。王泽静静坐在牢舍的一角，动也不动，面无表情，心中万念俱灰。不知过了多久，有一个衙役鬼鬼祟祟地溜了进来，左顾右盼，见四下无人，便从怀里掏出一个小瓶，伸手递给王泽，低声说："王管家，这是王大人送给你的酒。"王泽接过小酒瓶，恐惧地盯着它。衙役接着说："王管家，王大人说喝了它，就什么事都没有了。"

王泽绝望地看着衙役，又看看酒瓶，一丝悲伤掠过嘴角，但很快消隐了。他拔掉酒瓶的塞子，张口喝了下去……

不久，沈立和苏轼接到王泽死亡的报告，疾步赶来。二人走到监牢前，看见了躺倒在地的王泽，嘴角流出一缕鲜血。苏轼捡起地上的小酒瓶，端详着说："念他一片愚忠，葬了他吧。"沈立环视这个前些天还关押着许多无辜百姓的牢舍，又看看王泽的尸体，叹息一声，说："你死了，你的王大人就跑得掉吗？"

王广廉的确要跑。此刻，他焦急地等在自己府外，终于两个家丁牵来马。王广廉狼狈地骑上马，浑身颤抖，手也不听使唤，着急地说："我这就去京城，在我兄长家躲几日，你等好好看家。"两名家丁躬身领命。王广廉歪戴着帽子，纵马而去……

吕惠卿在杭州的眼线立刻修书报信。吕惠卿读完信，将信掷于地上，拍案大骂："王广廉，不中用的败家子，坏了我的大计！休让我再看见你！"

吕惠卿却不知道让他更生气的事情还在后面呢。因为王珪也同时得到了关于此事的报告。王珪看完密报的信件，思忖片刻，"嘿嘿"一笑，穿上官服，进宫求见。

迩英殿内，神宗坐于案前。王珪禀告说："陛下，微臣已获悉杭州通判苏轼私放囚犯一案之实情。"神宗没想到竟然这么快，有些吃惊，点头命他快快奏来。王珪接着说："据臣查实，苏轼并非私放囚犯，而是准许欠款农民牢外监行，以挣钱还款，且释放了一些与案无关的老人妇孺，实乃为陛下广施仁德。故苏轼并非抗法，苏轼无罪。"

神宗听到苏轼无罪，点头微笑，说："如此甚好。"王珪接着禀告说："陛下，另据臣所知，朝廷新政巡察大员王广廉明知《青苗法》不得强行摊派，却为请功邀赏，强制百姓贷款，致使大量公款不得及时收回。苏轼所释放的囚犯正是王广廉囚禁的人。"

神宗猛拍龙案，大声说："大胆王广廉！朕三令五申不得强制贷款，他偏要顶风作案，罢他的官！"

王珪偷偷地看看神宗的脸色，低声说："陛下，臣还获悉，吕惠卿大人竟是知道王广廉在杭州施行强制贷款的，却不知为何对他放任不管，也不上奏陛下。臣想，莫非吕大人身为《青苗法》的制定者，便生好大喜功、急于求成之念，有意纵容他吗？"神宗顿时大怒，迟疑片刻，看着王珪，低声问："此话当真？"王珪抬头看看神宗，一脸笃定，说："陛下，臣方才所讲，在杭州早已是街谈巷议之事。"

神宗勃然大怒，喝命站在一旁的张茂则说："即刻宣吕惠卿上殿见朕！"接着换成一副和蔼的表情，对王珪说："王卿家，朕记得王广廉还是你的外甥。你竟能秉公直言，大义灭亲，朕万分欣慰！王卿家的刚正与心胸，朕颇为欣赏。若百官皆像王卿家一般为朕爱民谋政，则我大宋中兴指日可待也！"

王珪心中欢喜，谦虚却又大义凛然地说："陛下谬奖微臣也！臣为陛下当鞠躬尽瘁，死而后已。"

神宗感动地点头，高声说："王卿家，朕意擢升你为参知政事，望卿不负朕恩，益加自励，尽瘁事国。"

王珪心中狂喜，脸上表情却仍像往常那样沉静，跪地谢恩后，退出迩英殿。王珪扬扬得意地走在殿外的台阶上，望着远处墙边一抹清新的柳色。春风轻轻拂过，他闭上眼睛，陶醉在这醉人的春风柳色中……

吕惠卿被神宗召到迩英殿狠狠地训斥了一番。他见搪塞不过，只好百般忏悔，又大倒苦水、大表忠心，好不容易得到神宗的原谅，气呼呼、灰溜溜地返回条例司。

刚进条例司大门，吕惠卿遇到邓绾，便向他咒骂王珪："王珪，老匹夫！他在圣上那里参我一本，说我在杭州施行强制贷款，连他外甥王广廉也成了他的过河卒子。最后由他坐收渔翁之利，竟然官拜宰辅！其刁滑奸诈，真是当世所无！"

邓绾一听王珪当了参知政事，紧皱眉头，说："吉甫，我早就与你说过，对王珪定要小心防备，如今他又得势，你却奈他何？"吕惠卿摇头叹息，感叹自己恰是螳螂捕蝉，岂知黄雀在后，又感叹王珪历经几朝，宦海沉浮，这种伎俩正是他安身立命之道。邓绾点点头，说："事已至此，我看吉甫你还不能同他扯破脸皮、势同水火，他毕竟有用于我等。只是往后须对他小心，休再让他捡了这等便宜。"吕惠卿点头同意，说："嗯。言之有理。"说着二人走进条例司议事堂坐下，与早已到来的张璪、李定等寒暄一番。

不久，王安石兴冲冲拿着《三经新义》走了进来，大声说："诸位，我新注的《三经新义》成书面世了。"

吕惠卿起身上前，接过《三经新义》，手捧着书，大肆恭维说："宰相这本《三经新义》一旦面世，则天下文坛一统，余书尽废。新政变法也终有托古改制的依据了。更重要的是，皇上看了此书，必将大增新政变法之决心，"接着有些沮丧地低声说，"也会改观对我的看法。"这最后一句大家都没有听到。

王安石听到吕惠卿的赞扬，心中大悦，频频点头。张璪忙恭维说："《三经新义》是注重阐明义理、反对章句传注的新学，文坛从此气象一新。宰相功在千秋，真乃当世大家也。"曾布不甘落后，接口说："此书还可为新法全面网罗人才，可为科举取士的新标准。"李定和邓绾也在一旁大声应和。

王安石手捻胡须，微笑着说："诸公所言，甚合我意。此书将对变法有推波助澜之用，因此推广越快越好。《三经新义》须在一个月内颁赐给宗室、大学及诸州府学，作为全国学生必读之书和科举标准。"众人纷纷称是，大加赞扬。

杭州户曹一职空缺，新任参知政事王珪举荐了刘一得，得到了神宗的批准。这一天夜里，那新任杭州户曹刘一得到王珪府上拜见。刘户曹先是恭贺王大人官拜宰辅。王珪微笑着说："有什么可恭贺的，你等只知恭贺老夫升官，却不知老夫身上托付之重。"刘户曹忙谄媚地笑着说："王大人晋升宰辅是众望所归，岂有不贺之理？"

王珪止住笑容，说："好了。老夫找你来，是有事相告。你此去杭州任职，须替老夫办一件事。"刘户曹忙表忠心，表示愿为大人驱驰，请王珪尽管吩咐。王珪接着低声说："你只要在杭州替我每日盯住苏轼，记下他每日见过的人，每日讲过的话，每日所写的诗，发的牢骚，作的感叹，巨细无遗，一一记下。明白吗？"刘户曹躬身回答说："下官明白，定当照办。"

王珪点点头，语重心长地叮嘱："特别是苏轼针对新政变法的议论，你须一字不漏地记下，每月固定日期传书于我，不可间断。切记此事不足为外人道也。一切做小伏低，让苏轼全无戒心。我不愿你成为第二个王广廉。"

刘户曹仍躬身回答说："王大人所言，下官当铭记不忘。"王珪微微点头。

《三经新义》迅速地发往全国各地，刻版印售。杭州大街上的小贩也纷纷叫卖起来。小贩们吆喝着："这是王安石相爷写的《三经新义》，科举取士的必读书！"路人纷纷解囊购买。

在家休息的苏轼听到街上的叫卖声，请采莲帮他买了一本回来。苏轼看到《三经新义》署名王安石、王雱，点点头，翻看起来。没一会儿，苏轼苦笑一下，将书扔在一边。

这时，抵杭上任不久的刘户曹求见，他请苏轼到通判衙门向乡试考官们训话。苏轼手指桌边的《三经新义》，对刘户曹说："《三经新义》都已有了，诸位还费那么大功夫做什么？宰相说东别说西，叫你打狗别骂鸡。照本宣科有答案，谁也不会说无知。你且到街上，找那叫卖的书贩买他几十本，一一发给列位考官，上面怎么写就怎么考，去吧。"刘户曹点头领命，暗自记下苏轼言语，转身告辞而去。

苏轼笑着伸了一个轻松的懒腰，说："唉，西湖有美景，我自睡高楼。介甫你忙杀，我自乐悠悠。"说完，便去寻即将离任的太守沈立，一同去游览西湖小孤山。

三十二　杭州三美

　　夏日，三面临水的西湖小孤山，平湖如烟。望湖楼建于孤山之上，在丛林中显得玲珑挺拔，超然脱俗，犹似琼楼玉宇，蓬岛仙境。苏轼与沈太守正在这望湖楼中临景对酌。

　　沈立见苏轼兴致不高，知道他是为王安石《三经新义》的事，又想他不吐不快，便故意引起话头。苏轼听他提起，果然愤怒地说："朝廷来了诏书，自今年起秀才乡试和进士科举，全部以王安石编注的《三经新义》为准。一家之言，注也就注了，错对可由世人评说，千不该万不该，不该把它颁于学官，使其成为科举考试的唯一标准。这……不是太学重演，断我大宋文脉吗？"沈立也无奈地叹口气。苏轼接着说："今日各县学政都来了，要我讲《三经新义》，还讲什么，都写在书里了。我每人发了一本，让他们回家自己看去。算了，算了，不提它了，免坏了我二人的雅兴。"说着，举起酒杯，一饮而尽。

　　沈立摇头感叹"人生在世不称意，明朝散发弄扁舟"。想及自己明日就要离杭赴京，离开这杭州美景和卓然苏子，深道不舍，与苏轼共同举杯。苏轼微笑着说："杭州少了一个父母官，审官西院多了一个有德的大员。人生本就是离多聚少。"转头看着楼外美景，低声说："奈何沈公一走，下官也就只有与这山林湖海为伴了。"

　　沈立呵呵一笑："山林湖海为伴，那不正合你意了。接我任者是陈襄陈述古，你的老朋友。这个陈述古，知谏院的椅子还没有坐热乎，就被王介甫贬下来了。"

苏轼喝尽杯中酒，说："不贬不足以说明介甫是拗相公嘛。咳，现在朝廷中已无人对变法说三道四了，那王珪当了参知政事，我朝又多了个三旨宰相。"见沈立不明所以，苏轼接着说："王珪此人，你不了解。我与他交手数次，老奸巨猾，十足小人。他在圣上面前只会说三句话：'臣领旨''臣遵旨''臣已得旨'。圣上到哪里去找这等宝贝顺臣？沈公，你到朝廷后，别的什么也别说，只学会说这三句话就行，准能平步青云，位及宰辅。"

沈立哈哈大笑，说："你无须用激将法，与这等人同流合污，我是终身学不会的。"

这时，悠扬的琴声传来，使人犹似置身于虚幻般的仙境之中……

苏轼听琴声高妙，不禁问是何人所奏。沈立凝神细听，已猜到奏琴者正是杭州三美之一——琴操姑娘，笑着告诉苏轼："琴操几次都想见你这当世第一才子，却都被你以公务缠身为由拒之门外，故而人家满腔愁绪，在此抚琴消愁呢！"

苏轼惋惜地说："哦，苏某糊涂，竟拒绝了如此明耳仙乐。"说着站起身来，循声而往，听着优美的琴声，苏轼缓缓吟出一首诗来："暗香浮动醉平湖，苏子探梅入有无。借问琴声谁拨出，道人有道山不孤。"沈立大赞好诗。

少顷，两人看见绿树环绕的小木屋中，一个绝代佳人临窗而坐，着一袭白纱丝衣，正抚琴拨弦。沈立称赞说："琴操，听君一曲，难忘终生。老夫就要卸任，以后再也听不到这般美妙的琴声了，可惜，可惜呀。"

琴操嫣然一笑，说："雕虫小技，何足挂齿。天下善抚琴者众矣，而知音者少。太守不必伤怀，该伤怀的是小女子。"声音似珠玉落盘。

沈立为二人引见，琴操道个万福："见过苏大人，小女子这厢有礼了。"苏轼作揖还礼说："听这清雅琴声便知其人，果然是国色天香，杭州三美，人如其名。"

琴操谦虚地说："大人谬奖了，小女子不幸坠入红尘，何敢言清，又何来谈雅呀？"语毕，忙向苏轼、沈立让座。仆人毕恭毕敬地送上茶来。苏轼微笑着说："琴操姑娘，听你的琴声，我有些担心。"琴操笑问苏轼担心什么，苏轼接着说："林和靖乃得道的世外高人，就埋于此。你琴声如此曼妙，如果把他唤醒了，从坟里走出来如何是好？"

沈立和琴操放声而笑，琴操低声嘤嘤地说："即使如此，恐也非小女子所为，是他太渴盼见到苏大才子了。"

苏轼开怀大笑，说："尽管我等仰慕前贤，但若真是白日见鬼，岂不惧哉？"

沈立笑问苏轼："不虚此行吧？几次要给你接风洗尘，让琴操作陪，你总是拖延，这可有怠慢美人之罪啊！"苏轼忙起身请琴操姑娘原谅，琴操说："苏大人不赴小女子之约，却把那一万多个受苦受难的百姓救出牢狱，小女子才是真正怠慢了大人呀！"

苏轼点头微笑，望向西湖，只见烟波浩渺。琴声中，苏轼兴致大发，脱掉官衣、纱帽，颇感自由自在。沈立也说自己真想挂冠隐居这孤山一角，梅妻鹤子，步林和靖之后尘。

琴操并不赞成沈立的想法。她边弹边说："难道太守不知，多一个清官则天下众生多一份福气；而孤山多隐居一个清官，则天下多一份不幸啊！"一个风尘女子能心系苍生，有这等见识，实是难能可贵。苏轼回头看了一眼琴操，眼神中充满欣赏。

琴操对苏轼微微一笑，说："小女子方才忽然想到，苏大人可与一人相比。"苏轼问是谁，琴操接着说出王羲之。苏轼忙说："琴操姑娘好风雅，苏某怎敢与王羲之相比！"不想，琴操却道，以她之见，王羲之倒还比不上苏轼。沈立听得有趣，笑问何以见得。琴操接着说："王羲之被称为书圣，通判大人的书法即使比不上王羲之，也已天下驰名。况且，书法并非大道，比与不比，无甚要紧！"

苏轼心想琴操必有高见，便问："那……以姑娘说，什么才是要紧？"琴操回答说："道德、文章而已。通判大人不仅文章冠天下，且忠君爱民，故而这道德二字也冠天下。"沈立点点头，深以为然。苏轼忙说愧杀。琴操却话锋一转，说道："不过大人倒是有一样比不了那王羲之。"

苏轼不禁一愣，问是哪一样。琴操笑着说："就是那'风流'二字！那魏晋风流，独有千古。风流未必真才子，可真才子必有大风流。不过……大人却是……"见琴操有些迟疑，苏轼请她照直说来，琴操含笑说："大人却是……却是……真才子而不风流！"

苏轼恍然大悟，说："天下才子皆风流，不缺苏某一个！"琴操请苏轼恕失言之罪，苏轼摆手，称赞琴操见识惊人。

这时，沈立突然想起明日同僚们要设宴为他饯行，便邀请苏轼同往。苏轼发现竟忘了给沈立送行的日子，忙向沈立抱歉，并说一定前去。沈立接着说："同僚们打算以官伎助兴。不过他们说，若要齐聚杭州三美，连本官在内恐怕都没有这个面子，只有子瞻能尔。不知子瞻可否帮忙？哈哈！"

苏轼微微一怔，笑着说："这就不必了吧。"沈立佯装不满，说："看看，你这犟脾气。这是本朝通例，也是官场的风气。再说我何曾求过你，如今要走了，好不容易求你一桩事，你却来扫我的兴。你就不能为我破个例吗？"听沈立这样说，苏轼无奈摇头苦笑，点头答应。沈立大笑，琴操微笑不语。

在挚友、奇女子的笑声中，苏轼望着葱茏的绿树、微波荡漾的湖水，神出物外……

苏轼与沈立辞别琴操，来到太守府上。苏轼写完邀请杭州三美的请帖后，便告辞回家。

杭州三美都是风尘女子。西湖翠芳楼香软锦翠的闺房中，三美之一的周韶白天受了委屈，正暗自垂泪，叹息声声，自怜身世。听到有人敲门，周韶猜到是自己的侍女，她并不开门，说："你去告诉妈妈，就说从今日起我不再见人，妈妈要么让我回家，要么我就坐在这屋里永不迈出大门。"那侍女说："周姑娘，不是妈妈找你，是一位苏轼大人给你发来了帖子。"周韶略微沉吟，犹豫了一下，起身开门，接过帖子。周韶展开请帖，在屋中来回踱着云步，喃喃念出："天上有宴，暂且中断；人间杭州，主别通判。操琴当歌，问尔愿不愿？"周韶暗自沉思……

第二天傍晚，苏轼在书房读书，王闰之端来一盘清蒸草鱼，小莲端上莼菜汤。苏轼脸露歉意，说："夫人亲自下厨了，可惜为夫没有口福。今夜我为沈太守设了送别宴会，还破例给杭州三美下了请帖呢！"王闰之一听这话，脸一沉，就要将草鱼端走。苏轼连忙拦住，接过蒸鱼闻了闻，说："啊，这草鱼虽出自西湖，也从来没见人做出过这般香味！"王闰之沉着脸说："先生言过其实了。"苏轼认真地说："肺腑之言！"

王闰之说："我看真正香的是那杭州三美吧。"苏轼笑着问此话怎讲，王闰之接着说："先生，近日杭州人已经送给你一个'风流通判'的雅号了。"

苏轼笑道："多谢杭州人所赐美誉。不过若要为夫担下这沽名钓誉的骂名，我尚需努力。"王闰之低头喃喃地说："先生还要怎么努力呀，如今已经不愿回家了。"

苏轼突然问王闰之手中蒸鱼的名字，王闰之怪他明知故问。苏轼接着说："叫西湖醋鱼！"王闰之不禁一怔，说："这分明是西湖草鱼啊！"

小莲"扑哧"一笑，王闰之恍然大悟，娇嗔着说："好啊！你……不给你吃了。"说着要端起蒸鱼拿走，被苏轼拦住。苏轼拿起筷子，笑着品尝起来……

轻雨过后的西湖岸边，水榭歌台，雕梁画栋，柳烟朦胧。

西湖有美堂内，杭州官员绅士济济一堂，刘户曹亦在座中，注意观察着苏轼。苏轼、沈立焦急地等待张望，琴操在一旁微笑不语。沈立向琴操姑娘询问周韶和宋芳二人为何还未到来，琴操神秘地一笑，摇头说她也不知道。众人等待不及，渐起喧哗。沈立摇头叹息，说："今日送别宴会，原以为子瞻你比老夫要有面子得多，不曾想这杭州三美却只来了一个。"

苏轼慨然说："沈太守，苏某只管发帖，其他的就管不了了。不等了，沈太守你请上座，今晚你是主人。"

众人落座，琴操抚琴弹奏。众人一起举杯祝词，说："恭祝沈太守高升，离任回京，一路平安！"

突然，周韶一身素装，手持琵琶，宛如仙子般降临，与琴操合奏，顿时乐音绕梁。还未等众人反应过来，宋芳妖艳妩媚、楚楚动人地由屏风后舞出。三美乐舞相和，美色相映，满堂生辉。一曲奏罢，周韶和宋芳上前来给沈立和苏轼请安。周韶向沈立道个万福，说："周韶见过太守大人，知大人离任回京，特来相送。"

沈立笑着说："琴操抚琴，周韶拨弦，宋芳伴舞，三绝归一。还以为周大美人你不来了，原来是犹抱琵琶半遮面。"说着手指苏轼，向周韶介绍这位就是鼎鼎大名的苏子瞻。周韶见了苏轼，惊讶地"啊"了一声，心中有似曾相识之感。苏轼施礼感谢周姑娘依约而至，周韶还礼，说："苏大人客气了。大人亲书柬帖，小女子岂敢不来？"

沈立接着向苏轼介绍宋芳。苏轼笑着说："吾闻姑娘舞不让飞燕，方才苏某已大饱眼福。"宋芳嫣然一笑，说："今有缘一睹大人风采，小女子才是三生有幸。"

方才太守说周韶三姐妹是三绝归一。周韶心想，苏轼是大宋才子，若是苏轼能即席赋诗，由自己和两位姐妹歌舞咏之，那就真可谓四绝归一了！想及此，周韶激动不已，便向沈立说出自己的想法。沈立听了，征求众人意见，众人自是想看苏轼一展诗才，一同鼓掌大呼，请苏轼赋诗一首。

苏轼向窗外一望，见湖色空蒙，再看看"三美"，爽然朗诵："水光潋滟晴方好，山色空蒙雨亦奇。欲把西湖比西子，淡妆浓抹总相宜。"

众人纷纷叫好，周韶感动地说："好诗！此诗将与西湖水同存。"

琴操来到古琴前坐定抚琴，乐班开始伴奏。宋芳伴之以舞，周韶启动莺喉演唱起来。琴声悠扬，舞姿唯美，歌声婉转，词曲优美，众人如醉如痴……

一直站在苏轼身后的巢谷却侧目而视，甚为不满。

夜色渐深，苏轼却迟迟不归。王闰之心神不定，在蜡灯下缝制小孩衣裳，却无论如何也静不下心来。窗外不时传来歌声和喧闹声，王闰之渐渐烦躁起来。小莲正在一旁教导朝云写字。王闰之起身嗫嚅着说："莲姐，听说这杭州三美不仅美艳，而且皆有才艺，奏琴唱歌，填词作诗。我倒听过一两句，香艳淫巧，真是羞死人！莲姐，我怕……"小莲见王闰之担心起来，便说："夫人，我只问你，你能管得了先生吗？"王闰之皱眉说："管不了！连皇帝的话他都不听，我的话他岂能听！"

小莲接着说："既然如此，那你什么都不用做，只需做一件事。"王闰之疑惑，问小莲是何事，小莲接着说："信任他！"王闰之听了眼前一亮，有些兴奋地说："莲姐，对啊，你这话听似无理，细想却大有道理。"忽而愈发的明白，小莲才是苏轼的知己。她叹息一声，接着说："莲姐，其实你才是这世上最了解先生的人，我……我……真羡慕你！"

小莲一听此言，脸色惨淡，低声说："夫人不该羡慕小莲！"王闰之迟疑片刻，满脸歉疚地说："啊……莲姐，以前都是我不好。我如今明白了，为何你就不能给先生……"小莲却一脸郑重地说："夫人答应过小莲的事，夫人当信守不渝。"

王闰之一怔，一时无语。小莲转头教苏迈、朝云写字。王闰之叹口气，转身离去。小莲看着窗外的夜色，若有所思。

西湖有美堂内，众达官贵人仍在欢宴夜饮。宋芳舞，周韶歌，琴操抚琴，沈立等官员击节。周韶唱着唱着，忽然哽咽，众人大惊。苏轼问："周姑娘，是苏某怠慢你了？"周韶忙说不是，接着迟疑地说出是因为苏大人的诗太好了！

沈立醉醺醺地说："好个苏子瞻，一首诗竟使咱们的周大美人泪流满面。"苏轼一怔，不想沈立接着问周韶说："周……周大美人，你……你莫非喜欢上了咱们的……"

听了沈立此言，琴操大惊，巢谷侧目而视。周韶一怔，忙说："啊……不，不，我是想起了那西施的命运。"苏轼忙问西施如何，周韶接着说："那西施虽是远赴异国，所事非人，但晚来却有范蠡之爱。可我们……"

苏轼似有所悟，说："噢，周姑娘的意思是？"周韶回答说："大人，小女子请求脱离妓籍。"

众人一惊。苏轼扭头问沈立的意见，沈立说："是，周姑娘曾向本太守请求过，但因与律例有违，我没有答应。"

苏轼也已喝得醉醺醺了，说："太守明日就要离任，何不今晚做个人情？"见沈立迟疑不决，苏轼接着说："周姑娘，这样来办。你作一首诗，若是诗好，本通判准你脱籍，干系本人担着！"

周韶施礼谢过苏轼，沉思片刻，缓缓地吟出："陇上巢空岁月惊，忍看回首自梳翎。开笼若放雪衣女，常念观音般若经。"吟毕哽咽。琴操、宋芳也掩面落泪。众人看看周韶的白衣，不禁感慨万千。

苏轼赞叹说："好，好诗。本通判准……准你即刻脱籍，回家去吧！"

周韶跪谢苏轼，却心下茫然，凄苦地说："周韶已不知哪里是家！"

众人皆默然，感叹周韶之悲苦。沈立问周韶说："那周姑娘……准备去哪里？"周韶沉默片刻，只吐出四个字："四海为家。"说完，泪下如雨。

听到周韶"四海为家"，苏轼酒兴大发，摇摇晃晃地站起身来，说："好，四海为家，就四海为家！"看着屋外茫茫夜色，空中点点繁星，苏轼缓缓吟出："平生但觉风尘苦，相聚都为沦落人。扁舟一棹归何处，家在江南黄叶村。"接着走到周韶面前，说："周姑娘，我和你同饮一杯！"

周韶流泪感谢苏轼，端杯欲与苏轼对饮。巢谷站在一旁，冷眼看着二人，心中不快。

突然，女扮男装的小莲走了进来，对苏轼说："子瞻兄，你喝多了。该回家歇息了。"苏轼醉醺醺地说："没……没有！别管我！"看看小莲，又问："你，你是何人？"小莲向巢谷使了个眼色。巢谷已然认出小莲，小莲示意他莫出声，将苏轼架走。巢谷明白，背起苏轼就走。苏轼仍是醉呼呼地说："哎，巢谷，我……我没有喝多！"扭头再看看小莲，说："你究竟是何人，你，你是小……"没有说完便醉晕了过去。

沈立和一众官员也已经醉得不省人事，只有刘户曹在一旁暗暗观察。几日后，王珪收到刘户曹的密信。他展信阅读，笑容慢慢浮在脸上，眯着那对儿小眼睛说："苏通判呀苏通判，这才对嘛，你本就该做个风流通判。春宵夜短，可不要辜负了老夫一片好意呀！"

三十三　佛印和尚

送走太守沈立后，苏轼又设宴欢迎新任太守陈襄，连续多日沉湎于有美堂中饮酒、作诗。王闰之对此很是不快，小莲劝解王闰之，说苏轼去有美堂饮酒作诗不过是自得其乐罢了，不会学那些无行的文人。果然，小莲说后不久，苏轼就很少去有美堂了，酒也喝得少了，每日与杭州附近寺院的和尚谈佛说法。王闰之心中欢喜，却听不懂苏轼与和尚说的玄话，很是奇怪。

这一日，王闰之又做好一盘西湖草鱼，一边端着走向书房，一边与小莲说出苏轼的奇怪之处。小莲笑着说："夫人，先生慧根极高，这杭州周围僧院众多，他交几个僧人朋友也不奇怪呀。"说着话，两人走进书房。

突然，院中有人问："子瞻兄在家吗？"王闰之一笑，低声对小莲说："你瞧，又来了一个。"小莲微笑。

苏轼闻声来到窗前，小声对王闰之和小莲说："哎呀，猫来了。"言毕，迅速将蒸鱼藏于书柜中，小莲在一旁讪笑不止。来人正是和尚佛印。他一脚踩进门来，苏轼笑着说："有人如猫，闻腥必至。"

佛印抽动了一下鼻子，闻到了蒸鱼的香味，看看苏轼，笑着问："子瞻，我来请教一个字，不知如何写法。"苏轼知道佛印已然闻到鱼香，又知他必会引出鱼来，便问是何字。佛印眨眨眼睛，说："你姓苏，'蘇'字怎写？"

苏轼呵呵一笑，心下了然，说："明知故问，上有草头，下有鱼禾，一边一个。"

佛印鬼头鬼脑地接着说："然则无鱼何以为'蘇'啊？"

苏轼哈哈大笑，起身从书柜里取出鱼来。小莲放好杯子，斟酒，二人喝将起来。苏轼捻须，忽然心生一计，低声说："佛印兄，我昨日忽然有一个发现！"

佛印问："何事？"苏轼狡黠地说："贾岛诗云，'鸟宿池边树，僧敲月下门'；刘长卿诗云，'仰见山僧来，遥从飞鸟处'；颜真卿诗云，'山僧狎猿狖，巢鸟来枳棋'；刘禹锡诗云，'立见山僧来，遥从鸟飞处'。唐人总爱以'僧'对'鸟'，我真是佩服他们。"

佛印一愣，但马上反应过来，笑着说："这就是我这'僧'与你相对而坐的理由。"苏轼哈哈大笑，说："都说你佛印机智捷才，确实不假！今天口背，让你讨了便宜。"

王闰之嗔怪说："不雅！"说完，生气地拉着小莲走开。苏轼看着佛印喝酒吃鱼，大快朵颐，皱眉说："我看你这和尚，不守清规，八成是假的！"

佛印并不停箸，边吃边说："咱们相交多时，原来你不知我的来历？"见苏轼摇头说不知，佛印接着说："我这和尚，全是拜家兄所赐！那年家兄初到京城，得知皇上尊崇佛教。他知我粗通佛理，又长了一脸和尚相，就想讨好皇上，让我陪他晋见。我也是年轻无知，就在皇上面前大谈自己如何向往佛寺生活。谁知吹过了头，皇上问我若愿剃度，就赐我一张度牒。你想，我哪敢说不，只好跪下谢恩了。就这样，我成了御赐的和尚！"

苏轼听完拊掌大笑，说："这可苦了你了！"佛印摇头说："苦倒是不苦，我有这御赐的度牒在身，简直如圣旨一样。逢寺便住，遇库支钱，仆从成群，倒也逍遥快活。不像你那参寥老弟，真真的是个苦行僧。"

听佛印说起参寥，苏轼叹息一声，心中为参寥忧心不已。的确如佛印所言，参寥是个苦行僧。他自从出家以来，四处云游，居无定所。之前苏轼任职凤翔，参寥去游访过苏轼。这次苏轼任职杭州，参寥前不久又来到杭州与苏轼游玩了几日，便辞别离去，约定不日归来。苏轼说："参寥兄出游回来了没有？"佛印说没有，苏轼略微沉吟，说："佛印兄，好久不见大通禅师了。明日我想去灵隐寺探望他，如何？"

佛印好像很怕见到大通禅师，迟疑一下，忙说："这个，吃鱼，吃鱼。"岔开话题。苏轼笑眯眯地看他两眼，两人举杯对饮。

吃完鱼后，虽然佛印很不情愿，苏轼还是拉着他前往灵隐寺。灵隐寺创建于东晋咸和元年。当时僧人慧理来到杭州，见这里山峰奇秀，认为是"仙灵所隐"之所，便于此建寺，并取名"灵隐"。五代时吴越国王三代崇奉佛教，不断扩建了庙宇，使灵隐寺规模宏大，僧徒众多。灵隐寺深得"隐"字意趣，虽寺宇雄伟，但深隐于群峰之中。周围密林葱茏、清泉流淌、鸟声啁啾，足当"仙灵所隐"之所。

苏轼、佛印二人来到灵隐寺门口。佛印故意为难苏轼，说："哎，子瞻，贫僧方才想到，大通禅师可是不见俗人。"苏轼不以为然，说："我与大通禅师相交甚厚！"佛印点头说："知道。但相交甚厚也是俗人！"

苏轼明白佛印故意难为他，看看佛印，"嘿嘿"冷笑，一脚踏进大门，见两个泥塑的金刚狰狞怒目，立在两侧，便问："佛印，这两个金刚谁更厉害？"

佛印不假思索地回答说："拳头大的。"苏轼立刻问："为何？"

佛印接着说："俗话说，'官大一级压死人'，所以拳（权）大压死人！"

苏轼大笑摇头，迈步进入寺中。佛印微微一笑，快步跟上。

他们来到大殿中，苏轼看着双手合十的菩萨像，问佛印："菩萨是佛，为什么还念阿弥陀佛？"

佛印回答："求人不如求己呀！"

苏轼又问："求己何用念佛？"

佛印接着回答："佛在心中，念佛方知自己是佛！"

苏轼笑着说："既是如此，只要心中存佛，口中念佛，便是佛了？"

佛印合十念佛："阿弥陀佛，正是！"苏轼也跟着双手合十念佛："阿弥陀佛，阿弥陀佛。"

佛印不禁一愣，问苏轼："你在做什么？"

苏轼正色说："我现在不是俗人，已是佛了，快通报吧！"

佛印又是一愣，心中瞬间了然，微笑着说："啊，有意思！不过，大通禅师岂是随便能见到的，凡人要见须沐浴斋戒三日，尤其不能见到女施主。"

苏轼不以为然地说："佛要超度的本是凡人，若是把自己看得高高在上，成天端着圣人的架子，哪里还有佛性？"

佛印问："何以见得？"

苏轼说："《金刚经》有云，'世尊食时着衣持钵，入舍卫城乞食'。如来佛都像叫花子一样去城中乞食，你给大通禅师摆什么架子？还不见女施主？佛印，我敢与你打个赌，明日我就领一红尘女子来，大通禅师非但不会不见，我还要他与她们一块儿念经。"

佛印摇摇头，说："我不信，大通禅师怎会见红尘女子？我跟你打这个赌，你若能做到，我一定请你吃饭。"

苏轼慨然应允，于是两人相约待庙会之日再来。

转眼便是庙会，灵隐寺中香客、游人熙熙攘攘的。苏轼、麦子青等人和琴操、宋芳一行人说说笑笑来到灵隐寺，佛印出寺相迎。苏轼说："今天要你还赌债。大通禅师呢？"佛印大惊，见到琴操、宋芳两女子，忙低声说："哎呀，子瞻兄，你怎么当真？"

苏轼说："我何时说过假话！鄙人不开口便罢，一开口便是实话！"

佛印很是无奈地说："那你是不见棺材不掉泪了。"

苏轼"呵呵"一笑，说："若是见了棺材才掉泪，就算不得慈悲了。"

佛印念声"阿弥陀佛"，便痴痴地望着二美。苏轼一转念，笑着说："佛印，我来问你，为何叫南无阿弥陀佛？为何不叫北无阿弥陀佛？"

佛印为之一怔，说："南是吉向。"

苏轼摇头，一脸正色地说："瞎说，见了姑娘就找不到北了，这才叫南无。"

众人哈哈大笑。佛印又向二美双手合十："二位仙子，苏大人说小僧找不到北了，你们有何说法？"

琴操说："男者南也，你是男子，找到的一定是南。"宋芳也说："对，你找到的肯定不是东也不是西。"

佛印拍了一下脑袋，说："不是东西！哈哈，我既挡不住，诸位只好请了。"

一行人来到大通禅师的禅房，大通禅师正在坐禅。苏轼上前躬身施礼说："禅师在上，苏轼有礼了！"大通见苏轼领进了杭州二美，大为不悦，皱眉说："苏子不应不知，老纳禅房从不见女子。"

苏轼笑着说："她们不是女子，是女菩萨。色即是空，空即是色，菩萨是男女，男女是菩萨。是耶？非耶？"

大通一怔，说："施主说得也……也是。"苏轼接着说："大师若借她木槌一用，我即当场填词一首，让她们唱出来。"大通禅师略一迟疑，苏轼接着问道："禅师不肯？"

大通禅师说："割肉贸鸽，舍身饲虎，求一木槌，安有不肯之理？"无奈地将木槌递与琴操。苏轼填词一首，交给宋芳。琴操敲着木鱼，二美唱道："师唱谁家曲，宗风嗣阿谁，借君拍板与门槌，我也逢场作戏莫相违。溪女方偷眼，山僧莫皱眉，却愁弥勒下生迟，不见阿婆三五少年时。"

大通禅师微笑着听完二美歌唱，双目微闭，口占一偈："天纵子之才，辩才自无碍。三藐三菩提，岂从辩中来！"

苏轼一愣，立即正色合十，说："苏轼谨受教！"

大通禅师又口占一偈："琵琶洲上人行绝，干越亭中客思多。月满秋江山冷落，不知谁问夜如何。"

琴操、宋芳听了佛偈，如遭电击般愣了一下，念及自身，低头念佛……

一行人辞别大通禅师，走出寺外。苏轼已没有了进寺时的锐气。佛印问苏轼："子瞻，你是输了还是赢了？"苏轼一愣，脸色茫然，说："啊……输赢，此次无输赢！"

佛印自言自语地说："哼，这个子瞻。难道怕请我吃饭不成？"

苏轼心不在焉，口中喃喃自语："三藐三菩提，岂从辩中来？三藐三菩提，岂从辩中来？"

苏轼在杭州的一举一动，都被刘户曹通过密信报告给王珪。一日王珪看完信，感到百思不得其解，边踱步边说："不找歌妓，也不喝酒了，却日日跟僧人在一起，成天里讨论佛经。这个苏轼，又让老夫看不懂了。"管家低声说："是，老爷，这苏轼常常让人看不懂。"

王珪又拿过信来，仔细阅读，笑容慢慢浮上来，不住地点头，说："好，好，苏轼呀苏轼，他若常与僧人论经说佛，则生万事皆空、虚无缥缈之念。久而久之，必厌弃热闹，逃离红尘。到那个时候，他还有什么心思做官呀？"

　　小莲在房内教导苏迈、朝云读书。巢谷红着脸走了进来，不停地搓着手。小莲看到巢谷，咳嗽着问他有什么事。巢谷结巴着说："没事，小莲，我过来瞧瞧你，书教得如何了？"小莲看出了巢谷的局促不安，意识到他有话对自己说，却又不希望他说出口。于是避开巢谷的目光帮苏迈正字。巢谷接着说："小莲，你也别太劳累了，我看你近日又瘦了好些。"

　　小莲又咳嗽，说自己没事，也不累。巢谷关心地说："你咳嗽已许久了吧，我去找郎中给你抓点药。"

　　小莲说："不用了，巢谷兄，我正服药呢。"见巢谷欲言又止，小莲接着说："巢谷兄，若无什么事，你且忙你的去吧。你在这里，孩子们不专心。"

　　巢谷终于鼓足勇气，低声说："小莲，我有话要跟你说……"

　　小莲脸一红，不想他说出来，便说："巢谷兄，对不住。小莲现在无暇听巢谷兄说话，改日吧。"

　　巢谷心一横，说："小莲，今夜你若有空闲，我想邀你出来，我有话告诉你。"

　　小莲说："巢谷兄，小莲身子不适，睡得早。"巢谷很是无奈地说："小莲，你为何要躲着我？"

　　小莲叹息一声，说："小莲不是躲避你，小莲是躲避自己。"巢谷激动地说："小莲，巢谷是个鲁莽直人，你这话我听不懂。你只管跟我挑开天窗说亮话。"

　　小莲低下头去，说："巢谷兄，小莲无话可说。"巢谷硬着头皮说："我这里却有许多话要说，小莲姑娘你只管听……"小莲打断巢谷，低声说："巢谷兄，你看那窗外的西湖水，风一吹，好大的波澜。而小莲心中只有一口枯井水，任是再大的风，却一点波澜也不起。巢谷兄，你不要为了一口枯井，而错过这窗外的西湖。你明白吗？"

　　巢谷终于听懂了小莲的话，却不明白她为何如此，懊恼地转身离去。孩子们都呆呆地看着小莲，小莲止住颤抖的身体说："继续习字。"

过了一会儿，采莲端茶进来，看见小莲日渐消瘦，十分心疼地说："小莲姑娘，别太用心了，看你瘦的！"小莲咳嗽几声，竭力抑制，说："没事，从小读书惯了，如今教书，也不觉得累！"说着，继续帮苏迈正字。采莲看看，叹口气，将茶水放下，欲言又止，默默离开。

采莲回到自己房中，一个人坐着呆呆地出神。王闰之本想找小莲闲谈，见她正在教书，便转而来找采莲。两人谈起小莲的事，都不禁叹气。王闰之道："唉，莲姐这样下去可如何是好，表姑没有再给她说说？"

采莲愁容满面，摇头说："上月说过一次，她说要是再逼她，她就出家！"王闰之大为吃惊，喃喃地说："啊，出家？"见采莲点头，王闰之略微沉吟，说："那，你没说说巢谷兄弟一直在想着她？"采莲叹气说："真是作孽啊！我说了，可你猜她怎么说？她说她心里已没有男人了！"王闰之惊得说不出话来……

自从在灵隐寺听了大通禅师的偈语，琴操如遭电击般，念及自身，伤悲不已。最后终于看空了一切，决定出家为尼！

大悲庵禅房内，经声佛号，木鱼声声。尼姑们各持法器唱经敲打，琴操跪于佛祖塑像前，接受庵主妙莲大师的剃度。妙莲大师将琴操的最后一缕青丝剃下，放在一侧小尼手托的漆盘之中……

琴操出家的消息迅速传遍杭州城。麦子青得知消息，立刻赶到通判堂内禀告苏轼。苏轼大吃一惊，思忖片刻，叹气说："唉，都怪我，不该与佛印打那个赌，把琴操带到灵隐寺去见大通禅师。琴操慧根极深，一触即通。唉，我不该啊！"

正在伤怀之时，有百姓击鼓告状，苏轼命衙役带告状百姓上堂。

两个汉子上堂来跪于地上施礼，苏轼命二人起来回话，说明事由。原来，二人一个叫陈秋，是原告。一个叫梁夏，是被告。苏轼呷了口茶，笑着说："嚯，你俩的名字不错。"梁夏去年借陈秋二十两银子，时至今日不还，所以陈秋才要告他。梁夏也承认确有此事。但他是卖扇子的小户，自去年以来，夏日连阴不止，扇子卖不出，且有霉烂，一时实在拿不出钱来还债，不是赖账不还。

苏轼点点头，同情地问梁夏还剩多少扇子，梁夏回答说仅剩十把，其余尽废。苏轼命他将那十把扇子快快取来。梁夏虽不明所以，但仍领命跑回家去取扇子。苏轼转头笑着对麦子青说："怪不得叫梁夏，原来是卖扇子的。"接着叫下一个告状百姓上堂。

听到来人是女子的声音，苏轼抬头一看，竟是宋芳。宋芳呈上状纸道："大人，小女子恳求脱去贱籍！"一衙役接过状纸，呈给苏轼。

苏轼感到奇怪，问道："宋芳，为何要此时脱籍？"宋芳在堂下回话："奴家素知大人菩萨心肠，也知大人非久居杭州之人，故不愿失此良机。"

苏轼站起，沉重地说："是啊，大通禅师说得好，'月满秋江山冷落，不知谁问夜如何'，是该脱籍了……"略微沉吟，心想还是及早放她从良为好，接着大声说："本官批准了。"他举笔写完判词，交给麦子青。麦子青大声念出："京兆五日，自由判断。营伎宋芳，从良任便。"

宋芳叩头谢恩，接过判书，看着这令自己获得自由的判词，激动不已。苏轼嘱咐她常去看看琴操，宋芳点头答应后趋步退下。

梁夏恰好拿着扇子走进大堂，麦子青将扇子接过交与苏轼。梁夏不解地看着苏轼，苏轼将扇子展开铺在判案上，勾勾画画。顷刻间，几把扇子已经画完。

大堂外围观的百姓纷纷啧啧赞叹说："苏大人题字了！""这扇子可值钱了！"

苏轼起身，将画完画的扇子交给梁夏，说："梁夏，拿这些扇子去卖了，准够你还账。"梁夏将信将疑地接过扇子，跪下谢恩。等他一出大堂，就被众人团团围住，转眼间即被抢购一空。见此情景，苏轼开怀大笑。

就这样苏轼每天到通判堂断案，秉公执法，断案合情合理，杭州百姓赞佩不已。

转眼就由夏入秋。这一天日暮时分，苏轼从通判堂下班回到家，刚刚走进大门来，就见巢谷、采莲、王闰之、小莲等人面有难色。苏轼大惑不解，问大家这是怎么了。众人不语，纷纷看向巢谷。苏轼更加疑惑，巢谷嗫嚅着说："子瞻兄，欧阳修大人过世了！"

苏轼身子一震，低声问巢谷："你说什么？"似乎不相信，怀疑自己听错了。待巢谷又说了一遍，苏轼面无表情，木然地走进了书房，身后的门"咣当"一声关上。

王闰之上前敲门，请苏轼开门，打算劝慰他，却听不到任何声响。巢谷、小莲、采莲都焦急地看着紧闭的门。突然，书房里传来了苏轼的痛哭声……

书房内的苏轼流泪写祭文，写完后付之一炬。苏轼边焚烧边诵祷："师之恩德，苏轼没齿不忘；师之风骨，苏轼终身效法；师之遗愿，苏轼毕生践行……恩师啊！"苏轼痛哭！欧阳修对自己的提携、关爱、叮嘱，一幕幕、一声声地映现、回响在眼前、耳畔……

远在汴京的王安石得知欧阳修去世的消息，也悲痛不已，挥泪撰写祭文："自安石仕宦以来，知我者，永叔公也。自变法后，大臣多有攻击，独永叔公能解我愚衷。永叔公虽有两次上劄子，对新法表达己见，但实是为吾献计献策。公与安石，文道相通，志亦相趣；公骑鹤蓬莱，安石岂能不悲乎……"

宋神宗熙宁五年（公元 1072）闰七月二十三日，北宋文坛领袖、政治家欧阳修去世，享年六十六。八月，朝廷赠太子太师，熙宁七年八月，谥号"文忠"。

三十四　罢　相

　　宋神宗熙宁六年（1073）年春，陕西地震，房屋倒塌无数，百姓流离失所。与此同时，江南大旱，土地龟裂，逃荒要饭的饥民成群结队。南北两地同时遭灾，情况严重。但这重要的消息却被人以变法为先、无须惊动圣驾等理由压下不报。纸里终究包不住火，佞臣小人难阻正直之士。于是发生了史上著名的"郑侠《流民图》"事件。

　　这一日，虽还是春末，但天气已十分燠热。神宗正饶有兴趣地用膳。精美的菜肴一道道呈上，一旁的宫女为神宗摇扇送凉。小太监们端着盘子，逐次走到张茂则面前，张茂则站在神宗身侧唱菜名：酒醋白腰子、三鲜笋炒鹌子、烙润鸠子、酒醋蹄酥片生豆腐、酒煎羊二牲醋脑子、糊炒田鸡……张茂则唱完菜名，小太监将菜摆放在桌案上，躬身退下。神宗夹起一块鹌鹑肉，愉快地咀嚼着。张茂则忧虑地看着神宗，欲言又止。

　　郑侠偷偷地混进了端菜的宦官中，托盘中赫然放着他所画的《流民图》。郑侠将托盘呈于张茂则面前，张茂则懒洋洋地正准备唱菜名，定睛一看，大惊失色，要将郑侠赶走，却被神宗发现。神宗觉得蹊跷，问托盘里是何物。张茂则支支吾吾，说是没什么，只是上错菜了。然后连拉带扯地命令郑侠退下。郑侠却高举托盘，不为所动。

　　见此蹊跷情形，神宗起身推开欲来阻拦的张茂则，从托盘里拿起那《流民图》观看，瞬间便双手颤抖。神宗手中的《流民图》画着的男男女女、大人小孩都赤身裸体、骨瘦如柴、形似饿鬼；讨饭的、吃树皮草根的、身插草标卖身的，历历在目；砍树的、卖房的、戴镣铐的、饿死路边的，惨不忍睹……

郑侠见状，迅速离去。神宗泪如雨倾，双手托着《流民图》，直视着满桌的菜肴，喃喃自语："怎么会这样？怎么会这样？国库不是粮多钱多吗？百姓怎么会这样……"

张茂则禀告说他听闻江南遭逢大旱。神宗吃惊地问："大旱？朕为何不知道，你们为何不向朕如实陈明？"张茂则回答说："只是听闻，是真是假，时下还不清楚。"神宗指着画，失声痛哭起来："这还不清楚吗，还要如何清楚？"

张茂则劝神宗不必为此悲伤，莫要伤了龙体。神宗大声说："胡说！百姓都这样了，朕能不悲伤吗？这皆是朕的子民呀！一定是言路不通，臣子们才会取此下策向朕告知。"

张茂则接着劝慰神宗说："现在言路不通，责不在陛下，陛下不必悲伤。"神宗一听，更加愤怒，大吼着说："言路不通，言路不通！"一气之下，掀翻满桌菜肴，满屋狼藉。

条例司外，王安石和邓绾匆匆走来。两人为时下局势忧心不已。如今朝廷内外，议论颇多，纷纷说华山崩裂，天下大旱，是因变法不得人心，惹怒上天所致。对此，王安石尽管早有所料，却仍颇感悲凉。邓绾又说起，据闻圣上在宫内看到一张附有短文的《流民图》后痛哭不已。他认为以违逆天道为由来反对变法，实在险恶之至，以《流民图》来诽谤新法，更是无耻至极。

听了邓绾所言，王安石皱紧眉头，问他的看法。邓绾回答说："宰相，上古尧时，普天之下发大水，其灾可谓空前。时下，圣上以宰相之见变法，则遇山崩大旱，此为何故？皆因尧舜、圣上是真龙天子，欲做一番改天换地之壮举，必得凶煞恶神发难。但尧舜、我主顺天时、合民意，必得真神所护，不必惧之。"

王安石一笑，问邓绾是否信神。邓绾虔诚地说："宰相，文约信神。而且认为宰相乃天降之神，是来造福大宋保护圣上的。"王安石听后，摇头苦笑不止，默默地走在前面。

邓绾意犹未尽，但见王安石不再言语，自己也就静静地跟在后面。午后的阳光十分炽热，邓绾抬头看看太阳，低头看看人影，显得很短小……片刻间，二人走到条例司议事堂门外。王安石正要推门而入，却听到里面的吵闹声，于是停下脚步，示意邓绾别出声，隔门细听里面的动静。

条例司内，吕惠卿、曾布、张璪、李定等人流着汗，摇着扇子，正在激烈争吵着。吕惠卿对曾布戟指大骂："曾子宣，我要去圣上那里告你，告你提拔亲信，结党营私！"曾布反唇相讥，说："吉甫，你尽管去告，正好我也要在朝堂上问你，你身边的这几位就不是你的亲信？究竟是谁任人唯亲，罗织党羽！"

李定劝曾布说："子宣，有话好好说嘛，外面已经够乱的了，这实在不是吵架的时候。"吕惠卿"哼"了一声，高声说："曾子宣，你别以为我不知晓，你去圣上那里几次三番告我的状。你为何不当面与我说？你是何居心？"

曾布确实做过这些事，不好正面回答，只好回避不谈，转移话题，搬出王安石来，以攻为守。他一脸蔑视地看着吕惠卿，说："你越过相公，直接禀报圣上，还当着圣上的面诽议相公，你当如何解释？你眼里还有没有相公？"

吕惠卿一听曾布搬出王安石，气愤难耐，激动地猛拍桌子，大声说："曾子宣，你信口雌黄！明明是圣上直接召见我，越过相公直接向圣上禀报的不是我，是你！"

曾布本来就对神宗召见吕惠卿很是不满、嫉妒。听他提起，顿时火冒三丈，高声吼着说："吕惠卿，你竟这么说，我也就不必隐讳了。你不要以为我不知晓你现在的居心！你故意借下面的怨言，说服圣上罢介甫公的相，你好取而代之！"

吕惠卿对此并不辩驳，而是以同样的罪名攻击曾布。他说："曾子宣，你，你这般大张旗鼓提拔亲信，结党营私又是为何？你才是觊觎介甫公的相位！"

突然，门"咣"的一声被推开，王安石表情怪异地站在门口。忽而怒容满面，忽而古怪地笑着。屋里所有人见王安石意外出现，又是如此怪异的表情，都目瞪口呆。

王安石此刻终于认清了自己提拔的这群手下的真面目，绝望地仰天长啸，自言自语地说："哈哈，什么新政变法，大宋中兴的大业，原来不过是为了老夫的一个相位罢了！"说完转身离去，一边笑一边拍手，形容怪异，眼眶湿润。他黝黑苍老的脸上留下条条泪痕，在夏日午后阳光的映照下莹莹发光。

回到府邸，王安石看到儿子王雱躺在床上，仍在发烧打着摆子。王雱正处于半昏迷状态，口中讲着胡话。虽然听不清，但可以听出"天怒"等字样。吴夫人在一旁不停地抽泣，看到王安石归来，哭着说王雱是心病所致，接着抱怨家中自变法以来无一天宁日。王安石像困在笼中的一头雄狮，在室内来回踱步，大声说："夫人，变法大业岂能就这么半途而废！"王雱突然一声大叫，口吐白沫，昏迷过去。吴夫人先是哭着呼唤王雱，接着又向王安石哭诉："不能为了变法，就要了雱儿的命呀！"王安石焦虑地看着王雱，一筹莫展……

神宗寝宫内，神宗仍是一脸怒色。垂立一侧的张茂则小声劝神宗用膳。神宗沉着脸说天不下雨，他就不吃饭，并命张茂则宣旨，将御膳分发给流民。张茂则接着低声劝说神宗："陛下，这怎么行啊，陛下龙体至尊，岂能忍饥受渴……"不等他说完，神宗怒斥说："朕意已决，休得再说，下去！"

张茂则正要退下，突然一阵急促的脚步声传来。太皇太后曹氏在高太后、向皇后和歧王的簇拥下忽然出现在神宗面前，神宗急忙下拜请安。太皇太后爱怜地说："起来吧。唉，难为你了。天下如此之大，交与你一身，这家不好当啊。"高太后接着说："太皇太后说得极是。皇儿，我听他们说，你每日批奏劄都到深夜，有时通宵达旦。现在又不进御膳，如此这般，身子怎么受得了呢！"

神宗躬身施礼，感谢太皇太后与太后挂念之情。太皇太后接着说："是啊，要有张有弛，不可过于劳累。天下的事情不是一朝一夕能做完的。你手中所拿何物啊？"

神宗说："启禀老祖宗，此乃监安七门的郑侠所呈的一张《流民图》。"言毕，将《流民图》呈给了太皇太后。太皇太后打开一看，先是吃了一惊，然后道："我已听太后和皇后说了，华山崩裂，久旱不雨，四处都是流民。孙儿你下令粗粝三餐，以敬神灵，可时至今日，未见其效。哀家以为，症结所在者，祖制不可擅改呀！"

神宗近日愁思不解，一是担心各地的灾民、难民，二是担心变法会因灾变而夭折。至于大臣们瞒灾不报倒在其次了。现在听到祖母将症结归于擅改祖制，心中无奈，立刻为变法辩护说："实行新法亦为民造福，并无害民之意啊。"

太皇太后说："哀家知道！王安石也有大才，但锐意而进，并非上善之策啊！"神宗迟疑着说："可……可满朝文武，唯安石愿身当大任。"

这时，歧王下跪，说："太皇太后，安石在位，天怒人怨，不去安石，苍天不允。臣弟以为，皇上还是先听老祖宗的为好。"

没想到自己的弟弟也来攻击变法和王安石，神宗怒气冲冲地对歧王说："朕不会治国，你来治国算了！"歧王吓得跪在地上，说："弟非此意，全为皇兄所虑。臣乃皇兄胞弟，毕竟有手足之情，一荣俱荣，一损俱损。今皇兄唯听安石一人之言，不听天下之言，不听手足之言，岂是治国之道乎？"

神宗见弟弟将自己说成偏听偏信之人，几近昏君。将自己和王安石置于天下人的对立面，他委屈地对太皇太后说："老祖宗，即使变法有偏差，也是责在于朕，不在于王安石！"

太皇太后点点头，慈爱地说："嗯，替臣揽过，贤明之君啊！你血气方刚，励志于富国强兵，真像当年的仁宗皇上啊！"

神宗不禁跪下哭泣说："多谢老祖宗的褒奖，但……但孙儿哪敢望祖宗的项背！"太皇太后接着说："我一个女人家，也不懂治国之道。但我知道，凡事要循序渐进，要以安为本。你以为国库充足一些，就万事大吉了？这怕是涸泽而渔的办法，非长久之策呀！百姓穷了，国库就成了无源之水。一旦天下有事，国必危矣。好在你有爱民之心，必能知错而改。你还年轻，改过纠错总有时间，不要顾忌自己的面子。皇帝的面子是靠天下人支撑的。天下人离心离德，当皇帝的就没了面子。"

太皇太后的言语虽然没有提到变法和王安石，却是句句从根本上否定了变法和王安石。神宗辩无可辩，只好痛苦地点点头，说："多谢老祖宗教诲，孙儿一定铭记于心。"见神宗还能听进自己的意见，太皇太后欣慰地点头。

太皇太后等人走后，神宗命张茂则宣王安石觐见。

初夏的深夜，一天的燥热终于退去，繁星点点，清风徐徐，蝉鸣声声。本是夏日最惬意之时，坐在轿中的王安石却感觉这夏夜的汴京城凄冷无比。他知道这一刻必将到来，现在皇上召自己进宫，说明皇上要作决断了。这一夜会决定变法大业乃至大宋命运！而在眼下的危局和舆论之中，王安石不知道自己还能不能说服皇上坚持变法。当然他也作了最坏的打算，为了变法，他可以牺牲自己。想到这里，王安石摸了摸袖中的奏章。

进入皇宫，王安石孤独地走上迩英殿外的石阶，黑夜中显得落寞而孤单。殿门开启，只见神宗独坐在昏暗的烛光中，忧伤地看着缓缓走来的王安石。王安石远远地停下脚步，跪下施礼问安。神宗一脸无奈之色，叹息说："介甫卿家，听说你儿王雱病了，好些了吗？"

王安石感激地说："谢陛下体恤，吾儿无事。臣还望陛下保重龙体，以领导新政大业。"

神宗看着远远跪着的王安石，心想自己登基以后召见王安石，每次都非常亲近。而现在却不得不被一些事、一些人隔离开来，伤心而又无奈地说："介甫卿家，朕皇权在握，一言九鼎，用人做事，理应不难。但如今……如今怨声四起，连皇宫中也如鼎沸之汤，朕不知何以出现如此局面。"

王安石终于明白自己和神宗成了孤家寡人，变法成了众矢之的，心如刀绞，但顷刻间计议已定，便站起来施礼说："陛下，为平息众怨，唯有微臣罢相，否则就会生乱，变法大事就会半途而废。请陛下降旨吧，批准微臣的奏本！"说着，递上准备好的奏章。

神宗摇头说："朕何以忍心……"王安石接着劝说神宗以变法大局为重。神宗感激地看着王安石，泪珠渐渐地从眼角溢出……

辞别神宗，步出皇宫，王安石并不坐轿，一人走在空阔的汴京大街上。忽然一道闪电划过夜空，接着雷鸣电闪，大雨瞬间瓢泼而下。王安石一愣，迈开大步在雨中行走……

电闪雷鸣刺激得王雱神志不清，他披头散发地傻笑着跳上跳下，弄得全府鸡飞狗跳。吴夫人、邓绾及仆人们追赶着王雱。王安石似落汤鸡般地走进府内，正好撞见了王雱。王雱看见浑身湿透的父亲，一阵狂笑，复又化为哀伤，委屈地倚在父亲肩上哭泣，终于安静了下来。吴夫人和邓绾等马上赶了过来。

吴夫人心疼地埋怨王安石不坐轿子，又拉着他去换衣服。王安石却站在院中，指天自嘲说："好你个老天！你也觉得我该罢相？我不罢相你不下雨，我一罢相你就下了这久旱的甘霖！哈哈哈哈……好雨，好雨啊！你……你是什么意思！那好吧，下吧！下吧！你给我下个够！"

邓绾为之一惊，不敢相信，问王安石刚才说什么。王安石一边朝室内走，一边告诉他自己已辞去相位，并让他不要再叫自己宰相了。听到这些，邓绾焦急万分，眼眶湿润地说："哎呀，宰相，你怎么辞相了呢？那变法大业谁能担当？这不是苍天与你作对，而是苍天为你不平啊！相公一退位，苍天都为之落泪，我要面奏圣上，相国失位，苍天便塌啊！"说完也不道别，抹着眼泪，转身离去。王安石看着他的背影，摇头叹息。

邓绾跑出相府，钻进轿子，催促说："快快，快走！快到吕惠卿大人府上。"轿子冒雨疾行而去……

熙宁七年（1074 年）四月，王安石罢相。

王安石辞去相位离开迩英殿不久，便电闪雷鸣，大雨倾盆而下。迩英殿内，神宗听着外面的大雨声，表情复杂，分不清是喜是忧。张茂则高兴地入殿，说："陛下至诚感天，所以天降甘霖以体恤陛下的爱民苦心。陛下终于可以进膳了。"神宗仍说不饿，让他退下。张茂则却迟迟不动，神宗头也不抬地问："没听见朕的话吗？"张茂则小心翼翼地禀告，吕惠卿、邓绾二人正在殿外等候，无论如何也劝阻不去。神宗无奈地瞟了张茂则一眼，命他二人上殿。

吕惠卿、邓绾一身雨水，衣帽零乱，进入殿中，跪地施礼。神宗皱眉地问："这么晚了，又下着雨，有什么事？"吕惠卿低声说："陛下，臣方才得知陛下已准奏王安石罢相。介甫乃变法之中流砥柱，臣以为万万不可呀！"

神宗无奈地说："朕已准了，自有朕的考虑。"

邓绾哭泣着问神宗是不是要废新法，神宗立起身回答说正有此想法。吕惠卿立刻泣声相诉："陛下行新政大业，史无前例。此乃开天辟地之举，岂有完美无瑕之事。今陛下若因旱蝗之灾，用狂夫之言，罢废新法，则天下必陷于混乱之中。"

邓绾也附和着说新法万万不可废，又说灾荒年年都有，只要措置得力，总可安然度过，请神宗勿忧。神宗心想，你们要是不瞒报灾情，也不会致使局势严重到如此程度，脸色一沉，大声说："朕怎能不忧？南方已经发生叛乱了，若不是章惇平叛，后果难料！眼下流民甚多，匪患滋炽，如何是好？"

吕惠卿忙说："而今国库充足，若及时赈灾，使万民安于生产，则匪患自然平息。正因美政之效，才使国库充足，陛下如何可以罢废新法呢？其实这些日子，微臣一直在想，自变法以来，人们对《免役法》和《青苗法》确有非议，但这不是新法不好，而是尚有不足。故臣以为，可实行《以田募役法》和《手实法》弥补缺陷。"

神宗本就只是因为大臣、太皇太后等的压力，才罢去王安石相位，甚至打算废除新法。这时候听吕惠卿可以弥补新法缺陷，立刻起了兴趣，问吕惠卿何谓《以田募役法》，何谓《手实法》。吕惠卿解释道："所谓《以田募役法》，就是招人服役给一定数量土地作补偿，以替代《免役法》。实行《免役法》以来，百姓出钱皆不均衡，五等丁户之产业登记多隐漏不实。《手实法》就是官府定出物品价格，让百姓各以田亩、房宅、物资、畜产依此价自报，凡满五钱，应多计增值一钱。除日用器具和所吃食粮外，隐瞒漏报者允许告发，查获属实，则以三之一奖赏告发者。"

神宗提出疑问，说："服役之人，人在军中，给地何以能种？"吕惠卿回答说："家人可种。若家人不能种，可以租于他人耕种，只收地租即可。农民之命系于地，有地则有安身立命之处。如此，服役之人自然清楚，保国即为保家。"

神宗眼前为之一亮，然后又问："手实之法，是否有税多之嫌？"吕惠卿回答说："陛下，税不在多，在于合理。田宅、物资、畜产取税，合于天理。"

神宗起身思忖再三，说："如此一来，则能使天下休养生息，疗此灾伤，亦无不可。"吕惠卿大喜，施礼称颂："陛下圣明。"

神宗兴奋地说："好！吕惠卿，自今日起，朕任你为参知政事，执掌变法大业。"

吕惠卿心中一惊，故作惶恐地说自己恐有负重托。神宗挥挥手，说："为变法大计，你不必推搪了。朕命你立即施行《以田募役法》和《手实法》。"

吕惠卿和邓绾传递眼神，齐呼："陛下圣明！"

夏日，杭州郊外村庄，农民们拦住几个要宣布《以田募役法》和《手实法》的衙役，说："今天这个法，明天那个法，变着法子来抢我们口中食粮，剥夺我们钱财，你们官府还让不让人活了？！"衙役喝道："大胆，你等胆敢抗法不行，可是要坐牢的！"

正当双方闹作一团之时，苏轼恰巧独自骑马赏景路过，见状便下马询问。衙役忙禀告说："苏通判，陈太守让小的来宣行《以田募役法》和《手实法》。这些刁民野人，竟敢违抗不听！"

苏轼却不知《以田募役法》、《手实法》为何物。衙役解释说是今日刚到的公文，将公文呈给苏轼。苏轼接过变法文书，细看之后怒不可遏，将文书摔于地上，大声说："不行此法，杭州不行此法！"

众农民听后一阵欢呼，衙役却说："苏通判，小的不敢。这可是朝廷下的文书，小的怎敢违抗？"

苏轼气愤地说："什么朝廷？！是吕惠卿要祸乱天下！什么《以田募役法》，人去服兵役，用地补偿，谁来种地？必然出租出卖，造成新的土地兼并；这《手实法》更加荒唐，必然给贪官污吏扰民害民提供方便，公开敲诈勒索。照此法办理，鸡猪要征税，一尺房椽，一寸土地都检括无遗，老百姓还怎么活呀！民脂民膏都被他们刮净了！其结果，必招致天下人以贫穷为安。如此一来，则商业不兴，农业不振！"

听了苏轼的话，众百姓齐声欢呼称赞。衙役却愁容满面地说："苏通判，大人说的小的也不懂。大人说不让行此法，小的怎么回去交代呀？再说了，大人在杭州的任期眼看就到了，大人若一走了之，小的可怎么办呀？"

苏轼点点头，说："你倒考虑得周详！你自回去，找陈太守说，就说我让你做的，杭州决不能行此法！我自会找他去说，与你无干系。"

衙役只好领命离去，众农民又是一阵欢呼。

苏轼一脸怒气未消，只见巢谷匆匆驾马而来。巢谷急忙下马，说："子瞻，正四处找你，范公给你寄来一封书信。"苏轼展信阅看，激愤地说："好！范公信上说，连王安石都骂狗屁《以田募役法》和《手实法》是胡作非为，要圣上收回成命！巢谷，你看，所谓《手实法》，不过是让天下人向吕惠卿自首，而他把天下人当成了囚犯。与民为敌，岂有好下场！"说完大呼"痛快"，便要离去。

众百姓见苏轼将要离去，想及苏轼若离任而去，担心苏轼说的"不行此法"便作不得数了。苏轼郑重地说："苏轼从不食言，无论苏轼在不在杭州，都不能让此种恶法施行害民！"众农民再次欢呼喝彩。

深秋之夜，王珪收到杭州眼线刘户曹来的书信，赶到吕惠卿府密谈。听到王珪说，苏轼扬言杭州不行《以田募役法》和《手实法》，明目张胆率先抗法！那个杭州太守陈襄，跟他也是一个鼻孔出气的，根本管他不住。吕惠卿顿时火冒三丈，恼怒地说："苏轼，又是苏轼，就像这夏天永远挥之不去的蚊蝇，总在你耳旁嗡嗡作响，不容你片刻安稳！禹玉公不是说过杭州山水酒色能收其心，缄其口？却没想到原是我等一厢情愿，苏轼还是那个苏轼！"

王珪叹口气，摇头说："苏轼本性顽劣难移，杭州山水也徒呼奈何啊！"

邓绾建议说："吕公明天就去圣上那里参苏轼一本。苏轼屡次反对新法，此次又在杭州抗法不遵，足以遗祸天下，圣上不贬他才怪。"自从吕惠卿任参知政事后，他便称之为吕公了。王珪点点头说："只有如此了，杭州对苏轼而言，看来是太舒服了。吉甫，王安石罢相之后，圣上寄厚望于公所倡导的两部新法，苏轼胆敢带头违逆，圣上焉能不怒？"

吕惠卿捻须沉吟，答应明日奏明圣上苏轼抗法之事，接着说："但眼下于我而言，更可忧者，却是王安石复相之事。圣上虽罢了他的相，但其实是迫于无奈，圣上随时都可复他的相。"王珪微微点头，却不言语。邓绾诡秘一笑，低声劝说此事不急，而且他已早有主意。吕惠卿问他有何高见，邓绾手捻鼠尾胡，接着说："吕公可在圣上面前推荐王安石为节度使。"

　　王珪拍手，大赞邓绾妙言。吕惠卿略一沉思，突然明白，点头大赞说："嗯。确实妙哉！如果圣上起用王安石为节度使，自然就是以罪离相。有罪之人是不可复相的。"说完，与王珪、邓绾相视而笑。

　　第二天，崇文殿早朝，神宗见了赵抃的奏劄，勃然大怒，怒摔奏劄，说："吕惠卿，这是赵抃给朕上的奏劄。你们太让朕失望了，密州明明发生旱蝗之灾，颗粒不收，却说什么风调雨顺。若不是赵抃据实而报，朕至今还蒙在鼓里。"吕惠卿战栗不敢言，神宗接着问吕惠卿密州的应对之策。

　　吕惠卿并没有什么应对之策，只得请神宗容他考虑。神宗摇摇手说："你不用考虑，你只说何人能继任这密州太守一职，何人能为朕治理好密州？"吕惠卿又说他一时尚无合适人选。神宗叹息一声，惆怅地说："朕不须他有王佐之才，只要他会说实话，连这样的人满朝之中竟也遍寻不着吗？"

　　吕惠卿听出神宗又提及他们瞒报密州灾情的事情，慌忙跪下，说："陛下，微臣对陛下赤心忠胆，天地可鉴……"

　　神宗不想再听他这些言语，不耐烦地打断他，问他刚才欲奏何事。吕惠卿禀告杭州通判苏轼明目张胆地违抗阻止《以田募役法》和《手实法》，请神宗明察。听到苏轼的名字，无精打采的神宗，眼睛忽然一亮，又问吕惠卿所奏何人。吕惠卿心中暗喜，回答说是苏轼。神宗点点头，喃喃自语地说："苏轼，苏轼，苏轼。朕何以没想到，苏轼却是个敢说实话的。"又问明苏轼任杭州通判已有三年，就当任满。神宗不假思索地宣布："苏轼杭州通判任期既已满，量其德才，朕应重用于他，就让苏轼任密州太守吧。"

　　吕惠卿本想以不行新法参倒苏轼，不想却提醒了神宗，苏轼反而升任太守。他慌忙说："陛下，微臣以为苏轼不堪重任。陛下，万万不可……"神宗又是摇手打断吕惠卿，说："行了，就按朕说的办。朕以为，时下各地对《以田募役法》和《手实法》异议甚大，既然如此，就不要在全国实施，先在京东东路试行吧。"

吕惠卿一听更加着急，急切地劝说神宗："陛下，万万不可。密州乃京东东路要地，苏轼一直反对良制美法，今又反对两部新法，若重用密州，必对《以田募役法》和《手实法》贯彻不利。"

神宗仍不为所动，笑着说："苏轼的政见虽有不同，但他倒是朕心目中密州太守的不二人选。因为朕相信一点，苏轼一定会对朕说实话。无须多说，着苏轼即日赴密州上任。"

吕惠卿闻听此言，如挨当头一棒，赶紧躬身说："遵旨。"

邓绾的两只鼠眼转来转去，鼠尾胡上下扇动不止，最终决定仍是按计划行事。出班禀告说王安石罢相已有时日，自己推荐他为节度使。张茂则接过他的表章，呈给神宗。神宗细看，皱眉问邓绾："王安石离相非因有罪，焉能授此官职？"邓绾没想到神宗立刻指出问题的关键，只好支支吾吾，说自己只是想举荐王安石，没有顾及其他。神宗以怀疑的目光品读着邓绾，又看看吕惠卿，他二人浑身不自在。神宗意味深长地劝告二人："凡事适可而止，聪明不要过头才好。"吕惠卿和邓绾慌忙跪地，一同说："谨遵圣上教诲。"

神宗摇摇头，便命退朝。

当晚，吕惠卿和邓绾来到王珪府上诉苦。王珪摆了一桌的精美饭菜，慰劳吕、邓二人。

神宗非但没贬苏轼的官，还升他做了密州太守。屡参苏轼不倒，说明圣上心中还有苏轼，而且神宗识破了邓绾举荐王安石为节度使的阴谋诡计。王珪却并不沮丧，笑呵呵地一边为二人夹菜，一边说："吉甫、文约，塞翁失马，焉知非福？老夫倒以为，这是好事一桩。若是别的地方的太守，自当如文约所言，但就是这密州太守，则是明升暗贬。"

吕惠卿不禁疑问，王珪接着说："这密州有三害，大旱、蝗灾、匪患。以致密州年年颗粒无收，饿殍遍野，遍地皆是棘手难办之事，以往太守无不铩羽而退。苏轼在杭州天堂优哉游哉惯矣，忽然将他弄到满目疮痍的密州，与杭州可谓天壤之别。老夫倒要看苏轼如何应付。"听完王珪的分析，邓绾振作起来，点头说："禹玉公所言有理，他在密州一旦出了纰漏，我等相机行事，再贬他不迟。"吕惠卿也露出笑意，幸灾乐祸地说："对，杭州通判让他做得太舒服了，密州太守却要他如坐针毡。"

王珪捻须微笑，说："不够，不够。他做密州太守，我等还不能放任不管。前两次苏轼之所以能涉险过关，盖因我等不加管束，让他独行其是。"邓绾立刻揣度王珪的意思是派个监察使去管着苏轼。吕惠卿马上阻拦。他提及上次在杭州陪了夫人又折兵的王广廉。王珪点头称赞吕惠卿说："吉甫说得对，派监察使分量不够。密州既然是《以田募役法》和《手实法》的试行重地，就须派条例司里的重臣直接督办，皇上一定会准。"

吕惠卿顿时兴奋不已，他站起身来，称赞这可谓一石二鸟。一来监督新法施行，二来掣肘苏轼。苏轼定是万难应付。接着问王珪意欲派谁前往。王珪不答，只是微笑地看着邓绾。吕惠卿瞬间会意，也看着邓绾。邓绾一惊，随即明白，心中叫苦不迭，脸上却竭力做出大义凛然之色……

三十五　密州救灾

密州位于今山东半岛东南部，即今诸城，是一座历史悠久的古城。它始建于东汉，西汉初年即设东武县，隋代改称诸城，宋称密州。熙宁七年十一月底，苏轼一行进入密州境内。

苏轼身着便服，骑在一匹黄色的瘦马上，巢谷、苏迈骑马同行。三辆马车随后沿土道而行。

王闰之和小莲忧虑地看着帘外凋敝的景色。只见无叶的树木、黄土、秃山，与南方形成了鲜明的对照。王闰之感叹地说："这里景色如此凄凉，与杭州真是没法比呀，真是一个天上一个地下。离开杭州我实在舍不得。"小莲并不说话，偶尔看看前面骑马的苏轼，似正为他而忧虑。

巢谷问起昨晚在野外旅店里，苏轼寄给苏辙的词，请他念来听听。苏轼看着茫茫旷野，缓缓吟出："孤馆灯青，野店鸡号，旅枕梦残。渐月华收练，晨霜耿耿，云山摛锦，朝露漙漙。世路无穷，劳生有限，似此区区长鲜欢。微吟罢，凭征鞍无语，往事千端。　当时共客长安。似二陆初来俱少年。有笔头千字，胸中万卷。致君尧舜，此事何难？用舍由时，行藏在我，袖手何妨闲处看。身长健，但优游卒岁，且斗尊前。"

正说话间，一行扛着镢头的百姓耷拉着头，缓步穿过二人面前。一位老汉低声说："这当官的，好有兴致啊！"

巢谷刚要呵斥，被苏轼制止，苏轼不解地看着成群走过的百姓。苏轼向巢谷使个眼色，二人跟在百姓后面。来到百姓聚集处才看到，百姓们用镢头、铁锹挖沟，用蒿蔓裹着冻死的蝗虫掩埋，蝗虫数量之多令人惊愕不已。苏轼沿道远远望去，一眼望不到边的百姓们，宛如一条蜿蜒的长蛇。他们衣服破烂，面黄饥瘦，其状惨不忍睹。苏轼与巢谷先后下马，苏轼问一老者："老人家，蝗虫怎么如此之多呀？"

老人摇头叹息说："今年七月以来，还没下过一场雨呢。祸不单行啊，又来了蝗灾，全州已经捕了几万斛了。这东西，飞起来铺天盖地，能把日头遮住。不管多少庄稼，一扫而光，这是跟俺争饭碗哪！"

巢谷便问老人家这是何州地界，听到老人回答说是密州，苏轼、巢谷为之一惊！抬头环视这荒凉的原野和凄惶的百姓，忧心不已。

两人回到官路上，继续前行，不时遇到百姓拉着木板车。木板车上是用苇席裹着的尸体，无人随行送葬，拉车人表情木然。古树上的乌鸦成群，盯着这车上从苇席中露出的死人肢体。

巢谷叹息说："子瞻，沿路来竟全是死尸哀鸿。还有这密州官府中人也实在太不讲礼数，也不派个人来接我们。"

苏轼铁青着脸不说话。突然，从不远处传来婴儿的啼哭声。苏轼急忙让巢谷快去看看。巢谷策马过去，跳下马来将被丢弃在田野低洼处的婴儿抱入怀中，走到车边，将孩子递给车内的王闰之。王闰之接过婴儿，端详一番，叹息说："唉，幸亏及时，不然这娃就叫狗给吃了。"

在小莲的身旁，也已有两个婴孩，都是刚刚在路上捡拾到的。孩子们忽然放声哭起来，车厢内小莲和朝云忙活不停。采莲和苏迨也抱着一个哇哇直哭的婴儿哄着……听着婴孩们不住地啼哭，苏轼满脸悲愤，眼含泪光。

突然，前面村落中传来"救人哪，救命啊"、"土匪来了，快跑啊"的哭喊声。接着，浓烟滚滚，火光冲天，呼救声、哭喊声、打骂声、厮杀声交织在一起……

巢谷正欲冲进村子里救人，却被苏轼拦住，苏轼命他待土匪出来力擒贼首。这时，有十余匪骑挟着两个年轻女子朝苏轼一行冲了过来。苏轼看出他们要回山，大声说："巢谷，迎上去！不从者格杀勿论！"

巢谷冲了过去，高声喝命把人放下。土匪见仅巢谷一人持剑，几个人将巢谷、苏轼、苏迈围在当中，另几个则直奔马车而来。匪首马六对巢谷大声喊道："好汉，我劝你不要蹚这浑水！要不，爷们儿的刀不留情！"

巢谷大喝一声，叫匪首放下女子。匪首马六一挥手，几个匪徒一齐涌上。刀光剑影，叮叮当当，眨眼之间，几个土匪全部毙命于巢谷剑下。

另几个匪徒来到马车前，掀开车帘，看见如花似玉的王闰之，大喜，欲伸手抢人，苏过吓得大哭。王闰之用身体挡着孩子，拿起车内木棍对着匪徒当头一棒，匪徒登时翻身坠马。另一匪徒挥刀欲砍王闰之，却只听"嗖"的一声，被一箭穿心，坠于马下。

一名武将张弓搭箭，带领一队兵丁飞马赶到。巢谷迅速赶到车前，将另几名匪徒斩于马下。匪首马六见官兵数量众多，急忙带人逃走，巢谷追赶不及。

原来那武将正是密州通判刘庭式，与巢谷互相称赞，互道姓名。刘庭式这才得知这一行人就是新任太守苏轼及其家人。他下马便拜："苏大人，恕下官有失远迎。只因前面村庄发生匪乱，下官带人平匪，故未来迎接。"苏轼回礼说："刘通判请起，你尽忠职守，我怎会怪罪于你。"

王闰之心有余悸，掩住心口，摇头叹息，暗中寻思这密州看来真非善地。苏轼望着远处村庄的浓烟，满脸忧虑。

刘庭式领着苏轼等人来到为苏轼一家安排的住所。走进院落，只见墙壁斑驳，十分简陋。刘庭式请苏轼多多担待，因为没想到苏轼来得这么快，所以还没收拾停当。苏轼让他不必挂怀，有地方住就行了。

二人分宾主落座，苏轼说起他一路看到密州蝗灾、旱灾十分严重，问为何严重到这步田地。刘庭式皱眉说，这是因为上报灾害就没有政绩，没有政绩的官员就不能再升官，所以原太守不让上报，错过了抗灾时机，以致灾情严重。苏轼无奈地怒声说："弄虚作假，祸国殃民！"

刘庭式也感叹说："是啊，但上司在意的是收取了多少税，哪管百姓死活呢！上任太守为升官，把所有值钱的东西都卖掉上缴了。他走了，升官了，而我们留下的已经几个月不发俸禄，饭都吃不上喽。时下，密州的百姓中盛传着几句话，说密州有四害——龙王懒，蝗虫盖，盗贼如毛，官逼债！"

苏轼愕然，看看屋内啼哭的婴孩们，急忙请刘通判找些米来，做些米汤给这些婴孩吃，担心再晚些孩子就不行了。刘通判立刻吩咐衙役取米，那衙役很是踌躇，原来刘庭式家中也无多少米了。刘通判大声吼着说："大胆，这般啰唆，叫你拿你就拿，救人要紧！"衙役这才急忙告退。

苏轼摇头慨叹说："刘通判，连你家都缺米，百姓就可想而知了。那百姓吃什么？"刘庭式说："大人实在要想知道，就随我去看看吧，迟早也是要看到的。"苏轼点头同意，二人起身出屋。

密州乡村野道上，苏轼、巢谷、刘庭式骑马缓缓而来。一路上，见有很多百姓背着条筐。到了沟边，只见十多个老百姓有气无力地用锹铲起一些白色土壤，装到条筐中。刘庭式手指土坑中的白色土壤，告诉苏轼这就是百姓吃的东西。苏轼翻身下马，来到近前，抓起一把土，仔细一看，猜想是观音土，急问一名正欲离开的老者。那老者和其他几个老百姓无力说话，也不理他。刘庭式告诉苏轼，这正是观音土。观音土又名白鳝泥、高岭土，本是瓷器的重要原料，在灾荒之年，百姓无食物可吃，往往被逼无奈吃这观音土。初吃时可以缓解饥饿感，但观音土没有任何营养成分，而且难消化，人会因营养不良而手足肿胀。观音土遇水膨胀，好多人都因腹胀而死。

苏轼伸手拦住背起一袋观音土要走的老汉说："这会出人命的！"那老汉头也不回地说："至少能做个饱鬼。"他又何尝不知吃观音土无异于自寻死路，但不吃也是没有活路的。树皮、草根等一切可以吃的东西，早已被饥饿的人们吃得一干二净了，吃观音土至少能缓解饥饿感。

苏轼使劲攥着手中的观音土，两眼含泪，再说不出话来。巢谷顺手一指，苏轼顺巢谷所指方向看去，只见一群村民在剥村前的榆树皮。榆树赤露着白白的躯干，已经无皮可剥。但村民们心有不甘，仍在用刀刮着。苏轼一脸沉痛，热泪流了下来……

夜幕降临，苏轼一家人正在为十几个婴儿忙碌着，喂米汤的、换洗衣物的，婴儿的啼哭声此起彼伏。寒风呼啸，漆黑的夜幕中，一个窗口透出微弱的烛光，苏轼伏案疾书的身影投在窗纸上。

苏轼不时呵呵手再继续书写奏劄。王闰之端着一碗菜汤放到了苏轼的桌子上，让苏轼喝了暖暖身子。苏轼放下笔，谢过王闰之，双手捧起碗来，先暖了暖手，然后慢慢喝汤。王闰之看看苏轼的笔墨纸砚，问他在写什么。苏轼告诉她是向神宗皇帝禀报密州实情的奏劄。听到密州实情，王闰之叹口气，说："就吃这青菜，真怕你熬坏了身子。"苏轼说："夫人亲手送来，菜汤也是参汤啊！"王闰之嗔怪苏轼，苏轼笑着说："来，我给你暖暖手！"说着双手握住王闰之的手，说："夫人，到了这密州，你可就要跟我吃苦啦。"

王闰之自己吃苦倒是不怕，但是很是心疼苏轼，担心他把身子熬坏了，一家人还都需要依靠他。苏轼听了王闰之的话，感动地说："更要靠夫人，眼下又多了这十几个弃婴，不靠夫人靠谁。"王闰之说道："这许多孩子，我一个人怎么行？表姑、莲姐、朝云她们可忙坏了。"边说边往火盆里加了点木炭，叹道："我看到这些孩子啊，心里有说不出的滋味。他们来到世上，遇到的第一件事，就是被亲生父母扔掉，太惨了。"

苏轼叹道："虎毒不食子啊！他们养在家中，无异等死，扔到路边，兴许被人抱走喂养，能活一命。"接着说："粮食还够不够？天气寒冷，表姑、小莲、朝云她们守着孩子，更得吃饱。"王闰之摇摇头，说刘通判送来的米面都已经全部用在孩子们身上了。听到家里其他人都没有吃的，苏轼烫着般地放下那碗没喝完的菜汤，沉痛地说："如今最当务之急，是给咱家和密州百姓找来粮食呀。"王闰之深深点头。

第二天，苏轼走访了密州的几个县乡村庄，进一步掌握了密州的灾情和密州靠海故而盐产丰富的优势，灵机一动，决定开放盐禁。回到太守府衙之后，苏轼将刘庭式请来商谈。刘庭式听了苏轼要开盐禁，还要免税的想法，大为吃惊，因为新政明令禁盐。如果开放盐禁，朝廷非但不会同意，还很可能要降罪惩处。苏轼也同意刘通判的看法，但又认为非如此不能救密州百姓。密州现在没有粮食，百姓没有食物，又没有营生，只有开放盐禁，百姓才有钱可赚，可以去买粮。而个人安危与百姓性命比起来，实是不足道。苏轼告诉刘通判，自己已给圣上写了奏劄，历陈如今密州之实情，并预测如果圣上和当朝宰相会算账，他们会准了自己的请求。刘庭式听了苏轼的豪壮之语，心中感佩不已。

这时，邓绾带领两个随从悄悄来到大堂门前。邓绾执起马鞭，回身示意衙役不许出声，自己躲在门边细听。

只听刘庭式接着说出他的疑问："可是苏太守，朝廷若开密州盐禁，则新政变法如何施行？变法乃朝廷大计，下官以为朝廷断不会同意。"

苏轼回答："放盐当然不是全放，只放三百斤。刘通判你想，本州去年一年，国家盐税增加了两万贯，但仅支付捉贼的赏钱就花了一万多贯。如今盗贼却越来越多，恐怕已不是两万贯所能应付的了。若让小商小贩贩盐，其本也就是两三贯，行不过两三程，无碍国家运盐。密州百姓却多了一份谋生的差事，此乃百姓自救。百姓有了生道，谁还去为匪为盗呢？即使有，官府严惩，则民无怨言，不至于官逼民反。若一条生路不给，只去严惩盗贼，则民不畏死，奈何以死惧之？刘通判，放盐是为放百姓一条生路啊。"

刘庭式听了频频点头。突然，邓绾由门外阔步冲进来，大喝一声，说："大胆苏轼，你若胆敢违逆新政私自放盐，我必面见圣上状告于你，你就等着获罪吧！"

苏轼一愣，随即了然于胸。他并不起身，淡淡施礼后说："原来是邓大人驾到密州，大人不在汴京辅佐圣上，怎么跑到这穷乡僻壤的密州来了？"得知是邓绾，刘庭式忙起身施礼说："大人驾到，请恕未曾远迎之罪。"

邓绾盛气凌人地坐下，两位随从左右侍立。邓绾怒视苏轼，大声说："苏轼，我千里迢迢来到密州，正是要督办密州新法施行，却听见你方才言论，简直视新政为无物。我劝你迷途知返，不要起开盐禁的念头，依法施行新政，则密州无虞，否则……"

听邓绾开口闭口都是新政，苏轼立刻打断他，说："邓大人，苏轼放盐，意在救密州百姓于饥寒，为陛下施仁于民。名为私盐，其实为公。若苏轼依大人命令不放私盐，那因此被饿死的密州百姓该算在何人账上？"

邓绾却耍起了糊涂，一脸无辜地说："苏轼，你此话何意？你治理下的密州，出了人命与我何干？我只管你施行新法，其他与我何干？"

苏轼没想到邓绾只顾新政，不顾百姓死活，顿时大怒，吼着说："饿死的百姓也与大人无关吗?! 大人若不许放私盐，从今日起饿死的每一位百姓，我都算在大人的账上！此后苏轼有面圣之机，定当禀报圣上，就说大人为行新政，违逆天道，置密州百姓性命于不顾！你敢不敢?!"

邓绾一惊，害怕起来，只好转移话题，急切地说："苏轼你巧言令色，混淆视听。你放私盐与百姓性命有何干系？你休在此诡辩。"

苏轼立刻回击他说："不放私盐，密州百姓何以谋生？不谋生何以保住口中之食？这岂是诡辩？"刘庭式听了，不住地点头，看着满脸涨红的邓绾，等他回答。

这时，邓绾的脸已经憋得发紫。他说理说不过苏轼，只好又拾起胡搅蛮缠、装傻充愣的招式，挥挥手，说："总之，不许就是不许，新政不许贩卖私盐。"

苏轼已经知道邓绾是故意前来捣乱的，也不想再同他争执，便冷冷地说："邓大人，此事我已上奏劄于圣上，圣上若准，苏轼无罪；圣上若不准，圣上到时自会治罪于我。因此现在密州开盐禁，已成定局。你邓大人要治罪于我，也要等圣上批复后才定。"接着转头对刘庭式说："刘通判，邓大人远道而来，送他去休息吧。"

邓绾被苏轼抢白一顿，辩无可辩，却仍是一副占据真理的姿态，起身大声说："苏轼，我现在就写奏劄给圣上，告发你以下犯上，私开盐禁，你就等着瞧吧！"

苏轼看也不看邓绾，说："那是大人的事，苏轼悉听尊便。"接着又请刘通判送邓绾。邓绾回头怒视苏轼，看见苏轼的目光，慌得说不出话，悻悻离去。

当晚，苏轼请邓绾到家，与刘庭式一起为他接风洗尘。邓绾以为苏轼终究不敢违抗新法开放盐禁，转而有求于自己，于是高高兴兴地前来。与苏轼、刘庭式施礼见过，分宾主落座。邓绾看到桌上是三碗粗淡的菜汤，虽然心中恼怒，却不便发作。苏轼一脸郑重，满是歉意地说："邓大人，密州旱荒、蝗灾、匪患三害于一身，今年颗粒无收，所以只能招待你这菜汤，也算为大人接风洗尘了。来，以汤代酒，喝了这碗汤吧。"刘庭式也说密州僻壤，照顾不周，请邓绾多担待。

三人举汤，苏轼和刘庭式津津有味地喝汤。邓绾痛苦地强咽一小口，愁眉苦脸地说："无妨，无妨，与民同甘共苦嘛。"

苏轼点点头，称赞邓大人真乃体恤爱民，接着对刘庭式说："刘通判，既然邓大人如此说了，你去后山上弄些观音土来，我等皆来与民同吃，如何？"

邓绾大惊，急忙摇手说："不必了，不必了，这菜汤就够了，我已吃饱了。"说完，便将菜汤喝了个干净，却觉得万分恶心难受。苏轼对刘庭式挤了一下眼睛，刘庭式好不容易才忍住笑。

喝完菜汤，苏轼带着刘庭式和邓绾走向寓所另一间房子。远远地就听见那房子中传出来的婴儿啼哭声。邓绾心中又惊又疑，也不好问，只好跟着苏、刘二人走进房间。

只见屋子内全是婴孩，有数十个。小莲、采莲和朝云正在看护婴儿们，婴孩啼哭不止。小莲问："表姑，你说，这两个孩子是不是生病了？"采莲仔细查看后，说："不要紧，八成是饿了。等着，我再去给他们温温米汤。"说完，将孩子放在炕上，走出屋外。小莲亲了亲怀中婴儿的脸蛋儿，脸上露出慈爱的微笑。

苏轼抱起一个仍在啼哭的婴儿，轻轻摇着，对邓绾说："邓大人，这是下官来密州路上捡的弃婴。百姓吃不上饭，只有把刚生下的婴孩丢置路旁，这些婴孩实在可怜呀！"邓绾皱着眉头，听着婴孩们吵闹的啼哭声，不知如何回答苏轼，只好不言不语。苏轼接着说："来，邓大人是爱民之官，你来哄哄孩子。"说着，把手中的婴孩交给邓绾。邓绾接也不是，不接也不是，最后只好笨拙地接住，努力哄着婴孩，十分尴尬难堪。

巢谷劝忙碌着的小莲说："莲妹，你太累了，去喝碗枣粥吧。"小莲摇头回答说："不，还是你和先生喝吧。我要喂孩子，这孩子饿了。"苏轼知道小莲是担心粮食不够，愁眉不展地连连叹道："唉，粮食，粮食可怎么办呢？如何让密州人吃饱一顿饭哪！"小莲笑着说这有何难，苏轼惊喜地问她有何良谋。小莲回答说："赵抃赵大人在青州任太守。青州这么近，而且青州今年大丰收，何不向青州借粮？"

苏轼恍然大悟，刘庭式大喜。小莲接着说借的粮不用还。因为青州不产盐，密州能煮海，可以盐换粮。苏轼喜悦之情难以抑制，激动地说："莲妹一良策，救活千万人。密州百姓有救了！多谢莲妹！"说着深施一礼。小莲抱摇着孩子，还礼后说："其实，先生是因百姓的惨状扰乱了方寸，我不过是旁观者清罢了。"

邓绾边抱着孩子边听二人的对话，正欲反驳，不想苏轼转头对他说："以此地盐换彼地粮，正合新政之《均输法》规定，又能救密州百姓于水火。大人，你不会反对吧？"

邓绾有些迷惑，正欲说话，不料怀中婴孩忽然尿了，湿了他一身。邓绾发觉，赶紧撒手叫苦，苏轼接过孩子故作正经，对婴孩说："你这孩子，真是顽皮，怎能尿到大人身上呢？大人不说话，就是同意以盐换粮了，大人英明呀！密州百姓因大人而获救了！"刘庭式也忙感谢邓绾，称赞他真是爱民如子。

邓绾吃了个哑巴亏，尴尬地苦笑着，不再言语。

苏轼立刻写信与赵抃，请求以密州之盐换取青州之粮，赵抃慨然应允。苏轼带着巢谷和邓绾赴青州换粮，与赵抃辞别，启程返回密州。这一日，车队进入密州地界，迎面便是白云山。车队进入白云山山林中，惊起一群飞鸟，气氛森然恐怖。苏轼、邓绾骑马走在前面。苏轼气定神闲，邓绾则明显消瘦了许多，左顾右盼，战战兢兢。二人身后是二百多兵卒，押送着十几辆马车缓缓前行。

忽然，前面远处路边人影一闪。接着，一快骑向远处跑去……

邓绾一惊，壮着胆子问是什么人。苏轼道："前面不远处就是这白云山黑风谷。密州最大的悍匪马六就在谷中盘踞。因此偶有山贼露面，也在情理之中。大人万勿惊扰。"听到这些，邓绾顿时流下冷汗，结结巴巴地质问苏轼："什么?！前面是悍匪巢穴，却为何不避而行之？这岂不是自投罗网吗？"然后低声建议苏轼还是赶紧掉头，绕道而行。

苏轼揶揄道："怎么，大人难道是怕这悍匪马六吗？"邓绾立刻挺直胸膛，说："我堂堂大臣，岂怕这山中毛贼！只是我等在明处，他在暗处，又不熟悉此间地形，若设下埋伏，我等怎样倒在其次，这粮食若有闪失，可是关乎百姓生死啊……"

邓绾之前讨论开放盐禁时，还口口声声说百姓死活与自己无关，现在却以百姓生死作为自己胆小如鼠的遮羞布。苏轼摇手打断邓绾，说："邓大人多虑也，下官自有安排，大人放心前行便是。"说罢，就闭口不谈了，邓绾也不便再问。突然，群鸟惊飞而起，邓绾也如惊弓之鸟，吓得浑身一颤。

苏轼和邓绾骑马，带众多持枪士兵押着长长的车队缓缓进入白云山黑风谷。黑风谷两山挟制，其状可怖。当车队走到开阔段树林时，一声哨响，二百多强盗手拿刀枪喊杀着出树林……

邓绾顿时又冷汗直流，浑身颤抖，牙齿咯咯作响。苏轼横刀立马，大声命令士兵们列好队形，听候号令。二百士兵迅速站成队形。

横行密州的匪首马六，凶神恶煞般地冲出密林，提刀直奔邓绾而来。众匪徒们更在后面狂喊着杀将过来，一时喊声震天。邓绾"啊"的一声大叫，坠于马下，吓得连滚带爬躲到一棵树后。苏轼大声喝命："放箭！"

一辆辆马车上的粮草登时从里掀开，弓箭手齐向冲来的匪徒射箭，强盗们立即倒下一片。匪徒们见势不好，立即后撤。匪首马六举刀一挥，车队前后道路又杀来了两大队匪徒，官军立即乱了阵脚。这时往树林中撤退的匪徒又重新杀回，与官军战在一起。官兵们渐渐不支，逐渐后退。

正在这时，却听见"当当"两声炮响，巢谷率一大队人马分前后杀了过来，援军们喊声震谷，冲到近前，与匪徒战在一起。本来不断后退的护粮官兵顿时勇气激增，一起向外杀去。有两个将官跃马而出，迎战匪首马六。苏轼在后面叮嘱他们要小心。果然，没用几个回合，马六便将两个将官打下马来。

巢谷见状，挥刀来战，几个回合下来，马六不敌，败阵逃窜。苏轼见此情景，大声命令官兵们冲锋，官兵们一拥而上。匪徒们立即大乱，无心再战，纷纷向树林中逃窜。苏轼立即率领官军将树林重重包围，大声喊话："尔等弃恶从善，既往不咎；执迷不悟，其罪不赦！本太守只活捉匪首马六一人！"官军们齐喊："缴械投降，从轻处置；负隅顽抗，格杀勿论！"

听到这些，树林中的匪徒们交头接耳，似在犹豫。马六见状，心中着急，大喊："弟兄们，不要相信官军，快杀！"马六用刀逼着一些匪徒冲锋。巢谷大怒，命令"放箭！"无数的羽箭飞向林中，匪徒们不时传来哭喊声、惨叫声。

穷凶极恶的马六威逼手下，匪徒们被逼无奈，再次拼命杀出，企图冲开包围，被官军箭雨射退……苏轼看此情景，不忍地转过头去。

匪徒们终于绝望地扔掉兵械，跪地投降。匪首马六却趁乱逃走。

见官军围住了土匪，邓绾跟跟跄跄地爬上马，还险些跌倒。上马后，邓绾尽力抖擞了一下身子，装作没事一样，但仍是心有余悸："大……大胆……匪徒，扰民作乱，严惩不贷！"

然而，苏轼并不理他，走上前去，对跪着的土匪们说："你们都起来吧。你们原本都是良民，家中无粮，又受马六的胁迫，做了这强盗的勾当，原是怨不得你们的。"匪徒们感到十分诧异，一些刚刚站起的土匪又激动地跪下，拜谢苏轼。苏轼扶起他们说："起来吧。跟本官到州衙前领取粮食，回家赡养父母妻儿，再也不要做这强盗的勾当了。"匪徒们又都跪下，感激地说："大人就是我们的再生父母，小人再也不敢了。"

苏轼命官兵们就地掩埋死亡的匪徒尸体，将战死士兵的尸体用苇席裹好放到车上运回。忙完这些，苏轼率领官兵，带着弃恶从善的匪徒们起程赶往密州城。一路上，邓绾不断地询问苏轼那借的粮食都到哪里去了，苏轼却笑而不答。邓绾疑心不已，却又想不明白。

第二天中午，一行人进入密州城，发现有一队车马停在府衙前。邓绾更加疑惑，苏轼和巢谷微笑不语。众人走近一看，正是那通判刘庭式指挥着士兵们打开粮车，金灿灿的麦粒、谷子在阳光下分外耀眼。刘庭式指挥士兵们为州民分粮，只见黑压压的人群排队涌来。一脸菜色的百姓们拿着锅碗瓢盆，喜笑颜开。

苏轼、邓绾和巢谷骑马绕过人群，走到府衙门前。苏轼和巢谷雄姿英发，而邓绾则一副惊魂未定的样子。苏轼慰问刘庭式说："得之辛苦了。"刘庭式微笑摇手，说："二位大人才真正辛苦了。下官只算完成了分内之事，这一路行来风平浪静。而二位大人则历经一场恶战，二位大人辛苦。"原来苏轼预料到自己借粮，一定会被匪徒强盗惦记上，为防万一，他才安排下这暗度陈仓之计。他和邓绾率领一队官兵护卫着假的运粮队，大模大样地走在官路上，吸引匪徒的注意力，并命巢谷率领大队官兵暗中跟随，待匪徒出现时予以重击；而真正的运粮队却由刘庭式带领，乔装打扮，化整为零，走偏僻小路，安全赶回密州城。

苏轼呵呵一笑，说："本官倒无事，只是邓大人远道而来，吃不好睡不安，还要亲平匪乱，大人受惊了。"说着向邓绾拱拱手，以示歉意和佩服。邓绾立刻抖擞精神，傲慢地说："本大人什么风浪没经过，小小毛贼，何言受惊？"

巢谷听见这话，故意望着天，苏轼和刘庭式皆会意不语。百姓们看到苏轼，纷纷说着感激的话，有许多人还流泪跪下。苏轼搀起他们，说这是为官者的本分，而且刘庭式和邓绾两位大人居功甚伟。众百姓又感激刘庭式和邓绾。刘庭式让大家不必多礼，邓绾却坦然受之。巢谷"哼"了一声，邓绾也装作没听见。苏轼又嘱咐百姓们留出种子，以便春天播种。

这时，采莲匆匆跑来，说收养的十几个婴孩都染了热病，请苏轼快回家看看。苏轼、巢谷和刘庭式皆大惊失色。苏轼让巢谷去请郎中，嘱咐刘庭式继续放粮后，带着采莲迈步就走。

苏轼回到寓所，远远地就听见婴孩的哭声。王闰之、小莲、采莲和王朝云在房内忙作一团。郎中过来，给婴孩们看完病，便坐下来开药方。苏轼关切地询问，郎中回答说："禀太守，本州大旱，热病自然流行，加之这些婴孩被弃于野外，身子本就极虚，故而染上。不过幸无大碍，吩咐人按方子抓药来服下就是。"

苏轼颇感欣慰，吩咐巢谷同采莲表姑按方子抓药来。苏轼见小莲气色颇差，便上前关心询问小莲是不是病了。小莲忙说自己没病，苏轼接着说："不对，你脸色很不好。你可要注意身子啊！这些孩子需要一天一天地看，急也没用。你可不要累倒啊！"朝云也说莲姐太劳累了。小莲转过身去，故作轻松地说："没什么，只要看到这些孩子，即使有些小病，也自己好了。"

苏轼感动地点点头，转头叮嘱王闰之要依郎中所说，多喂孩子们喝水。王闰之很是发愁地说："子瞻，你又不是不知，密州大旱未解，已经快断水了。家中存水也所剩无几了。"苏轼皱眉沉吟，叹息一声，心中寻思粮食可以找人借换，这水又从哪里换来呀？王闰之也跟着叹了口气，小莲若有所思，却停不住地咳嗽了好一阵。苏轼忧虑地看着小莲，小莲躲开苏轼关怀的目光，王闰之低头走开……

三十六　十年生死

邓绾回到寓所，疲倦地半躺在座椅上。他没能阻止苏轼开放盐禁，又被苏轼拉着千里迢迢地在土匪群中走了一遭，到现在还心有余悸。想起自己自来到密州的遭遇，邓绾不住地唉声叹气。

晚饭虽有了粮食，却没有蔬菜，更不必说肉了。邓绾食之无味，心情不佳，身体又劳累，没怎么动筷子就让仆人撤了下去。自己又歪倒在躺椅上，盯着房顶发呆。仆人端上一小盆水请邓绾洗脚，邓绾坐起身，看了一眼盆中的水，登时不悦，沉着脸说："怎么就这一点水，岂能解乏？"

随从忙解释说密州大旱未解，这点水都还是一众仆从为他节省出来的。邓绾皱着眉看看那小盆底儿的一点水，又看看斑驳的墙壁、破旧的家具，抱怨地自言自语道："这岂是人住的地方？要粮无粮，要水没水，你以为我愿意来这里吗？那都是吕大人和王大人把我骗来的！多少日子了，我连肉味都忘了！瞧瞧，我如今瘦成什么样子了？唉，只等圣上降罪苏轼的圣旨一到，我就远走高飞，回我的汴京！"

仆从接着说："大人，小的今日听见沿街百姓议论说是要解大旱，只能请神求雨。"

邓绾紧皱眉头，满脸厌恶、不屑地说："这鬼地方，神都不愿意来，求什么雨？！你且瞧瞧这外面，雨是不会下了，下火！"说着，气愤地一脚踹翻洗脚盆，水流了一地。那仆从心疼地看着地上的水。邓绾也看着地上的水，忽然眼珠一转，而后诡秘一笑，对仆从说："你听着，我忽然记起苏轼当年在凤翔做签判时，曾为民求雨，算他运气好，给他求来了。这回在密州，他就不会有这么好的运气了，你明白吗？"

仆从立刻心领神会，也"嘿嘿"一笑。

第二天，在仆从的陪同下，邓绾来到密州郊外村庄。只见春日河流都已干涸，庄稼地一片凋敝，有许多地块土壤龟裂严重。村头一口老井边，百姓们成群结队地排队取水。百姓们都双唇干裂，干渴难耐，间或便有几个人晕倒在地，被人抬走。水桶缓缓升上来，百姓们等不及，便一拥而上。然而，取上来的都是泥浆。百姓们绝望地蹲坐在地上，哭都没有泪水。

正在这时，两个村民为了一碗从井筒中倒出的浑水争吵起来。争执中碗摔落在地，众人纷纷蹲下身捧起土中的水来喝。

一直在旁观察的邓绾眼睛一转，下马走来。他让随从止住两个村民的缠斗，一脸愁苦地大声说："乡亲们呀，你们受苦了。本人身为朝廷命官，却不能为你们扶危济困，心中有愧啊！眼下只有一个法子，才能解这眼前大旱，就是向龙王求雨，除此别无他法！"

众百姓纷纷纳头便拜，哭声一片，恳请邓绾求雨。邓绾挤出几滴眼泪，哀叹着说："老夫无能啊，要为你们求雨，只能指望苏太守了。"接着便讲起苏轼任职凤翔时为凤翔百姓求雨灵验的事迹。众百姓一听，交头接耳地议论，决定这就进城请苏太守求雨。邓绾看着这些进城的百姓，高兴地冷笑。

刘庭式也为密州久旱无雨发愁，来到太守府衙和苏轼商议对策。

上次分发粮食，刘庭式因为苏轼收养了很多弃婴，本要多分给他些粮食，苏轼却坚持要与大家一样，按人头定量分。刘庭式感慨没见过像苏轼这样当太守的人，苏轼说："我这当太守的岂能多吃多占，我也只有一个肚子嘛！"

刘庭式说："苏太守，依下官看来，人是不仅要管肚皮，还要管嗓子眼儿的。有了青州换来的粮食与这地上长的杞菊野菜，密州百姓眼下缺的不是粮食，是水。人可三日无粮，不可一日无水呀！"

苏轼忧虑地点头，说："是啊，得之，我正为这水忧心啊！我等从青州换来了粮，这算过了一关；水，是我等要经过的第二关。"刘庭式深深点头，正要商议对策，突然听见府衙外吵闹不已。

苏轼、刘庭式来到府衙门外，只见府衙前聚集了很多百姓。巢谷和几十个衙役结成人墙阻止欲闯进府衙的百姓。众百姓一见出来两个穿着官服的，立刻跪下，也不问哪个是苏太守，便哀求说："苏大人，请您为我们求雨吧。村中人已多日没水喝了，就要活不下去了。"

苏轼一脸犯愁，无奈地说："乡亲们，求雨本是虚妄之事，如何能信啊！"村民们却说："苏大人，我们也没有别的办法了。难道大人就眼睁睁看着我们等死吗？"

苏轼郑重地大声说："乡亲们，苏某又不是神仙，岂能说求雨就求雨。苏某为官密州，自会想方设法助你们抗旱救灾。但求雨之事，劳师动众，却是不行。都起来，先回去吧。"众百姓无奈起身，沮丧地离去。

看着离去的百姓，苏轼又看看晴朗的天空，请巢谷带上众衙役，分头去各村选那些水脉旺的水井来挖淘。

苏轼和刘庭式回到大堂，正要继续商议，邓绾突然出现在二人面前。他怒容满面，大声呵斥说："苏轼，你口口声声说爱民如子、救民济世，原来竟是表里不一。百姓们已被这旱灾逼到生死存亡的绝境，来求你为他们祈雨，苦苦央求啊，你却为何置若罔闻，严词拒绝？你的君子仁德到哪里去了？哼！"

苏轼并不生气，微笑着说："邓大人，下官若是求雨就能如愿，那就不用做官了。当行遍九州，以求雨为生，造福百姓。下雨归谁管呀，下官在凤翔写过一篇《喜雨亭记》，说这下雨归之太空。太空冥冥，不可得而名。"说着手往上指，"这上面的事，苏轼岂能左右？"

邓绾立刻抓住"凤翔"两字，说起他听说苏轼当年在凤翔就求过雨，还灵得很！苏轼不卑不亢地解释说："那是年轻气盛，偶一为之，岂能每次都灵验？"

邓绾却不理会苏轼的解释，而是满脸怒容，手指苏轼，大声说："苏轼，你伪善趋利，岂有此理！为民求雨，至诚感天，怎能计较个人之荣辱得失？你这样做，置圣上厚望、朝廷重托于何地？你且好自为之！"说罢，拂袖而去。

苏轼明知是邓绾挑唆，却又无言以辩，只有猛击桌案，发泄心中郁闷。

苏轼寓所内，王闰之、小莲、采莲、朝云正在为婴儿们喂汤药。小莲忽然感到一阵眩晕，极力控制住晃动的身体。朝云急忙扶住小莲，在一旁为婴儿洗澡的王闰之也惊觉地抬起头来。小莲起身来到房外，扶着墙壁，一手捂胸，不住地咳嗽。王闰之急忙走出房子，异常关切地问小莲怎么了。小莲苦笑一声，极力控制着咳嗽，告诉王闰之不要紧，歇一会儿就好了。王闰之知道这些日子小莲一直在吃野菜，把省下的那份干粮都给孩子们了。她忧心忡忡地说："这样下去怎么行呢？你听我的，不能再作践自己了，快去躺一会儿。"小莲请求王闰之不要将自己病了的消息告诉苏轼，也不要告诉巢谷。

　　王闰之看着小莲，无奈地点头同意，接着嘱咐她要爱惜自己的身子，夜里不要再为了照顾孩子睡在这房子里了。原来，小莲为了照顾婴孩，夜里便和他们睡在一起。孩子吵闹，自然睡不好。小莲摇摇头，说："不碍事，小莲哪有那么娇贵。"接着小心翼翼地问王闰之："夫人，我看先生今日愁云满面，莫非又遇到什么麻烦了？"王闰之叹口气，告诉小莲，今日有些百姓恳求苏轼向龙王求雨，苏轼虽然回绝了，但心里却不痛快，接着皱眉说："可这求雨岂是说求就能求来的事，实在难办呀。"

　　小莲点点头，略微沉吟，请王闰之让人找几本密州方志来。王闰之立刻答应，在她心中，早将小莲当成姐姐，自是有求必应。但她心中疑惑，问小莲要方志何用，小莲微笑不答。

　　午饭过后，衙役就将密州方志送到王闰之手上。王闰之立刻拿给小莲。见小莲仍是一脸病容，王闰之劝说请医生看看，小莲却坚持等忙过这一段再说。然后便坐在桌旁翻看几本密州方志，仔细阅读，紧接着又是一阵剧咳。王闰之忙去倒水。小莲好不容易止住咳嗽，继续看书，却渐渐眉头紧锁，神情凝重。最后，无奈地合上书，不住摇头。又一阵剧咳过后，小莲已很是委顿。她皱着眉，颇为忧愁地告诉王闰之："翻检方志，密州就从来没有在这个时节下过雨的记录。"王闰之听了，走到房门边，抬头看天，只见烈日当空，万里无云，皱眉不语。

　　这一刻，苏轼也正在太守府衙院落内拿着天象书一边翻看，一边抬头观察天象，不时掐指计算。刘庭式焦急地站在一旁等待。他知道巢谷带领众衙役挖井、疏井，虽然扩大了水源，但也仅仅能勉强保障百姓的日常饮用，并没有更多的水来浇灌干旱的土地。播种时节眼看即将过去，若是再不下雨，不能播种，密州来年也会是荒年。邓绾却带着随从跟在巢谷的疏井队后面，不时地煽风点火，鼓动百姓们再请太守求雨。刘庭式很想把这些消息告诉苏轼，几次开口，又担心打扰苏轼，只好关切地看着他。

过了许久，苏轼终于合上书，沮丧地摇头说："得之兄，雨迹云踪无所觅，天不作美奈若何。我观测天象，密州近日不会有雨，就算我答应了百姓，也是白求啊。"刘庭式摇头叹气，迟疑片刻，决定不说出那些不好的消息。

突然，衙役来报告说门外聚集了很多请太守求雨的百姓。

苏轼与刘庭式大惊，两人匆匆走来到府门前，只见府门外黑压压一片人群，下跪着数以千计衣衫褴褛的灾民，双手高举着接水的锅碗瓢盆。巢谷以及众衙役立在一旁，无法劝阻。邓绾站在人群之后，冷笑观望。

苏轼一惊，转而热泪盈眶。百姓哭声一片，请求苏轼祈雨。苏轼抑制住眼中的泪水，无奈地说："乡亲们，不是苏某推托，苏某观测天象而知，密州近日仍不会降雨，即便我答应你们也是有心无力。还望众乡亲见谅，都起来吧。"

众百姓并不起身，仍是苦求苏轼："苏大人，只有您能救我们啊！您就替我们向龙王求雨吧！苏大人，没水我们活不下去啦！苏大人，请为小民做主吧！"

这时，邓绾从人群中站出来，怒容满面地说："苏轼，这些受尽苦难的百姓，向你下跪乞求，你的心肠竟如铁石一般，不为所动，还要驱赶他们！"苏轼看着跪着的百姓，一脸怜悯和无奈。刘庭式和巢谷对邓绾怒目而视。邓绾装作没看见，继续向众乡亲鼓噪说："乡亲们，苏大人所作所为连本官也看不下去了。苏大人过去曾在陕西凤翔为百姓求雨，今日在密州为何就不能呢？凤翔的百姓是皇上的子民，难道密州的百姓就不是了吗？！"

百姓一片号哭、哀求："大人啊，救救我们吧！我们相信大人啊，小民在这里给大人叩头了！苏大人早日救我等呀！"苏轼见状，再也控制不住，终于泪流满面，点头答应。百姓们欢呼不已。邓绾"嘿嘿"冷笑，又鼓动着百姓问何时求雨。苏轼看着百姓，说求雨日期再另行通知。众百姓终于欢呼离去。

苏轼身心疲惫，低着头回到家。王闰之早已得知他答应求雨的消息，焦急地问："子瞻，你真要求雨！这雨岂是人能求来的！"苏轼无奈地说："夫人有所不知，这雨我是求也要求，不求也要求啊。"王闰之叹口气，忧心忡忡地说："若是求不来可如何是好呀！莲姐今日还跟我说，她查了密州方志，根据密州这几十年来的旱涝记载推算，近日都无雨可下。你却要答应求雨，这怎么能行。"

苏轼摇头苦笑，说："莲妹也这么说！但是夫人，即便明知无雨，我也要求。否则官府在百姓中失去人心，招致民怨，可能还将酿成民变啊！所以为大局计算，我只有明知不可为而为之了。"王闰之又担心求不下雨来，最后无法收场。

苏轼略微沉吟，坚定地说："那也要去求，至少可对那些匪徒敲山震虎，也许倒可以感化他们。今日那白云山的匪首马六又带人来抢劫村庄了！"王闰之皱眉，心中疑问，低声说："子瞻，你这话不对。这些土匪恶贯满盈，怎么可以感化呢！"苏轼沉吟不语，心中思索片刻，决定后天求雨。

第二天，巢谷率领衙役们沿街敲锣，高声宣告："苏太守明日上常山龙王庙求雨啦！苏太守明日上常山龙王庙求雨啦！"百姓们纷纷打开房门，惊喜异常，纷纷叫好。两个匪徒鬼鬼祟祟地站在街角，听见衙役们的喊话，相互看了一眼，闪身离去。巢谷看着两个匪徒跑走，并不作声，悄悄地嘱咐衙役们几句，转身回太守府衙。

巢谷刚走到太守府衙街上，就远远地看见邓绾和随从躲在街角，偷看衙役们在府衙门口搬运牙旗等物件。巢谷缓步走上前去。邓绾捻须点头说："苏轼骑虎难下，进退无门，这是不得不求雨了。本人以逸待劳，明日且看他如何收场。"巢谷来到二人近前，用力"哼"了一声。邓绾和随从吓了一跳，转头一看，见是巢谷，二人异口同声地说："你……"便要斥责呵骂。巢谷立刻晃晃拳头，大声说："我什么我！"吓得二人默不作声。巢谷又"哼"了一声，闪身向府衙走去。邓绾和随从待巢谷走得远了，才愤愤地呵骂着转身离去。

府衙内，众衙役们搬着各种求雨物件，在堂前穿来行去。苏轼与刘庭式站在一侧说话。刘庭式无奈地说："大人你明知无雨，却要求雨，实在是难为大人了……"苏轼摇手打断刘庭式："得之，荀子曰'身劳而心安'，求了再说吧。"

巢谷上前将匪徒听到宣告求雨后离去的消息告诉苏轼。苏轼听后大喜。刘庭式担心他们前来捣乱，忙说明日带兵护卫，巢谷也摩拳擦掌，跃跃欲试。苏轼笑着告诉二人大可不必，因为他自有妙计，并附耳低声将计策告诉他二人。刘庭式和巢谷听完连声称赞。

那两个打探消息的匪徒听到苏轼求雨的宣告，紧忙赶回黑风谷老巢，禀告匪首马六。焦急等待几日的马六听完禀告，暗自思索了一会儿，大喝一声，说："收拾好刀枪人马，养好精神。待明日苏轼求雨不成，定是人心涣散，我等再打他个措手不及！"接着分派人手，又命那两匪徒明日就去那龙王庙里看苏轼求雨，起哄捣乱，并通报消息。

夜色深沉，明月如霜。苏轼寓所孤儿院内，婴孩们皆已熟睡，鼻息轻柔。小莲精神极佳，换了一身干净衣裙，病容似已消褪，红光满面。盛水的木桶里只剩下浅浅一汪水，小莲掬起一小捧，喝了一小口，又将水擦抹在脸上，顿时清爽许多。她将胭脂淡淡施在脸上，然后推开轩窗，拿着木梳缓缓梳拢秀发。月光如水般照了进来，映着她娇美白皙的脸庞。

终于办完公务归家的苏轼看见婴孩屋里透出光亮，便前来探询，恰好看见如新娘一般在窗前梳妆的小莲，苏轼一时竟看得呆住。小莲发觉了窗外的苏轼，竟也未羞怯，轻柔一笑，问："是先生吗？先生进来吧。"苏轼恍惚着进了屋，小莲仍在梳头，苏轼一时不知如何开口。小莲问："先生，回来得这么晚，想是又为公事忙了一日吧。"苏轼点头说是，接着告诉小莲他已定于明日在常山龙王庙为民求雨。

小莲叹气说："先生为民求雨，是明知不可为而为之。可惜小莲才智浅陋，不能相助先生。"苏轼说："小莲，别这么说。你总帮我，但我对你却只有亏欠。"小莲温柔地请苏轼落座。苏轼坐下，有点不知所措。小莲看着窗外的月色，低声说："先生，你看窗外的月色真好。"

苏轼疑惑地看着小莲，又看看窗外的月亮，也说月色真好。小莲又问苏轼是否觉得小莲和平日不大一样。苏轼下意识地点点头。小莲低声说:"小莲也不知,何以今日竟有许多话想对先生说。"苏轼低声让小莲尽管说来。小莲微笑着说此刻竟觉得自己好像一个人。苏轼低头不语。小莲看了看苏轼,说:"先生已猜中了小莲心中所想,只是不肯说。"苏轼仍不语。

小莲接着说:"先生,小莲昨夜又在梦里见到了王弗姐姐。王弗姐姐在梦中对小莲说,'小莲,我叫你替我好好服侍先生,你却为何不能照办?'小莲就对姐姐说,'姐姐,你莫要怪罪小莲,先生有闰之夫人照顾,闰之夫人对先生很好,先生也过得幸福,就是太劳累了。小莲想为先生分忧却爱莫能助。'小莲还要继续往下说,梦却醒了,王弗姐姐也不在眼前了。"

苏轼伤心欲绝,抑制住眼中的泪水,低声说:"真巧,小莲,我昨夜也梦见了弗儿。十年了,弗儿故去已十年了。"

小莲也长叹一声,说:"十年了。先生一定是想念王弗姐姐了,王弗姐姐也一定想念先生了,她才会来到先生和小莲的梦中。"

苏轼感动地看着小莲,他的手动了动,却始终没有伸出去,小莲的眼神凄凉哀婉。小莲突然很大胆地靠近一步,两人久久凝视。

"小莲……"苏轼喃喃低语,小莲答应说:"先生……"说完又往后退了半步。苏轼终于止住,没有伸出双臂。小莲平静地微笑着说:"若有一日小莲也来到先生的梦中,小莲若对先生说话,先生一定不要不理睬小莲。"

苏轼听后闭上眼睛,两行热泪涔涔而下。小莲无比欣慰地说:"先生的泪,竟是为小莲而流!小莲此生就是为先生的这行泪来的。"

苏轼激动地凝视着小莲,默然无语……

小莲劝苏轼回房休息,苏轼走进书房,呆呆地坐在书桌前。良久,他起身推开窗户,清冷的月光洒入。苏轼忧伤地凝望着窗外。

苏轼心中万分悲痛、思念,回到书桌前,铺开纸,一边书写,一边吟诵:十年生死两茫茫,不思量,自难忘。千里孤坟,无处话凄凉。纵使相逢应不识,尘满面,鬓如霜。 夜来幽梦忽还乡,小轩窗,正梳妆。相顾无言,唯有泪千行。料得年年断肠处,明月夜,短松冈。

苏轼读着纸上的《江城子》,泪流满面……

三十七 复 相

常山龙王庙外，牙旗猎猎，人海如潮。几名壮汉抬着猪、羊等祭品来到庙前，摆于大案之上。香炉中香烟缭绕，吹鼓手们在一侧卖力地鼓吹。众多百姓围在祭坛前，那两名匪徒也混迹其中。苏轼一副泰然自若的神情，静静等待。刘庭式则一脸焦急不安，不断地原地徘徊。邓绾坐在一张太师椅上，颇为幸灾乐祸。

苏轼请来的主祭杨世昌站在祭案之前，闭目念念有词，忽然开目高喊："密州本是龙君行雨歇脚之处，理应风调雨顺，奈何匪贼甚多，邪气上冲，以致久旱。"

苏轼忽然朝天大怒，接口说："大胆龙王，吾州子民，本是向善之人，是汝不如期行雨，致使黎民饥困无路，上山为贼。若再不行雨，我定状告玉帝，严惩你这懒龙。时下，本太守要在香炉中放上火药，如若知趣，则及时下雨；若不知趣，本太守与尔同归于尽，找玉帝打官司去。来人，把香炉中香灰倒掉，放满火药！"

两个匪徒听了苏轼这番话，面面相觑。刘庭式一招手，几个壮汉依计而行，围观的老百姓个个惊得目瞪口呆……邓绾大惊失色，立刻吓得从太师椅上站了起来。

刘庭式见放好火药，拿过黄纸盖上，苏轼又将三炷香插上。邓绾大声斥责说："苏太守，你这是做什么？小心伤及无辜！"苏轼充耳不闻，抬头看天，又看看香炉。只见那三炷香已渐渐烧到三寸见长，形势越来越紧迫，许多人吓得捂上了嘴。邓绾本想冲上前去拔掉香火，倒掉火药，却被衙役们拦住。

那两名匪徒确实是因为久旱无雨，收成不好，才被迫为盗。听到苏轼并不责怪自己做了盗贼，反而要自杀去玉帝面前状告龙王，又是感激，又是惧怕。他二人面带愧色，神色也十分焦急，心中缠斗。

众人纷纷跪下，哭着说："太守不要这样，是密州百姓得罪了龙王啊！"

苏轼怒目视天，威风凛凛，厉声说："百姓何罪？"这时有个村民绕过衙役，冲上前去要倒掉火药，被苏轼拉开。苏轼喝命说："大胆！走开！这逼良为贼的龙王，苏轼岂能放过他！"

两名匪徒感动地仰视着苏轼。邓绾见那香越烧越短，吓得狼狈逃掉，还撞倒了几个围观百姓。此时两名匪徒奋力从人群中挤出，哭着跪倒，说："太守大人，杨道士说得对，是我等盗贼得罪了龙王。太守如此爱民，我们怎能忍心让大人这样啊！"

苏轼扶起两个盗贼，郑重地说："好，你们如此，定能感动上天！"

这时，一老者发觉空气有异样，抬头看天，警觉地用鼻子嗅风，高兴地跑到苏轼跟前，请苏轼闻闻这山上吹来的风。苏轼嗅了嗅，那风不同于近日的干燥，而是有些潮乎乎的，还有些许咸味，心中一惊，却不明所以。

那老者接着说："老汉我在密州住了几十年，听老人说过，咱密州靠海，如果久旱东风，气湿味咸，必是海上风来。"苏轼欢喜地说："海上风来。"说完仰头看着云层，"既是海上风来，那就一定有雨。"众人一起仰望天空，却并不见要下雨的样子。

不久，天上隐隐有雷声，接着雷声越来越大。众百姓欢呼着："响雷了，要下雨了，苏大人求来雨了！"

话音未落，霎时间狂风大作，云雷滚动，雷鸣闪电滚滚而来，百姓欢声雷动，欣喜若狂……暴雨倾盆而下，人们在雨中欢呼着，跳跃着，继而跪下向天叩头。

邓绾惊得呆立在雨中，浑身湿透也没察觉。刘庭式激动不已地称赞苏轼真乃神人。百姓也纷纷下跪，高喊："大人是神人！大人是神人哪！"苏轼"呵呵"一笑，摇手说自己不是神人，手指那位嗅风的老者，称他才是神人。

那两个匪徒，忙禀告说马六欲趁求雨之机，要施以偷袭。苏轼点点头，说："本官早有防备。你们若是能劝服山寨众人下山，弃恶从善，本太守便既往不咎，你等也是大功一件。"两名匪徒欢喜地领命前去。

邓缩面如死灰，趁人不注意，与随从惶惶然溜走了。

密州田间，雨水倾盆而下，浇灌着干渴的田地。密州街道，众百姓拿着锅碗瓢盆快活地接雨、欢呼。密州苏轼寓所院内，王闰之、采莲、朝云、苏迈等人站在雨中，摆了一地的锅碗瓢盆、水缸木桶盛接雨水。众人兴高采烈、手舞足蹈、放声喊叫，畅快地享受这及时喜雨。小莲的房门却紧闭着。

两名匪徒刚回到黑风谷，便被官兵捉住带到巢谷面前。

大雨渐渐停歇，但雨水仍从树上不断滴下。巢谷和官兵们虽然披着雨具，也早已全身湿透，显然已在大雨中埋伏许久。原来苏轼早命令巢谷查清了马六一伙匪徒的藏身之地，率领官军将其包围，等匪徒下山时予以痛击。不想半路上遇到下山想去常山求雨场捣乱的马六等一众匪徒，巢谷立命官军将其包围。因为大雨瓢泼，所以各自避雨，按兵不动。

两名匪徒忙向巢谷讲明情况，巢谷听后大喜，向山上大声喊道："山上的匪盗听好了！苏太守说了，你们如能到州衙自首，一律宽大，放你们回家务农。"接着示意两匪徒向山上喊话，他二人向着山上喊："弟兄们啊，快放下刀枪，降了吧！苏太守是爱民的好官啊！苏太守为了求雨，连自己的命都不顾啊！苏太守是神人啊！他能呼风唤雨，与龙王斗法，龙王都怕他！苏太守说了，只要今日下山，就不追究我等了。"

马六和众匪徒本想下山去求雨现场捣乱，没想到半路被官军包围，只好躲藏在树林里。突然听到巢谷和两个投诚匪徒的喊话，马六气恼不已。众匪徒军心皆开始动摇，有两个匪徒交头接耳地说："兄弟，苏太守果真是神人，龙王都怕他三分，把雨下了。咱们这几个毛贼，能成什么气候？说灭就被他灭了。""是呀，龙王都听他的，俺们草民百姓，咋就能不听他的呢？俺们还是……""苏太守说话会算话吗？""都说他是好官。再说咱们也不能当一辈子贼吧。你没听见吗，万一过了今日，可就要……"说着做了一个咔嚓砍头的动作。另一名匪徒摸了摸脖子，说："事不宜迟，咱走吧！"二人放下手中的刀，急忙冲出树林逃走。众匪徒一见，纷纷放下手中刀枪，冲出山林投降。

马六见状又气又急，大声叫喊："不许走，都给我回来！"见没有人听他的，他立刻挥刀砍伤几个腿脚慢的，却已不能阻挡众人。

这时，巢谷率士兵们赶到。马六转身欲跑，巢谷发现了，纵身蹿入林中。两人展开近身格斗，刀光剑影中，马六惨叫一声倒地，密州匪患就此根除。

巢谷率官军回到密州府衙，正在焦急地等待消息的苏轼、刘庭式见他归来，一直悬着的心终于放下。听说马六等顽匪尽数被剿灭，其余大部分投诚，苏轼和刘庭式大喜。

先是天降甘霖，解除旱情，接着悍匪被除，平安得保。众百姓群情激奋，欢呼雀跃。苏轼看着门外欢庆的百姓，转头对巢谷说："我二人回家庆贺庆贺，只怕他们已等不及了。"巢谷笑着点头。

苏轼寓所内，王闰之、采莲、朝云等人喜气洋洋地置办好了一桌饭菜。王闰之从早上便不见小莲身影，本以为她日夜照顾婴孩，难得休息，可眼看就到中午了，小莲的房门依然紧闭。王闰之感到有些不对劲，便让朝云去找小莲。

婴儿房内，婴孩们哭声一片。朝云推开小莲的门，只见小莲端正地坐在椅子上。朝云兴奋地叫小莲："莲姐，夫人叫您吃饭了。"小莲不动。朝云又叫了一声，见小莲仍一动不动，便去拉小莲。一拉之下，小莲突然倒在桌子上。朝云大惊，喊了声"莲姐"，便吓得跑了出去，大叫："夫人！夫人！"

苏轼和巢谷恰在这时回来，听见朝云的呼喊，登时大惊失色。苏轼问朝云怎么了，朝云伸手指着里面，只顾哭泣却说不出话来。苏轼与巢谷大感不妙，冲进屋内，见小莲伏躺在桌上竟如睡去一般。巢谷猛摇小莲，小莲不醒。苏轼急忙按着小莲的脉搏，只觉触手冰冷、毫无脉息。起初不敢置信，最后终于绝望地放手。

巢谷看着苏轼，明白小莲已去，却仍不愿相信，继续想要摇醒小莲："小莲，小莲！你醒过来！你醒过来！"

苏轼木然起身，目光呆滞地向屋外走去。此时王闰之、采莲、朝云等人哭喊着冲了进来。王闰之抱住小莲，泣不成声，哭着说："莲姐，莲姐，你这是怎么了？你不要吓我啊！"采莲痛哭流涕地喊着："莲儿，莲儿！"苏迈也喊着："莲姨！莲姨！"

苏轼抛下屋内的众人，脱下官帽，任官帽掉落在地上，痴痴地、一言不发地向外走去。

几日后，苏轼一家将小莲安葬。苏轼、巢谷、王闰之、采莲等人站在小莲坟茔前，朝云和苏迈跪在地上，焚烧纸钱。王闰之和采莲不停地拭泪。苏轼向小莲墓碑一揖，然后跪下叩头，说："小莲，人死为大，哥哥给你叩头了。"王闰之在一旁看着苏轼，一脸悔恨，泪水不断涌出。苏轼深情地看着小莲墓碑，喃喃自语地说："小莲，哥哥今生亏欠你的，只有来生再还了。"

巢谷站在一侧，木然地看着小莲墓碑，对一切仿佛无睹。

王闰之将王朝云拉到一侧，说："朝云，你已经十六岁了，该出嫁了，你愿意出嫁吗？"朝云听了大惊，不知王闰之为何突然这样说，忙问是不是自己有什么做错了。

王闰之说："你什么也没做错。我就是想问问你想不想出嫁！"朝云摇头说："不想，不想。"王闰之又说："那你总是要出嫁的。"朝云着急地说不，王闰之接着说："那你总不能永远待在这个家里啊！"

朝云一片迷惘，低声说："夫人、先生是我的救命恩人，只要夫人、先生不嫌弃我，我就永远不走。"王闰之又问朝云说的可是真心话，朝云更是不解，她觉得天下没有比这个家更好的地方了。

王闰之听了点点头说："那好，朝云，你方才说你永远都不想离开苏家，是吧？"朝云点头称是，王闰之接着说："那我就把欠莲姐的在你身上补回来。你什么都不要问，以后也不要再拿自己当用人，你要像莲姐一样对待迈儿、迨儿、过儿。"

朝云更是不解，王闰之让她不要多想，一定答应。朝云只好点头答应。王闰之拉着朝云向小莲墓碑下跪叩头，流着泪低声说："莲姐，闰之粗疏愚钝，但并非顽石一块。你就放心地去吧。"说完叩头，朝云也迷惘地跟着叩头。

邓绾本想借祈雨使苏轼难堪，没想到不但歪打正着成全了苏轼，自己还受了惊吓，又被淋成了落汤鸡。回想起来到密州事事不顺，邓绾心中更气，终于一病不起，上奏请旨后灰溜溜地回了京城。

这一日，吕惠卿、王珪、李定等人来看望邓绾。门童将他们引进邓绾的卧房，邓绾躺在床上，一脸病容，额头上敷着热毛巾。他听见脚步声，扭头看见吕惠卿、王珪等人进来，忙欲坐起身来，却被吕惠卿按住，让他不要起身。邓绾不住地呻吟着诉苦："吉甫公，禹玉公，下官病得好苦哟。"吕惠卿关切地嘱咐他好好养身子，王珪却默然不语，只是观察着邓绾。邓绾接着自表功劳说："吉甫公着我去密州督察苏轼，下官甫至，苏轼心中畏惧，收敛许多。后来密州百姓要求雨，下官将计就计，迫苏轼求雨，谁料天助苏轼，竟真被他求得。下官又气又恼，急火攻心，回来就病了。下官有负二位大人所托，愿意引咎辞官。"说着失声痛哭。

吕惠卿满脸同情地劝慰说："文约，莫自悔恨。此事与你无关，是圣上庇护苏轼，竟准他在密州放盐免税。唉，气煞老夫也。"邓绾渐渐止住哭声，接口说："正是。吉甫公，文约也好生困惑，圣上为何一直有袒护苏轼之心呀？"

吕惠卿听了怒而不言。王珪叹口气，说："无论杭州、密州，圣上一直在给苏轼机会，也在给圣上自己机会。"邓绾一脸愁苦的表情瞬间凝固，心中细细琢磨着王珪的话。

突然，门童来报，说外面结了冰凌。邓绾被门童搀着，跟随众人来到院中观看，只见树上结满了无数的冰凌。

众人皆大惊失色。吕惠卿忧心忡忡地说："春雨竟然着木成冰，此乃凶兆呀！"王珪也低声说："糟糕，如今吉甫公执政，天公突降凶兆，必落人口实呀。吉甫公小心提防呀！"吕惠卿忙点头称是，王珪接着说："我认为吉甫公要赶在别人前面去见圣上，若去迟一步，圣上就有听信谗言之机了。"吕惠卿深觉王珪所言甚是，忙辞别王珪等，嘱咐邓绾好好养病，便匆匆离去。

王珪、邓绾、李定等目送吕惠卿离去，王珪嘴角露出一丝不易察觉的微笑。

神宗也得到内侍的禀告，看到了满枝冰凌的奇怪现象，忙将韩绛召进迩英殿，忧虑地询问为何天降春雨却着木成冰。

韩绛禀报说："陛下，春雨乃甘露，着木成冰，是因为陛下圣德未能化施黎民之故。"神宗大惊，问其中的缘由，韩绛接着说："陛下，自吕惠卿执政以来，大兴冤狱，弄得朝中大臣不和，民怨鼎沸。雨水着木成冰，恐非吉兆。以臣之见，还是由王安石主持朝政为宜。"

当初罢免王安石，神宗实是不得已而为之。他心中未曾一刻忘记王安石，眼见吕惠卿等人逐渐上蹿下跳，心中非常厌恶。此刻韩绛提出恢复王安石之相位，正合神宗心意。神宗点点头，即刻着王安石入京复相。

突然，张茂则上殿禀告吕惠卿正在殿外等候召见。神宗听了，不耐烦地一摆手，说不见，让他回去。张茂则领命退出。

迩英殿外，吕惠卿在殿外徘徊等候，十分焦急。终于见到张茂则步出殿门，他急忙上前问询，听到张茂则说皇上不见，吕惠卿一愣，只觉天旋地转，晕倒在地。张茂则忙扶住吕惠卿，一脸鄙夷地问："吕大人，您怎么了？"

殿外不远处，王珪正拾级而上，见此一幕，眼珠一转，顿时会意，急忙走开。

自熙宁七年（1074）四月，王安石以吏部尚书、观文殿大学士之名出任江宁府。十个月后，熙宁八年（1075）二月，神宗复拜王安石为同平章事、昭文馆大学士。这一年王安石已经五十五岁。

瓜州早春二月，渡口外江岸一片新绿，王安石与王雱站立江边。春风轻轻吹来，王安石惆怅满怀，对眼前景物恋恋不舍。神宗两次下诏恢复王安石的相位，王安石却闷闷不乐。王雱很是不解，便问其缘由。

王安石低声说："雱儿，为父上任，委实勉强。盖因变法的中坚人物都成了十足的政客，为父所重用之人，十之八九，羽翼丰满，与老夫已经离心离德了。即使为父再入朝为相，怕是也无法左右形势。"王雱迟疑着劝说："既然如此，父亲便不要前去。"

王安石忽然豪情大发，大声说："天命何畏！人事何畏！不求事事皆成，但求死而无憾！"王雱心中激动，叹服王安石这种大无畏的气概，连连点头称赞。

望着浩浩江水，王安石忽然深情地低吟："京口瓜州一水间，钟山只隔数重山。春风又到江南岸，明月何时照我还。"

王雱略微沉吟，说"春风又到"似乎不如改成"春风又绿"好。听了王雱的建议，王安石一怔，点头称赞说："是，是。好一个'绿'字，有勃然之气！"

王安石一家走水路，过长江、淮河，入汴河，于三月初抵达汴京。王安石带着夫人和王雱再次步入他的宰相官邸，看着屋内熟悉的景致，仍是闷闷不乐。

突然，管家王全禀告说门外邓绾求见。王雱愤然地挥手说："不见！"王安石止住王雱，略微沉吟，认为邓绾毕竟是故交，而且自己刚刚回京，他就来求见，也不能拂他脸面，便命王全快请。

王安石念念不忘的是自己罢相前夕吕惠卿等人都四散而去，唯有邓绾仍是关切地陪伴左右。他又怎知邓绾是因和吕惠卿等有着很深的矛盾，只好对他心存希望。他又怎知自己罢相那晚邓绾希望破灭，只好急忙跑掉去吕惠卿那里报信，之后又被吕惠卿等百般排挤呢！

邓绾走进厅堂，一见到王安石登时痛哭流涕，跪倒在王安石脚下，哭泣着说："相公，您终于回来了，实在等得文约好苦哟！相公回来了，新政振兴有望，朝廷有望，大宋有望啊！"

王安石非常感动，两眼含泪，扶起邓绾，让他不要这样说，很是欣慰邓绾来看望他，对邓绾大加赞赏。邓绾急忙再表忠心，声称自己愿为相公领衔的新政大业赴汤蹈火、肝脑涂地！王安石听后大喜，高声说："好，有文约这句话，我等从头再来。吕惠卿废除《免役法》，推出《以田募役法》和《手实法》，实乃误国害民，万不可行。明日文约与我奏明圣上废除此法。圣上当初同意，是因为被惠卿利口所惑，只要讲明道理，圣上会收回成命的。"邓绾心中狂喜，却不动声色地点头遵命。

第二天，王安石和邓绾进宫面圣，向神宗历陈吕惠卿推行二法之害。最终，神宗决定罢免吕惠卿，废除《手实法》和《以田募役法》。

吕惠卿被免后，称病不再上朝，一直在家生闷气，病也一直没好，反而越来越重。这一日晚上，他又病倒在床，面如白纸，唉声叹气。突然门童禀告王珪来访，吕惠卿喜出望外，命快请。

王珪进屋便关切地问候吕惠卿病情，吕惠卿欲起身行礼，王珪赶忙劝止。吕惠卿哀叹一声，向王珪打探起近来朝廷里的消息。他称病在家，又在朝中失势，之前围拢左右的朋党全都烟消云散，所以并不知朝中之事。

王珪一脸轻松地让吕惠卿不必担忧，朝中万事太平。接着，他略显忧愁地提起契丹人又在边境屯兵滋扰，有进犯之意，圣上正为此寝食不安，也无心旁顾其他。吕惠卿听了点点头，也认为契丹人这样做，无非是图谋一些土地州县，给他们就是了。王珪又拿出密州眼线的来信给吕惠卿看，信上大部分是苏轼批评《手实法》和《以田募役法》的言论。吕惠卿看后大怒，浑身颤抖着呵骂："这个苏轼，实在顽卑，又在诋毁老夫清誉！"

王珪起身踱步，劝告吕惠卿说："苏轼嘛，暂且不去管他。不过吉甫你久病不朝，也不是个办法。"吕惠卿无奈地叹气，表示自己也是没有办法。只要王安石为相一日，他就罢朝一日。王珪看看吕惠卿，摇头叹息，劝说吕惠卿不该意气用事。他这样天天躺在床上，只会让王安石的相位愈发安稳。这些话正说到吕惠卿心里。他何尝不知，却又实在是黔驴技穷，无法可想，只好叹气说："可是禹玉公，圣上对我已有成见，我也无能为力啊。"

王珪一脸激愤，大声说："吉甫！君子修道立德，不为穷困而改节！我王某几经沉浮，受的苦比你多，受的气更比你多！但王某任凭世道如颓波，我心如砥柱，从不灰心丧气！吉甫，你怎么能自暴自弃啊?!"

吕惠卿大受感动，从床上坐起，下地踱步，点头称是。这时，放于他被褥之上的王珪带来的书信正好落在地上。吕惠卿发现地上的信笺，拾起端详，恍然大悟，喃喃自语："信札。"接着狂喜，哈哈大笑，大声说："好，好，多谢禹玉公，一语点醒梦中人。我已有一计。"王珪忙假意问是何计，吕惠卿却故弄玄虚，说明日就见分晓。

第二天，神宗早朝，吕惠卿罕见地出现于朝堂之上，百官们心中奇怪不已。

神宗认为大宋与契丹通和年深，不要以疆场细故有伤欢好大体，决定以和为贵，派韩维前往契丹割地求和。王安石立刻出班请奏，神宗不悦地看着王安石，命他讲来。

王安石劝谏说："陛下，臣以为，契丹无足忧。契丹境内盗贼尚不能禁捕，何敢与我大宋为敌？若长契丹谋臣勇将之气，则我大宋脸面何存。"神宗已不像过去那样对王安石言听计从，很不耐烦地说："木已成舟，但愿边界和好安定吧。"王安石仍执拗地劝阻说："臣等以为，断不可如此！"

不想，"臣等"二字正触动神宗心中之事，他高声说："什么？臣等以为？都是谁以为啊?！"王安石不知神宗今日为何如此生气，自己也无心思考这些，仍是劝谏神宗："陛下——不可。"

神宗气恼地说："此乃吕惠卿派人送给朕的，是你过去写给惠卿的信札，你好好看看。"说着将龙案上的一封手札拿给张茂则，张茂则走下来递给王安石。王安石接过打开一看，正是自己罢相前写给吕惠卿的手札，不由为之一惊。神宗不等他回话，接着大声叱问："你在信中告之惠卿，此事'无使上知'，何事需要瞒着朕呢?"

王安石听后大惊，心知已难以挽回，高声说："陛下，臣在第一次任相期间，确实给惠卿写过此札，目的在于怕琐事动摇圣心。臣既得罪于皇上，更兼才思已尽，精力已衰，就请陛下免去微臣宰相之职吧。"

神宗不置可否，只是说："容朕再思。"王安石回头怒视吕惠卿，吕惠卿见状慌忙躲避。队列中的王珪脸上露出了诡异的微笑。

三十八　明月几时有

　　小莲死后，巢谷伤心欲绝，考虑到密州已太平无事，又挂念师傅，便辞别苏轼。他到小莲坟茔前祭拜后便离开密州，前去寻找师傅吴复古了。

　　苏轼内心伤痛，每日埋头政务，以期暂时忘却。他兴办乡学，教化民众，组织百姓兴修水利，但夜深人静之时，却更是伤心。这一日府衙无事，苏轼愁闷，便叫上刘庭式一起到密州田间巡察庄稼生长情况。

　　秋天密州的广野上，金风飒飒，火红的高粱一望无际，在秋风中形成一波又一波的红浪。苏轼与刘庭式一起骑马而行。苏轼抓过一穗已熟的红高粱，欣然而笑，说："吕惠卿被贬，《手实法》和《以田募役法》被废。这丰收的粮食，百姓们可以装进粮仓里面啦！"

　　刘庭式钦佩地历数苏轼来密州后的诸项政绩——救灾民、灭匪患、兴水利、办乡学，称赞苏轼一年多来政绩昭然。苏轼喟然长叹，说："惭愧，密州百姓仍很穷困。若能使百姓们家家有余粮，人人能识字就好了。要知道，治穷不治愚，等于种地不施肥呀。"

　　刘庭式点点头，他知道苏轼曾极力反对王安石大办州学，如今又在密州开办乡学，不禁心中疑惑，便问起苏轼。苏轼回答说："地方自主办乡学州学是一回事，朝廷号召大兴州学又是另一回事。"接着说起两者的不同："地方主动办，积极性发源于自己，必倾力办好；朝廷来办，官员必然大量增加，且有衙门风气，百姓和国家的负担就会越来越重，必半途而废。"刘庭式瞬间领悟，深为叹服，接着说："嗯，就像《青苗法》一样，本为利民，反致害民病民。一旦与官员的政绩扯在一起，弄虚作假的种种毛病就多了起来。"苏轼点头称是。

两人巡察一番，看到庄稼果穗饱满，便高高兴兴地回到府衙。驿差恰好送来最新的邸报。苏轼接过邸报，阅读到"朝廷派韩维前往契丹割地求和"的内容，登时激动地站起来，大声慨叹："割地、割地，求和、求和，如此下去，国土日蹙，民生日迫，国将不国！"刘庭式疑惑地询问因何发怒，苏轼将邸报递给他。刘庭式读后也很震惊，略微沉吟，问苏轼王安石为何不劝阻朝廷一味求和。苏轼低声叹息，忧心忡忡地说："今日之王安石，大概不是过去的王安石了，皇上未必肯听他的话了！"

刘庭式说："尊父的《六国论》表面上是说六国割地求和最终灭亡，实说大宋不该向辽和西夏割地求和，蹈六国的覆辙。此文天下传诵，尽人皆知，朝廷上一众大臣难道都是瞎子，无视这昭然之理！"苏轼愤然地说："割地求和，岂有宁日！割一块肉给契丹，西夏就要我大宋一条腿，终至国家。我覆亡！"

刘庭式叹息一声，看着苏轼，建议说："太守，我等报国无门。明日出猎，太守就以密州为边关吧！"苏轼明白刘庭式的用意，慨然同意明日以虎狼为胡虏，杀他个痛快！

第二天，密州白云山重峦叠翠，秋高气爽。苏轼与刘庭式带领着几十个人，骑马挎弓携箭从山冈上奔来，兵卒黄狗，架苍鹰，众多密州百姓也跟在后面鼓噪呐喊。奔到山岭，刘庭式认为此情此景，不能无诗，建议苏轼作诗纪事。苏轼勒马平冈，捻须沉思片刻，朗声吟诵："老夫聊发少年狂，左牵黄，右擎苍，锦帽貂裘，千骑卷平冈。为报倾城随太守，亲射虎，看孙郎。酒酣胸胆尚开张。鬓微霜，又何妨！持节云中，何日遣冯唐？会挽雕弓如满月，西北望，射天狼！"

刘庭式等人鼓掌高呼："射天狼！"所有百姓也跟着齐声呼喊起来。喊声雄壮，震荡峡谷，直冲云霄……

变法之初，韩琦、欧阳修等都写信劝说王安石要有识人之明。苏轼更是当面直指吕惠卿、李定都是小人，是为了仕途升迁才环伺左右、支持变法。无奈王安石刚愎自用，视指摘变法弊端为反变法，而视大唱变法颂歌为忠于国事。然而，变法大业被吕惠卿等弄得怨声载道，王安石无奈罢相。这次复相，王安石本想矫正变法弊端，不料吕惠卿使出小人伎俩，用几封私人书信令神宗对王安石大为不满，不再信任他。现在国势不振，山水日瘦，新法也落得个虎头蛇尾。王安石想及一生雄图大志，不为名利，不图安逸享乐，到头来却落得个如此光景，不免心中悲苦，在屋内不停踱步的他喃喃自语："皇天后土啊，这……这到底是为什么啊？哈哈哈哈……"王安石落寞凄怆地笑着，笑到老泪纵横。

政治上遭受打击之后，爱子王雱又因背疮崩发而死，这一切都令王安石心如死灰。于是他第二次辞去相职，带着王雱的灵柩落寞地离开汴京，举家沿水路返回江宁。一行人在长江瓜洲渡口登岸。王安石一身便装，独立岸边，望着浩浩东去的长江，感怀良多。那江潮澎湃轰鸣，仿佛在应和他。

历史上著名的"熙宁变法"的中心人物就此远离政治舞台，但变法及变法引发的是是非非却并未因此终止，反而愈演愈烈。

神宗虽然年岁渐长，却仍如刚即位时那般少年意气，自信以至自负。王安石信札中"无使上知"的语句令他气愤异常。虽然王安石递上辞呈，自己也准了，但还是愤懑不已。然而，王安石辞相后的职位空缺终究要即刻填补，所以他将吕惠卿、王珪、李定、舒亶等人召进迩英殿，宣布新一轮人事任命。

吕惠卿轻整衣冠，俨然胸有成竹。当听到张茂则宣读到"擢李定为御史台御史中丞"，吕惠卿看看李定，以为自己必做宰相，不觉有几分得意。不料，接着却听到"擢王珪为同中书门下平章事，官拜宰相"。吕惠卿听此犹如雷击，瞪目结舌，随之浑身战栗。

王珪施礼后，仍是不动声色地谢恩说："臣谢主隆恩，臣当鞠躬尽瘁，死而后已。"神宗满意地对王珪点点头。吕惠卿这才明白自己再一次中了老狐狸王珪的圈套，辛辛苦苦地为他做了嫁衣裳，心中气恼不已，只觉头晕目眩，终于晕倒在地。神宗轻蔑地瞥了一眼吕惠卿，命人扶他下去。王珪仍是不动声色，视若无睹。李定、舒亶等先是吃惊、同情，待看到王珪的神色后，立刻换上厌恶的表情。

中秋之夜，在济南任职的苏辙站在窗前遥望远方。史云端着一碗羹汤走过来，请苏辙来吃一碗"玩月羹"。苏辙叹气说："夫人，今日中秋团圆佳节，我与哥哥却已分隔七年，至今不能相见。"史云也说不知哥哥一家在密州过得如何，苏辙接着忧虑地说："我听说朝廷已任命哥哥改任山西河中府太守，不知何意。如今王安石已罢相，王珪继任宰相，朝政仍是小人当权。哥哥的这个中秋想来更不会过得舒心，唉……"

密州明月当空，苏轼、王闰之、采莲、苏迈、苏迨、苏过、朝云在庭院内围坐一桌。桌上酒食果蔬俱全。苏轼看看空中明月，说："今日中秋节，我们来密州已两年有余。这两年，可不寻常啊！"采莲爱怜地看着苏轼鬓边白发，心中为这个自己一手带大的孩子感伤，连说苏轼不容易。王闰之忙说："子瞻不易，表姑也不易。子瞻，今日你应该好好敬她一杯。"

苏轼举杯敬采莲表姑，然后转身对王闰之说："夫人，苏轼虽是文人，但有时不免粗鲁，我自罚一杯。"说罢一饮而尽。苏轼爱喝酒，量却浅，所以饮酒辄醉，王闰之慌忙劝苏轼不要再喝了。

苏轼已有醉意，说："不要管我，让我喝个痛快。来，朝云，我也敬你一杯。你日夜操劳，还要带着迨儿、过儿读书，难为你了。"朝云惊慌，连忙避席说不敢。苏轼有些生气，说："什么不敢，喝了吧！"王闰之又说："先生让你喝，就喝了吧。"朝云便一饮而尽。

苏轼又自饮一杯，举头望着天上的明月，喃喃自语说："要是子由在就好了，我已经七年没有见他了，我很想念他。子由远在千里之外的济南，还有巢谷兄不知云游何处。"说着便眼角带泪，长叹不语。

王闰之递过手帕，苏轼拭泪，接着说："母亲走了，父亲走了，姐姐走了，弗儿走了，小莲妹妹也离我们而去，这人生怎么如此无常。"说到此处，苏轼已是黯然伤神，他提议大家一起来敬他们一杯。

王闰之、采莲、王朝云各自将酒洒在地上。已经微醉的苏轼将酒洒落，抬起泪眼低低吟诵，再次抬头望月，缓缓吟出一首词来："明月几时有？把酒问青天。不知天上宫阙，今夕是何年。我欲乘风归去，又恐琼楼玉宇，高处不胜寒。起舞弄清影，何似在人间？"

王闰之、采莲、朝云等人都被此词优美的意境和宏大的气魄感染，一时间忘了叫好。王闰之默默地流下泪来。朝云满脸仰慕地看着苏轼。

苏轼接着拿起挂在凉亭上的剑，一边舞剑，一边低吟："转朱阁，低绮户，照无眠。不应有恨，何事长向别时圆？"最后以剑拄地，泪如雨下，"人有悲欢离合，月有阴晴圆缺，此事古难全。但愿人长久，千里共婵娟。"说完最后一个字，他仿佛用尽了全部力气，颓然倒地。

苏轼自赴京及第后便闻名天下。他在凤翔、杭州的作品都广为传颂，自至密州，其《超然台记》、《江城子·十年生死两茫茫》、《江城子·密州出猎》等更是洛阳纸贵，中秋之夜所作《水调歌头·明月几时有》也不久就传遍中华大地。上至达官贵人、书生士子，下至黎民百姓、贩夫走卒都争相传诵。书商争相结集刻印售卖。

除夕夜，皇城外鞭炮声如春雷滚滚，燃放的烟花火树银花。相比之下，皇宫却显得冷冷清清。神宗在院前抚摩着由苏轼监制的钧瓷，听到鞭炮声，慢慢走出大殿，吟叹着："'我欲乘风归去，又恐琼楼玉宇，高处不胜寒。起舞弄清影，何似在人间？'高处不胜寒，高处不胜寒。唉，还是苏轼……懂得朕哪，他没有忘记朕。"说完仰望夜空……

自王安石二次罢相后，吕公著、陈襄等人多次向圣上推荐司马光、苏轼、范纯仁等。神宗对吕惠卿等领导下的变法极度失望，加之苏轼在密州解饥荒、抗旱灾、除匪患、兴水利、办乡学，政绩斐然，于是令苏轼移任山西大名府太守，随后又下诏命苏轼改任徐州太守。

此刻，王珪官邸大门前车马喧闹，进进出出的达官贵人纷纷借拜年之际抬箱送礼，结交这新任的宰相。喜庆之气盈满这豪华的朱门大户。高高挂起的大红灯笼红红火火，红彤彤的春联金光闪耀，写着"相府"两个金字的横匾格外醒目。一位白发苍苍的大官颇有兴致地在门前驻足而观，读着那副春联："瑞雪宣天意恩泽京城宰相府；春风送暖情惠施神阙大人家。横批：皇恩浩荡。"读完，嘻嘻哈哈地走进了大门，二门仆恭恭敬敬地将其引入门内，其他门仆抱拳恭迎其他官员……

王珪正将李定等人引入小会客室，春风得意地抱拳笑问除夕来访，有何见教。众人行弟子礼，齐声说："春节已至，学生前来贺喜新春。"王珪笑着说："诸位，介甫公退相后，老夫与吴充承蒙圣恩，担此相职，还望诸位多多襄助。"众人又齐声请相国多多栽培。王珪笑着说："言重了。还望大家齐心协力，为圣上分忧。"

客套话说完，李定便提及吕公著、陈襄等多次向圣上推荐司马光、苏轼、范纯仁等人。舒亶、张璪等人纷纷附和，说起圣上进膳时也手不释卷地读苏轼文章，而且自欧阳修死后，天下文坛领袖的美名已落在苏轼的头上。王珪明白张璪等人的心思，却并不点破，而是一脸忧虑地说："你们有所不知，苏轼原去山西大名府任太守。可圣上又决定苏轼改任徐州太守了。徐州乃天下兵家必争之要地，改任此州，虽为太守，却也可看出，圣上有重用苏轼之意。"舒亶立刻说出自己所忧之事，那就是：苏轼上任，途经汴京，一旦圣上召见，说不准圣上会留他在朝廷担任要职。

王珪起身，称赞舒亶此言有理。舒亶面露喜色，张璪急忙恨恨地说："恩师，不能让此人有抬头之日。当年大比之时，你也是考官之一，可苏氏兄弟眼中就只有欧阳修、范镇。不仅如此，他还戏谑恩师说是'三旨宰相'。"

王珪摆了摆手，叹口气，一脸正色地说："对老夫的毁誉嘛，无关大体；但他反对变法，毁圣上大业，我等却不能不顾啊。"张璪立刻阿谀称赞说："恩师真是胸襟宽广，以天下为怀，谨记恩师教诲！"王珪笑着点点头，接着说："故而此次上任，不能让他进京面圣，免得蛊惑圣心！"李定点头称是，并主动请缨……

苏辙从济南转官，暂留在开封，得知苏轼移任徐州，特意在开封城东大路上的长亭中等候，以期一见。第三天，终于见到远处出现了一队车马，苏辙上马迎去，渐渐看清苏轼的样子。苏轼也看见苏辙，两兄弟骑马奔驰，终于相见。

苏轼与苏辙骑马带着两辆马车走向汴京城，二人有说有笑。突然汴京陈桥上，一小吏上前喝命二人报上名来。他身后一队士兵列队站立，威风凛凛。没想到京城的小吏竟然飞扬跋扈到如此地步，苏轼诧异而应："新任徐州太守苏轼。"小吏也不回话，只是背手来回走了几步，一副傲慢无礼、小人得志的嘴脸。

苏轼对苏辙说："我等遇上灞陵尉了。"小吏接口问说："请问苏太守，灞陵尉是何意思？"苏轼反问："为何要对你讲呢？"小吏眯起眼睛看着苏轼说："因为我可以不让你进去！"

苏辙又惊又怒，苏轼冷笑一声，说："人过屋檐下，不得不低头。既然如此，那你听着。灞陵亭乃进出古都长安的重要通道，汉将军李广被罢职后，去蓝田南山中狩猎，归来晚了。守灞陵亭的一个小小尉官，狗眼看人低，不让他通过，随行的人告诉他，这是原来的李将军。小尉说，就是现任李将军也不行。李广只好寄宿于桥亭。"

小吏满不在乎地冷哼一声："不管他狗眼还是人眼，李广毕竟还是没过去。"苏轼看着他宵小得志之样，笑问他是否还想听听小尉的最后下场，小吏好奇地点点头。苏轼接着说："后来他被李广斩了。"小吏"嘿嘿"一笑，阴阳怪气地说："你斩不了我，我是奉命行事。"

苏轼喝问："奉谁之命？是不让苏某一人进还是所有外任官员都不让进？"

小吏回答："我只知不让你进，奉谁之命也不告诉你。"苏轼又问原因，小吏只说不知道。苏轼无奈地对子由道："我们转道进城，看看北门如何。"

二人打马绕道而行。苏轼叹道："这陈桥乃是太祖兵变夺来江山之地。今天，太祖的一州太守竟遭小吏侮辱，足见江山情势如何了。"苏辙紧锁眉头说："这件事好生奇怪，定有文章。"苏轼点了点头。

苏氏兄弟一行来到北门，不料仍有领兵小吏阻拦。而且回答与前面也都一样，就是上司有令不让苏轼进内城，而且上司不让说出自己姓名。

苏轼仰天大笑，说："汴京城里好光景，太守吃了闭门羹。"然后对苏辙提议说，去洛阳范老爷子那里喝喜酒去！苏辙高兴地答应，又问苏轼为何而笑。苏轼回答说："此事不可笑吗？说不定圣上正虚席以待我呢，只是有人怕我面圣，故出此下策。这说明，愚兄的名气已经使有些人害怕了。"苏辙点头称是。

神宗虚席以待之臣就这样被阻拦于汴京城外，愤而离去……

按照惯例，转任官员路过京师都要拜见皇帝。神宗没有见到苏轼，大为奇怪，询问王珪。本就是王珪授意李定等将苏轼挡在城外，见神宗问起，他却装作一无所知地回答说苏轼拜访了司马光和范镇，然后就上任了。神宗心中不悦，也不再说什么。

苏轼和苏辙到洛阳拜访了司马光和范镇，更在范镇的提议下，给范镇十六岁的孙女和十八岁的苏迈定下婚约，苏、范两家结为秦晋。临别之际，范镇忧心忡忡地叮嘱苏轼，今年雨水甚大，要警惕黄河决口，洪水冲击徐州。

徐州古称彭城，位于今江苏西北。北接山东，西邻安徽，属华夏九州之一。徐州地处古淮河支流下游，又曾是黄河故道，京杭大运河傍城而过，是水利要道。但也因河流众多，且处下游，历史上洪水泛滥多次。

熙宁十年（1077）夏秋之际，电闪雷鸣，大雨倾盆，奔腾咆哮的黄河水带着泥沙巨浪滚滚而泻……黄河堤岸某处，渐渐地裂隙、坍塌，狂奔咆哮的洪流汹涌而出，以排山倒海之势吞噬着大地上所有的一切：牛羊被吞进去，房屋被卷走，大树被摧折……

熙宁十年七月，黄河在澶州决口，注巨野入淮河、泗水，下游徐州地区大受其害。

三十九　徐州抗洪

秋七月，雨日，徐州百姓在雨中奔走惊呼"黄河决口"、"洪水暴发"，惊慌失措的人们好像末日来临一般，在大街小巷中惊呼着、哭喊着、四散奔跑着，乱成一团。徐州城门拥挤不堪……

徐州城墙上，苏轼戴着斗笠，正在指挥兵卒、民工抢修城墙。突然，衙役来报，城里居民怕城保不住了，很多人在往城外逃。苏轼大惊，因为此时徐州四面已被水围，若是逃出城去，定会被水淹死。所以他决定前去阻止百姓。

但旁边的赵通判劝他不要去，因为百姓私自逃出城去，如果淹死了，责任不在一城之太守；若是苏轼强行阻止，一旦城破，淹死了他们，朝廷必定会降罪苏轼。苏轼再次强调：逃出城去有死无生，而留在城中，城若不破，就不会死人。听了苏轼的话，赵通判很感动，随苏轼将逃难百姓劝回城中。

瓢泼大雨中，苏轼披蓑衣与赵通判骑马来到徐州城禁军武卫营。武卫营偏将出门相迎，抱拳施礼。苏轼下马后还礼说："李将军，按大宋律，太守无权指挥军队。但时下情况危急，事关徐州存亡、百姓安危，迫不得已，请将军指挥武卫营官兵与州民共同抗洪，护卫堤墙。事后我将奏明朝廷。"

李将军坚定地说："洪水横流，事关人命！大人如此，我等有何话可说，定当奉命！"说着，传下命令：全体士兵清点人数，立即出发。号角声声，两千多官兵迅速集合，奔赴城里……

连日大雨，加之上游洪水抵达徐州，徐州城外运河河水渐渐满溢而出，洪水向徐州城郊外奔涌而来……

苏轼在城墙上设置了临时指挥所，将徐州所有官员调集一处，统一安排任务。一直巡察水情的赵通判匆匆报告苏轼大水又涨三尺。听了这一消息，苏轼神色更加凝重，点头命令身后一幕僚去集中所有公私舟船，用绳索系在墙堤口，以减轻浪冲之险；命令牛监官轮流值班，昼夜不停，发现险情，鸣锣报警。渎职、失职者，斩！接着命令陈粮曹调度足够粮食，以供筑堤、护城的劳力用饭、饮水，不得有误！命令周副曹集中州城所有郎中，带药到州衙，腾出房子，为前方劳力救伤治病。还有，调遣几个郎中巡查城内水井，保证饮水清洁，以防瘟疫。又命令马户曹令州城节制使用柴草，以备久用，还要早备船只驶出城外弄柴，保障城民烧火做饭和取暖，不得有误！又命赵通判带领一队衙役前去巡逻，维护好城内秩序，凡有偷抢、破坏救灾物资墙堤者，一律严惩；众人纷纷领命跑下。

徐州城墙上，上万人在苏轼等官员的指挥下加固城墙，扛麻袋的、架门板的、挑土的、运石的、抬砖的，人呼马嘶，徐州城全力投入抗洪之中……

大雨连下几日，终于渐渐变小，但一直淅淅沥沥不停，而且到第十天晚上，大水仍毫无退去之象。

临时指挥所内，苏轼与赵通判灰头土脑、泥巴满身，二人在油灯下研究地图。苏轼看看地图，又看看邸报，摇了摇头说："澶州曹村决口，沿途州县地势皆高，所有洪水齐泄而下，徐州地势低洼，西、南有山相阻，洪水一时无法泄去，黄河决口处又一时堵不上，故而徐州洪水久储不去。看来，我等须作长期打算。"

赵通判叹口气，担心洪水若长期浸泡，新筑大堤和城墙恐怕不能消受。苏轼也长叹一声，说这正是他所担心的。徐州已成孤岛，一旦有失，即刻被水淹没，二十万城民就会化为鱼鳖。

这时，朝云挎篮提壶而来，原来王闰之熬了姜汤命她送来。这姜汤正是驱寒暖身之物，为时下所急需。苏轼大喜，接过朝云递过的汤碗，请赵通判先饮。赵通判连忙推辞，请苏轼先饮。苏轼想那些守堤护墙的兵卒、百姓更辛苦，他们急需此汤，决定发动城内酒楼饭庄，每日早晚熬姜汤酬劳堤上劳力。他将这一想法告诉赵通判，请他喝过姜汤后即刻布置。赵通判见状也就不再推辞，接过汤碗，一口气喝完告辞而去。

朝云从食盒中拿出饭菜摆在土台上，请苏轼用饭。苏轼说朝云来得正是时候，低头狼吞虎咽，由于吃得太急，被噎住了。朝云忙上前为他轻捶后背，让苏轼慢点。苏轼感激地向她投以一笑，朝云不好意思地低下了头。

苏轼已经连续十天在城头临时指挥所指挥抗洪，朝云受王闰之嘱咐请苏轼回家换换衣裳，苏轼却说所需之物带来此处即可。朝云感到奇怪，问苏轼："难道不洗澡了？"苏轼叹息一声说："洗澡？弄不好整座徐州城都要泡在水里，我这个澡不敢洗啊！"

朝云笑了，转身又从篮子里取出一壶酒。苏轼大喜："酒！呵呵，喝一点儿……"王朝云喜悦地望着苏轼。

苏轼吃完后，朝云收拾离去。不久，接到苏轼命令的马户曹从西城赶来。马户曹日夜操劳，几过家门而不入，孩子病了也顾不上看。苏轼先慰劳他的辛苦，又嘱咐他抽时间回家看看。马户曹叹口气说："大人尚且如此，下官岂能懈怠，分内之事，应该应该。"接着问苏轼找他何事。

苏轼看着城外滔滔洪水，忧愁地说："大水不退，十日有余，水深两丈，波如湖海，看来我等须作长期打算。天凉了，风吹日晒，露大人困，能否弄些苇席，沿堤扎些席棚，也好为大家挡风遮雨，吃饭、休息也好有个地方啊。还有一事，要尽快抽调一部分壮劳力，随时待命，防止管崩。"马户曹施礼领命，说："大人勿忧，下官明白，明日即可完成，定不负大人重托。"苏轼满意地点了点头。

开封也是大雨飘泼。神宗立于迩英殿廊台上，愁眉不展，对垂手侍立身旁的张茂则说："如此大雨，徐州可谓雪上加霜，苏轼和徐州兵民不知怎样了！"张茂则宽解神宗："汴京大雨，徐州未必有雨，陛下放心便是。"神宗登时不悦，说："糊涂！汴京大雨，汴水与淮水相汇，徐州之水岂有不涨之理？"张茂则忙说自己糊涂。

144

突然王珪急急来报，一是澶州曹村的黄河决口，因水势太猛，暂时无法堵住；另外齐州、郓州、濮州、淄州加徐州共毁农田三十万顷。神宗命令速派黄廉前往京东路安抚，务必要速堵决口。王珪施礼说："臣遵旨。"

王珪眼睛骨碌一转，接着说大水已围困徐州数日，徐州频频告急，又说徐州太守苏轼恐怕见识稚嫩，行事莽撞，难堪大任，请示神宗是否要派遣朝中官员前往督办。神宗瞥一眼王珪，似有所动，但转念沉吟说："不必了。苏轼若守不住，你以为满朝文武谁能守住？唉，不必了。只有计日而待，等他的消息了。"王珪不露声色地说："陛下圣明。"躬身退下。

数日后，徐州终于雨后天晴，洪水也不再上涨，徐州城渐渐安静下来。但城内积水不能外排，大街小巷积水数尺有余，到处是蛤蟆的鸣叫声。

洪水久久不退，围困徐州城已近四十天。城墙，尤其是堤坝已浸泡如此之久，危机一触即发。所以中秋这一天，苏轼将一众官员召集到临时指挥所内，将这种危险情况向大家说明，又吩咐说：中秋节本应阖家团圆，但为了徐州城、徐州百姓的安危，守堤人员不仅不能回家，而且不能饮酒，一刻也不能懈怠。大家要各据其位，严阵以待，不能出半点差错。众人异口同声地答应，起身各自回到岗位。苏轼目送众人，凭栏而望，明月悬天，月光洒于水面，浮光刺眼……

王闰之得知苏轼不回家过中秋，便带着朝云、苏迈、苏迨、苏过提竹篮来到城楼。苏迈、苏迨、苏过远远看到苏轼，便连连喊着"父亲"跑向他，苏轼也急忙迎了上去。

苏轼拉着儿子们说："今日中秋节为父不能和你们一起过了。父亲很挂念你们，可龙王爷不让为父回家，为父只有与他老人家长相守了。"苏迈说："所以我们就来了。"苏迨接着说："父亲，母亲给你和几位叔叔做了几个菜，还有酒呢。"说着拿出酒瓶，苏轼却告诉他自己已下令不准任何官员饮酒，自然得带头禁酒。苏迈猜度是怕误事，赵通判点点头。

苏轼又对王闰之说："夫人，你们收拾一下回家吧，这里是抗洪的要地。"王闰之心领神会，但又恋恋不舍地点头"哎"了一声，将饭菜放下，收拾起已经用过的碗筷，带着朝云和三个儿子缓缓离去。

第二天清晨，苏轼接到负责城中治安的赵通判报告，巡逻的衙役发现了一个老道士往徐州城的水井中扔东西，众人上去阻拦，老道士却说这是太守苏轼交代的。苏轼一听，猜想这老道士肯定是吴复古，忙起身命赵通判带他前去。

苏轼远远地看见吴复古高大的身影，喊着"老神仙"，疾奔而至。原来吴复古担心苏轼和徐州百姓安危，特地赶来相助。城外已是一片汪洋，但他驾一叶扁舟，行至城墙，便顺着城墙爬了上来。考虑到大灾之后必有大疫，吴复古已将备好的药包分投到徐州城的每一口井中，保管徐州灾后无疫。苏轼因为繁忙，竟将这灾后防疫的事情忘记了，听到吴复古已做了准备，他一躬到底，感谢吴复古。

吴复古笑呵呵地问苏轼："你谢我，徐州城中的百姓又该谢谁？"苏轼一怔，说："谢谁？谁也不用谢！"吴复古接着问他："那你为什么谢我？"苏轼也"呵呵"一笑，说："我们还是一见面就夹缠不清。"吴复古立刻纠正说这不是夹缠不清，是苏轼说不过自己。

苏轼问起巢谷的情况，吴复古叹了口气。这次他本要巢谷一起来，但巢谷不肯。苏轼疑惑巢谷是在怨他。吴复古摇摇头，意味深长地看一眼苏轼，说巢谷已心灰意冷。苏轼叹息道："所谓'人生自是有情痴，此恨不关风与月'，是我害了巢谷兄！"

吴复古摆摆手，抬头看着晴朗的天空说："怎能怪你，谁都不怪！你也有一句诗说得好，'浮云世事改，孤月此心明'，经此一劫，巢谷如今才算真的入我道门！"苏轼长叹一声。

吴复古忽然捋髯笑道："不说这个了。这大水要退去，尚需些时日，那群废物堵不住缺口。"吴复古所说的缺口就是徐州上游黄河的缺口。苏轼询问他为何不去给他们献上一计，吴复古叹息一声，原来他就是从澶州曹村来的。他心忧百姓，给那里负责堵口的官员献了一计。

苏轼带领一行人朝城墙走去，又询问吴复古所献何计。吴复古将其堵口之计一一道来：首先在百米决口之处，两头并进，先打进两行木桩，然后用藤条编成的条席固于桩上，这样，决口处的洪水就减了四分力，这叫减缓水力；第一道木栏打下后，再在内侧丈余处打一道木栏，这样，决口处的洪水又减了三分。苏轼听到这个切实可行的方案，十分赞叹。他立刻猜出，之后要往两个木栏中间投掷沙袋。吴复古大赞苏轼聪明，苏轼也说此方法很好，定能成功。

吴复古却告诉苏轼，当地官员非但不采纳他的计策，还要他回观里打坐去。吴复古又生气又无奈，感叹天书不授愚人，心想无数百姓的性命就掌握在官员的手里，官员们却自以为是，视百姓生死为儿戏，便直接来徐州帮助苏轼。苏轼也感叹不已，打算写奏折给圣上，请圣上下旨，那些官员也就不得不从。

吴复古摇摇头说："算啦，等来回一折腾，黄河的洪水下去了，他们也就把决口给堵上了。还是固好你的堤坝吧。"苏轼却忧心不已，他认为决口不堵，洪水不退，徐州之围终是难解。对此，吴复古神秘一笑，不再作答。

苏轼、吴复古、赵通判等人登上城头，苏轼无奈地望着波光粼粼的一片汪洋。赵通判说："水困徐州已六十余日，大人几过家门而不入，吃住城头，也该回家看看了。"苏轼看着城下洪水，慨然说："大水不退，何以为家！"

突然，赵通判手指西北说："太守，你看，那是何物？"苏轼等人顺其所指方向望去，只见甲光鳞鳞，不知是何物，结一字队形而来，足有半里，前大后小，甚是奇异。众人见了，有些恐慌。少顷，人们终于看清，是一队巨鳖正向山口而去。

大家惊恐万状，议论纷纷："这下麻烦了，巨鳖都要在此安家，焉有水退之理？""如此巨鳖，从未见过，天意难卜。"在大堤上的百姓惊呼："怪兽来啦！"……

吴复古见状，哈哈大笑。苏轼问他为何发笑，不想，吴复古竟说洪水不日将退。众人听了目瞪口呆，纷纷施礼请吴复古明示。吴复古捻须微笑，说："诸位免礼，听我细细道来：此鳖乃黄河之灵物。黄河水泛滥，搅其不能潜底蛰伏，故聚浮于水面，至决口处，被激流冲出，来此徐州水域小住。现黄河水已复故道，此鳖乃是结群回黄河去了，故知徐州之水必退。"众人大惑始解，长长地舒了一口气。赵通判敬佩之至，赞叹："道长深得造化之理，非我等凡夫所能解。"

这时，一兵卒在城下舟中大声报告说："水位已降小半尺！"众人兴奋不已，忧愁之色顿时缓解不少。

吴复古忽然严肃地板着脸，说："越是此刻越不可松懈麻痹。须知，退水也需十日左右，百姓们皆已疲惫不堪。城墙与大堤已浸泡六十余日，退水之时，极易形成坍塌，大家要百倍警惕，直到洪水全退！"

苏轼命令大家一定按吴复古道长说的办。众人抱拳施礼，请苏轼放心，表示一定始终如一，直至洪水全退！苏轼满意地点了点头，大声命令众人立即动员守护堤坝，不可松懈。众人齐声答应。

吴复古说："大水即退，我也放心了。我这老鳖也该走了。"说毕，携舟子飘然下城，乘舟而去。苏轼和众人纷纷挽留，吴复古摇头大笑，转身跳下城头，在水中翩然前行。众人纷纷惊叹："真是神仙啊！"

洪水逐渐退去，徐州城外虽然仍是浅水片片，但土埂、土包已经露出，河堤也已隐约可见，被大水浸泡过的一棵高高的柳树杈上夹着一条小舟，悬在空中。

已是深秋时分。徐州城内，大街小巷沸腾了，人们奔走相告，鞭炮齐鸣，锣鼓喧天。

苏轼站在城头，望着城外已渐渐露出的原野大地，热泪滚滚。站立一旁的赵通判及其他文武官员纷纷拭泪。马户曹情不自禁地蹲在地上大哭起来，边哭边说："七十四天哪！我们终于熬过来啦。"

敲锣打鼓的百姓在敲梆老人潘大的带领下云集而来，他们抬着一块巨匾，上面刻着"再生父母"四个大字。

苏轼疾步转身来到女儿墙处，动情地望着万众百姓，激动地招手喊道："父老乡亲们，我们得救了！谢谢了！"言毕，他向百姓们深鞠一躬。

百姓们纷纷跪倒在地，潘大哭喊道："苏大人啊，我们州城的百姓送给您一块匾，是我们的再生父母啊！七十四天，你几过家门而不入，吃住在城墙上，带领大伙抗洪，没有您，哪有我等的今天呀！"

苏轼也领着众官员向百姓跪下说："父老乡亲快请起，这本就是我们这些人该做的啊！"百姓们哭声如雷。

苏轼扶起潘大，两眼含泪地说："乡亲们快起来吧，要谢就谢圣上吧！还有，抗洪得胜，全靠你们！希望乡亲们赶快准备抢种庄稼，明年丰收的时候，我与你们共欢共庆！"大家兴奋地站起来，欢呼着，跳着，哭着，笑着……

崇政殿早朝，神宗早已得到苏轼在徐州率领官兵、百姓抗洪胜利的消息。他无比喜悦地大赞苏轼说："黄河澶州决口，崩坏千里，所经之地，生灵涂炭，朕甚痛之。而苏轼亲率官吏，驱督兵夫，救护城壁，一城生灵并仓库得以保全。为官之道，当须牢记圣人之言，上效朝廷，下护黎民，临危不惧，处变不惊，救民于水深火热之中。苏轼尽职守责，朕当嘉奖。"神宗决定拨钱三十万贯，米粮一千八百石，民工七千二百员，以帮助苏轼修城。众官员齐呼："吾皇圣明！"

王珪登时一震，颇感忧虑，下朝回家后，就将张璪找来商议对策。张璪一进书房就为王珪愤愤不平，认为水患退去是王珪统管全局的功劳，却被苏轼给抢了风头。

王珪仍是一脸沉静，品着杯中香茗，缓缓地说："一点嘉奖倒在其次，厉害的是，苏轼在密州治饥荒，平匪患，面对十分棘手的局面，却日益显出稳健的政风，让人吃惊。如今他又在徐州治水成功，更属不易。其政绩显赫，以致现在圣上的眼里只有一个苏轼，吃饭的时候还不忘看他的文章，满朝文官皆不在眼中！"

张璪恍然大悟，登时失色，忧心忡忡地说："相公，如此说来，苏轼卷土重来，回到朝廷已是大势所趋了！相公，不可让他回来啊！"

王珪略微沉吟，无奈地说："他迟早要回来的，岂是人力所能阻挡？只不过苏轼回朝任官，老夫这几年苦心经营的这个一团和气的朝廷又将被他一举扰乱，不复平静了！"说完满脸忧虑。

张璪忙请王珪快想办法，阻止苏轼回来。可是王珪忽然一转话，问起张璪为什么一直不喜欢苏轼这个同年。张璪恨恨地说："苏轼恃才狂傲，目中无人，好像天下兴亡就在他一举之间，别人都是凡夫俗子，只能夸他敬他恭维他。我偏不服！"小人往往不是不自知，而是自知却更嫉恨君子之德、才子之才。

王珪点点头，两眼直视前方，思索片刻，说："这就是了，苏轼这个人最大的毛病是，他只会做他自己，不会做人。做自己，在地方为政，出政绩不难；但不会做人，在朝廷上就举步维艰，反成纷争之源。苏轼虽然才华冠绝天下，这么简单的道理却想不明白。可惜，可惜啊！"张璪忙点头称是，认为苏轼若回来，必将又引起纷争，而此时正是大宋中兴之机，朝廷已经不能再乱了。

王珪手拍大腿，一脸郑重，好像作了很大的决定，慨然说："好！为朝廷大局计，阻止苏轼回京，老夫当义不容辞！"接着命张璪将屋角的一只书箱拿过来，将其所装之物全倒于桌上。张璪依言而行，书箱里的信札顿时堆满了桌面，张璪不禁错愕。原来这些信都是王珪的眼线报告苏轼言行的密信。

王珪手指堆成小山状的信件，说："苏轼自外放杭州通判以来，所说过的话，作过的诗都在这些信里。老夫以为，该是用的时候了。难道这么多信札里，就找不出苏轼一点纰漏？"王珪随手翻出一封信札，打开阅看，张璪欢喜异常，忙拿信检视……

四十　劝　农

　　洪水退后，徐州的城墙等建筑都需要修缮加固。然而此时苏轼和徐州百姓面临的最紧要问题，却是燃料短缺。

　　这一日，苏轼到街上巡察民情，竟然看见居民们纷纷主动抬高价格，争购木柴。一担木柴能卖出过去几倍的价钱。出价最高、购得木柴的百姓欢天喜地；那些未能购得木柴的百姓则懊恼沮丧。苏轼心中奇怪，走出城外，发现野外竟是一片光秃秃的景象：山都是荒山、秃山，没有草木生长，更不会有柴薪可采。

　　苏轼从百姓口中得知，大宋百年承平，徐州人口越来越稠密，早在三十年前，山上的树木就被取用一空了。徐州居民往年主要靠庄稼秸秆取暖，今年却因为大水，庄稼秸秆都烂在地里，徐州百姓已没有燃料过冬了。

　　苏轼忧虑异常，心中苦思解决之法。忽然想到自己曾在记载各地名物异产的书上看到徐州有一种埋在地下的黑色的东西，可以烧着，叫作石炭。苏轼询问百姓，有老者说曾在年轻时听说有人在地里挖捡到，但是已经许多年没有看见或听说过了。听到这些，苏轼心中肯定徐州一定有这种可做燃料的炭，只要探明炭储藏的位置，挖取出来，徐州百姓过冬的问题就解决了。苏轼兴奋不已，急忙赶回府衙，命赵通判、马户曹速找能人，打探清楚黑炭的位置。赵、马二人领命而去。苏轼接着到城西巡察城墙的修缮工程。

　　在城西，一个风流倜傥的青年男子和一个成熟稳重的中年男子骑马徐行，渐渐进入徐州城。他们后面跟着一辆华丽的马车，引得街市上的百姓指指点点。这两人是秦观和王巩，车中坐着的是王巩的三个爱妾：盼盼、英英和卿卿。王巩自苏轼进京考试起便和苏轼交好，这一次寻到机会便带着妻妾来访苏轼；而秦观一直对苏轼十分景仰，苦请王巩带他前来，以作引见。

秦观向路人问明苏轼寓所所在，辗转找到一座很不显眼的住宅。王巩心下疑惑，又向路人确认了一下，肯定这就是太守苏轼的府第。王巩喃喃自语地说："苏子瞻怎么住在这样的地方！"说着上前敲门。

朝云出来一边开门，一边询问是谁。见王朝云光彩照人，秦观一惊，抢上前问话："小姐是？"朝云回答说自己是苏大人家的使女，接着请问秦观是谁。秦观报上姓名。朝云微微一笑，问："莫非是写'斜阳外，寒鸦万点，流水绕孤村'的秦太虚吗？"秦观听了大喜，说："哎呀，小姐居然也知道拙作？"朝云微笑说："我说过了，我是苏家的使女，不是小姐！"秦观更加感叹："好个苏大人，一个使女也竟然满腹诗书！"

这时，王巩在一边不耐烦了，让他先别酸了，进去再说也不迟。秦观不服地说："哎，这就怪了，你走动都要带着三个美妾，我和一个姑娘说说话就不成了？"围观的百姓嗤嗤窃笑。王巩知道自己辩不过秦观，便让朝云不要理会秦观，快传话就说王巩到了。朝云点头答应，转身回院。

不一会儿，王闰之迎出门外，欢喜地说："哎呀，是王大人来了，有失远迎。子瞻到东城修城楼去了，我这就让人去叫，快请进来吧！"秦观登时惊讶不已，想不到太守苏大人竟亲自修城楼。在来的路上王巩就和秦观说苏轼没有大官儿的架子，还会去做许多普通人的活计，秦观一直不信，至此方信。

盼盼、英英、卿卿忙下车与王闰之相见。围观的百姓赞叹不已："哎呀，真是画上的人儿啊！""画上的人儿也不如啊！"王闰之将众人请进院落。

王闰之将众人迎进客厅，大家分宾主落座，采莲端上茶水。王闰之对王巩称赞盼盼、英英和卿卿说："早就听子瞻说王大人好福气，果然不假，走动都要带着三位仙子般的夫人。"秦观也忙将王闰之所言作为天下皆知王巩风流的证据，众人听了秦观的话，纷纷大笑。

王巩忙对王闰之大道冤屈。王闰之笑着对秦观说："秦先生切莫以俗人之眼观王大人。听子瞻说，王大人乃前朝王宰相之孙。因王宰相为人刚正，执掌朝政多年，得罪人甚多，因此王大人才隐迹在这温柔之乡里，其实内心有难言之苦！"秦观对王巩一拱手，说："得罪，得罪。我倒是宁愿有这难言之苦！"众人听了，又是大笑。王巩故意恨恨地说："好你个秦太虚，一路上吃我的喝我的，还要不断挖苦我！"秦观忙拱手说："惭愧，惭愧！"

王巩向王闰之说明自己来的缘由。原来他和苏轼是故交，多年不见，很是思念。去年苏轼在密州修凌虚台，盼盼、英英和卿卿三人就缠着他去看看，当时因为有其他事情就没有成行。今年苏轼率领百姓抗洪，保住了徐州，天下皆知，朝廷还专门拨了钱款。王巩猜苏轼一定要再修楼台纪念，这里离京师又近，故而就来凑个热闹。王闰之笑笑说："王大人料事如神，子瞻正在修一座城楼，以作抗洪纪念，尚未命名。你们来了，尤其是这三位妹妹来了，定会为之增色！"

王巩忙谦虚道："嫂夫人别让我现眼了。我不让她们来，她们定要来，和你家的那个使女比起来，她们三个连个臭皮匠也不如。唉，我是苦不堪言，苦不堪言哪！"王巩接着又大倒苦水说："还有这位仁兄，一路上我真是……咳，苦不堪言哪！"王闰之问这是为何，王巩很是无奈地说："这位风流才子秦太虚，天下之大，独服苏子瞻，知我要来见子瞻，就定要跟来，拜子瞻为师。一路上和她们三个说说笑笑，我倒成了旁人！"

王闰之笑得将茶水喷出，对王巩说："那你岂不轻松？"盼盼、英英、卿卿七嘴八舌地说着："嫂夫人，别听他胡说八道。""就是，我们可都是规规矩矩的。""秦先生可比你有本事多了。"

秦观忽然看见墙上挂着一幅《秋山图》，站起观看，问王闰之是何人所画。王闰之告诉他是子瞻所画，但因公事繁忙，尚未画完。秦观看看画作，啧啧称叹："先生真乃仙人也。这等神品，也只有先生才能画出。"

王闰之说："先生既然欣赏，何不题赞一首？"秦观疑问这是王闰之在考他，王闰之忙说岂敢。王闰之命朝云拿纸笔来。朝云片刻即回，送上纸笔。秦观在画作上提笔写出："漠漠轻寒上小楼，晓阴无赖似穷秋。淡烟流水画屏幽。落叶乱飞轻似梦，无边丝雨细如愁。宝帘闲挂小银钩。"

众人都极力称赞，朝云续完茶水，看后默默不语。秦观发现朝云的表情，询问她是不是自己写得不好。朝云迟疑着说："好，好。只是……"秦观心中大惊，连忙追问："只是怎样？"

朝云看着王闰之，王闰之温和亲切地让她有话就讲，不要怕。朝云点头领命，说："秦先生的词自是极好。但先生既然有'春去也，飞红万点愁如海'之句，何不把'落叶乱飞轻似梦'换成'自在飞花轻似梦'呢？"

众人听了朝云所言，都觉有理，纷纷称赞朝云。王巩哈哈大笑，揶揄秦观不要拜子瞻为师了，拜人家的使女为师好了。秦观一阵惊慌，说："朝云姑娘，受小生一拜。"说着俯身即拜。朝云急忙还礼，谦逊地说："折杀小女子了。小女子不过是从先生的词里想起来罢了，其实还是先生的词。"王闰之赞许地向朝云点头。

秦观忙说惭愧，直直地盯着朝云。王巩见他看得出神，调笑着喊他："太虚，太虚！"盼盼、英英、卿卿各自窃笑，朝云害羞地离开。秦观终于醒神，心中更是愧疚。

这时，苏轼满身泥水地赶回家中，刚走进院落就喊王巩说："定国兄，想煞老夫了！"王巩迎出来握住苏轼的手，看着他两鬓微白，低声说："哎呀，西园一别，你已两鬓染霜了。"苏轼也感叹地说："流年不由人呀，老夫哪有你有福气啊，一看就……"

王巩对盼盼、英英、卿卿说："还不过来拜见！这就是你们天天吵着要见的苏大人。"盼盼、英英、卿卿上前施礼，苏轼摆手说："哎呀，快免了。古人云，'如何四纪为天子，不及卢家有莫愁'，初时不信，见了你这三位夫人，方知古人之言不虚。"王巩害羞地说："别取笑我了。糟糠而已，糟糠而已。"

秦观上前施礼说："学生秦观见过先生！"王巩就向苏轼介绍说："噢，这位是秦观秦太虚，此次定要随我来见你，说是要拜你为师。"

苏轼点头说："噢，是秦先生啊！久闻秦先生大名，词章华美，流布天下，久仰，久仰。"秦观忙说："先生取笑了。学生的词和先生的'明月几时有'比起来，实是地下天上，刚才还被你家的朝云小姐取笑了一番！"

苏轼并不知道刚才发生的事情，不由得疑问。王闰之便将秦观依照画境作词，又听朝云建议修改一句的事情讲明。苏轼拿过词作，细细品读，低声说："好，好！太虚的词本来就好，朝云改得更好。不过，朝云改的那一句也是从太虚的词中化出，归根结底还是太虚的词。"朝云忙点头称是。王巩却挖苦秦观说："太虚老弟，羞也不羞。"秦观忙说羞杀，一众人十分高兴。

苏轼突然想起什么，问秦观贵庚几何。秦观回答说虚长二十八岁。苏轼沉吟片刻，说："看你像个弱冠少年，太虚之字呼之不响，看你相貌气质，不如改为少游，秦观秦少游。"王巩立刻叫好，说这名字起得好，洒脱不俗。秦观深鞠一躬，说："多谢先生赐名。这是学生的诗文，请先生指教。"说着将作品递给苏轼，苏轼接过，连说不敢当。

王珪府上。连续翻检了两三天，王珪和张璪才查看了密信的一小半儿。而自徐州抗洪告捷以来，圣上多次提及苏轼，吴充又多次建议圣上重用苏轼，神宗颇为所动。眼看苏轼即将升起，王珪焦急异常，便请李定一同来阅看信件。张璪起初并不赞成请李定加入，但面对数量如此之多的信件，自己也毫无办法，只好答应。

王珪书房内的书桌上堆满了信札，张璪和李定正在桌边翻信阅览，忙得大汗淋漓。李定手持一信给张璪看，指着一句话说："邃明兄，你看这一句，苏轼实在是口出狂悖，对圣上大不敬。"张璪接过信看了看，认为分量不够，让李定继续找。李定继续翻信，乐此不疲。

张璪一边翻检一边对李定说："资深兄，恩公这次为你擢升御史丞可是煞费苦心呀。"李定点头称是，说："我对相公实在无以为报。邃明啊，你为官谏院也是靠相公提携，我等当永志不忘他的知遇之恩。"

张璪点点头，说："正是。不过恩公近日正为苏轼之事不甚烦忧啊，我等却不能襄助。"李定也忧心愧疚地点点头，张璪接着说："资深兄，自欧阳修死后，天下文坛领袖的大旗已落入苏轼的手中。而徐州抗洪以来，他的名望直如黄河决口的洪水般不可阻挡。"李定也认为苏轼是变法大敌，必须想好应对之策，否则将功亏一篑，无可挽回。

这时，王珪从里屋走出，张璪和李定忙施礼，王珪忧心忡忡地说："如今圣上重托于老夫，老夫怎能不为圣上分忧，你任御史中丞一职圣上已准，明日即可下诏。"李定急忙施礼感谢王珪提携，表示自己甘愿赴汤蹈火。

王珪嘉许地点头微笑，对他说："至于方才你二人说到苏轼之事，万万不可怠慢啊。圣上着老夫继续推行变法，但如今变法在地方颇受阻碍。苏轼是有名的反变法者人物，他若回朝得势，则对变法大不利啊。到时圣上若追究老夫推行不力，就什么都不好说了。"李定立刻请王珪放心，因为他早就依照王珪的吩咐，派人在徐州监察苏轼，对他近来所有言行都了如指掌。

王珪说："好，此事重大，资深多费心了。苏轼徐州任期将满，圣上有意让他任参知政事，我只好向圣上推荐了蔡确。"张璪不禁心中疑惑，说："恩师，蔡确可是个有心机之人哪。"王珪略一思索，道："老夫岂能不知。即使他任了参知政事，也形同虚设。你们台谏两院才是朝中砥柱啊。"李定、张璪异口同声地表示定当不负厚望，王珪捻须微笑。

苏府中，王闰之、朝云、盼盼、英英、卿卿正在交谈。英英笑着问王闰之说："夫人，俗话说，'风流才子'，才子必风流。你家老爷是当世奇才，不知是否风流？"王闰之一时语塞，众人微笑。王闰之憋急了，突然说："才子也未必就风流！"

英英认为这个回答不好，王闰之忙说自己不会讲话，让朝云来说。朝云在众人的鼓励下，终于说道："才子未必风流，风流未必才子；真才子行大风流，伪才子作假风流！"

听了朝云的"才子风流论"，众人全都一惊。盼盼双手合十，念佛说："阿弥陀佛，阿弥陀佛。我们三姐妹自称多才多艺，与苏家的一个使女相比，我们都是破烂货！"众人大笑。朝云有些不知所措，害羞地低下头去。盼盼问王闰之说："夫人，怎么人到了你家就都成了精？"王闰之淡淡一笑，想及朝云所学都是小莲所教，心中不禁凄然……

苏轼书房内，苏轼、秦观、王巩正在谈论诗文。秦观觉得来徐一月有余，日日受教，长进甚多，但"明月几时有"的词境，终不能至，心中疑惑，请教苏轼原因所在。不等苏轼回答，王巩故意激秦观："此词一出，其余中秋词尽废。此乃仙人之词，哪是你我这等凡人可及的！"

但苏轼认为不可一概而论，他叹口气，说："定国兄差矣。人各有体，词亦各有体。少游之词，以婉约为宗，绮靡流丽，已有大成，岂可以常人论之。"秦观忙说："先生夸奖了。"苏轼接着说："少游不必过谦。像你的'山抹微云，天连衰草，画角声断谯门'，就已写尽了离别时的秋意，不仅前无古人，恐怕也是后无来者了。"

听到苏轼这般赞赏秦观，王巩忙说不要太夸奖他了。苏轼摇摇手接着说："人有以一句诗词而得名的，比如本朝词人张先张子野，有词曰'云破月来花弄影'，'帘压卷花影'，'堕轻絮无影'，被人称作'张三影'。以老夫看，你怕不久就会被人称作'山抹微云君'了。"

王巩哈哈大笑，说："好个'山抹微云君'。沾上了你苏子瞻啊，不想出名都难。"苏轼回答说："定国兄说笑了。"

忽然，马户曹从外面跑进来，激动地对苏轼说："大人，大人，石炭找到了，石炭找到了！"

原来，赵通判与马户曹等人四处寻访、勘察地形。前几日寻到徐州西南白土镇，白土镇因有白土而得名。白土之下，常见有炭苗。几十年前，有个严大户修坟时挖出些黑乎乎的东西，严老爷说风水不好，就改了地方。潘大从小生活在白土镇，所以还依稀记得严大户当年修坟挖出黑炭的地方。赵、马二人在他指引下，寻到大体位置，带着衙役们组织民夫打井探查。挖了近十口井，最终挖出了黑炭。赵通判组织衙役、民夫继续开挖，马户曹便带着挖出的黑炭赶来报告苏轼。

苏轼听了马户曹的报告，又惊又喜向天一揖，说："苍天保佑！"马户曹从口袋中拿出几块黑得发亮的石炭轻轻放在桌子上。苏轼拿起端详，连声称赞，接着问马户曹有没有试烧过。马户曹一愣，他们挖出黑炭激动不已，还没有想到这一节。苏轼忙走向厨房，边走边喊采莲表姑，让她快生火，以便烧石炭，看看是否着火。

片刻之间，采莲便在厨房生起火来，她拉着风箱，苏轼亲自添柴。王巩、秦观、马户曹和得到讯息的王闰之等人都挤进厨房，都想看个究竟。柴火越来越旺，苏轼将黑炭放入火中，只见那黑炭缓缓燃起火光，迅速通体着火，火苗"扑扑"直响。苏轼将黑色石炭从炉中取出，仔细验视后，认为燃烧后的情形也符合书中所载，高兴地点头肯定这就是石炭。众人听了，一片欢呼。

徐州百姓的过冬燃料短缺问题就此解决。后来徐州还利用这石炭锻造出了锋利坚韧的兵器。为此苏轼专门写《石炭（并引）》诗纪念。

开封的春天，李定官邸门前贴着金黄的双喜字，整条街张灯结彩，喜气洋洋。马车、牛车、轿子纷纷而至，送礼道贺的人络绎不绝……

王诜骑着白马醉醺醺地路过此地，眼也懒得睁开，见如此热闹，便问李府门人这是谁家在办喜事。门人回答说："驸马爷，这是我家李定大人，双喜临门。"王诜疑问这双喜是哪双喜，门人接着回答说："是啊，我家大人荣升御史中丞，小姐又嫁给了蔡确大人的公子，这不是双喜临门吗？"王诜看着门上的"囍"字，点头念说："从下往上古古吉吉，从上往下吉吉古古，从右向左吉古吉古，从左向右古古吉古，是双喜。"

门人听不出王诜语含讽刺，热情地请王诜进府喝酒。王诜看着身边走过的官员抱着大包小包，撇撇嘴，回答说："你家大人的酒就那么好喝吗？得送礼？"门人很是尴尬，强作笑容，说王诜是当今圣上的妹夫，来此喝酒，是我家大人的荣耀。言下之意是不送礼也没什么。王诜却并不理会，说："酒不能白喝，我回府上差人送幅画来。"言毕，打马而去，轻轻嘟囔道："蔡确、李定，真是鱼找鱼虾找虾，乌龟王八是一家。"

那门人只听到王诜说送画来，登时受宠若惊，喃喃自语地说："哎哟，我家大人的面子可真大，这驸马爷的画可是不轻易送人的。"看着纷纷而来的客人，他"哼"了一声，"大人可是御史中丞，说弹劾谁就弹劾谁，驸马爷也得掂量掂量。"

是日晚，李定会客厅内，张璪、舒亶等人正与李定围坐一桌，桌上山珍海味、佳肴美酒，热气腾腾，李定等都欢喜异常，纷纷举杯对酌。突然，门人手持一画轴进来禀告王驸马差人送画，庆贺老爷双喜临门。王驸马向来与苏轼、欧阳修等人交好，从来都是以很鄙夷的眼光看李定，此时送画，让李定心中非常疑惑。他喃喃自语地说："这太阳如何从西边出来了？"张璪说将画挂起来看看，其意自明。舒亶脸色凝重，认为这里面一定有鬼。李定命令仆人将画挂起，只见画上画了一个巨大的屁股，有牛头鬼拉犁，马面鬼扶犁扬鞭，另一端有一夫人在举手打一童子屁股。李定顿时大怒，举起茶杯砸向画心……

春日迟迟，苏轼正与王巩、秦观在客厅内闲谈。采莲急忙进来，禀告参寥大师和佛印和尚来了。苏轼立即站起，未及询问，一个胖大的、很像武僧的和尚跟在采莲后面健步进来，向苏轼抱怨说："好不公平，参寥称大师，佛印称和尚！"

苏轼双手合十，说："阿弥陀佛。大师是空，和尚亦是空，万法平等，有何不公平！"不想佛印坚决摇头，说："不行，不行！我不管哪是色，哪是空，今日一定让你苏子瞻叫我一声'大师'，要不我的脸面就丢尽了。"

苏轼一笑，问佛印说："出家人要脸干什么？"

佛印两眼一瞪，说："不要脸要什么？"

苏轼立刻回答说："要佛！"

佛印反问说："佛无脸吗？"

苏轼说："无脸！"

佛印略微沉吟，又反问苏轼说："既然无脸，何来'佛面刮金'一说？"

苏轼笑着点头说："是啊！佛面上的金都被尔等刮走了，佛哪里还有脸！"佛印一时语塞，无言反驳苏轼。

这时，参寥走进客厅，双手合十对苏轼说："阿弥陀佛。佛以大圆觉，充满河沙界。我以颠倒相，出没生死中。这是特地给你捎来的经卷！"

苏轼双手合十还礼说："阿弥陀佛。看看人家，这才是大师，为佛面增光！"佛印无奈地说："好了，看在参寥兄的面子上，今日不和你争了。"

苏轼请佛印、参寥两人坐下，极道思念之情，并问起他二人怎么一起来了。原来，参寥自凤翔一别，久未见苏轼，得知苏轼任职徐州，便赶往此地。路上遇见佛印，佛印听说苏轼在徐州抗洪，又找到了石炭，不仅使徐州一冬温暖，还输往河北等地，冶出了好钢，就缠着参寥一起来访苏轼。

说明缘由后，参寥感叹地说："子瞻兄如今可是无人不知，无人不晓了！"佛印立刻接口问参寥："难道子瞻过去就没有人知晓吗？"

听着佛印又要挑起言语之辩，苏轼忙说："好了，好了。"接着为参寥、佛印和王巩、秦观相互引见。互道景仰之后，佛印对王巩和秦观说："佛家不打诳语，久仰参寥大师是真，久仰我佛印是假。"众人微笑，王巩回答说："大师机变百出，辩才无碍，子瞻常常提及，所以久仰佛印大师也是真。"

佛印立刻大感兴趣地问："那子瞻说是我赢得多，还是他赢得多？"王巩不假思索地回答："自然是子瞻赢得多！"

佛印大感失望，眼珠一转说："那我也久仰王大人。"王巩疑惑地问他景仰什么，佛印笑着回答说："久仰你携妾邀游，遍尝风情；久仰你鄙弃肮脏官场，迷恋温柔之乡……"

不等佛印说完，参寥插口说："差矣，差矣，那岂是我们出家人可羡慕的！少游先生词章华美，才真是让我等久仰。"不料，佛印大摇其头，说："差矣，差矣，少游之词，儿女情长，我们出家人岂可仰之！"参寥一时语塞，无法回答，无奈地摇摇头。众人大乐。

苏轼向众人致歉，说自己明日要到城东乡下去劝农，只好委屈大家一日，待他回来，再向大家赔罪。王巩却说他来了数月了，都快闷死了，要求和苏轼一起去。苏轼奇怪他有三位夫人陪着，居然还闷。王巩摇头说："子瞻兄差矣，若是有夫人陪着就不闷，我们就待在汴京，不来徐州了。"恰好盼盼、英英、卿卿走进来，听到了王巩的话，盼盼说："你闷，我们难道就不闷，三个女人守着一个男人，有什么意思！"

苏轼笑着说："哈哈，好，定国兄，听见了吧，人家嫌弃你呢！"王巩无奈地说自己已经习惯了。众人为之一笑。盼盼、英英、卿卿也向苏轼要求和他一起去劝农。苏轼大为诧异，说："你们劝农？你们要是去了，百姓也就不用耕地了！"英英疑惑地问那干什么，苏轼笑着回答说："但坐观罗敷啊！"众人听了大笑。

卿卿微微一笑，说："大人太夸奖我们了，我们哪有罗敷之美啊！"英英邀请旁边的王闰之一起去，感受一下那乡野之趣，岂不乐哉。王闰之微笑着说："我可不敢和三位妹妹相比，一同出去岂不羞死我家先生。"

这时，佛印说："哎，我说，总没有看和尚的吧，我与参寥可以去！"秦观接口说："要是你俩走在路上，路人避之唯恐不及，可要是去劝农，就不同了。"佛印问他为什么不同，秦观接着说："你想啊，两个和尚和三个美女在一起，谁人不看？！"盼盼柳眉一横，气呼呼地说："秦先生一肚子坏水！"盼盼、英英、卿卿三人追打秦观。秦观围着苏轼转圈躲闪，哀求说："无心之过，饶了小弟，饶了小弟。"

苏轼高兴地朗声说："好，大家别吵了。今儿天气正好，大家想去就去，什么和尚道士、才子美女，要去都去！兴我苏某到乡下看看风景，就不兴乡下人看看我苏某的风景？都去都去，也好装点一下这太平盛世！"

第二天，风和日丽，春意盎然。苏轼、秦观骑马，参寥、佛印徒步，两辆马车尾随其后。两衙役在前面鸣锣开道，高喊："苏太守出城劝农喽……"街市上立刻轰动起来，众人拥挤，指指点点，笑着说："好个太守！""好个风流太守！""不，是文章太守！""你知道什么，文章就是风流！""谁说的？我看你家先生，就只会风流，不会写文章！哈哈！"儿童们尾随戏耍。苏轼一行陆续出城，向东而去。

徐州位于南北相交之处，四季分明，光照、雨水充足，而且夏无酷暑，冬无严寒。此时树木繁茂，山岗葱茏，兼之河流纵横、湖泊星罗棋布，风景优美。苏轼一行人行走在徐州城东村野中，远望湖光山色。

衙役敲锣，锣声镗镗，村民们聚集于路旁观看，热闹非凡。苏轼见衙役只敲锣，不会说唱，索性自己下马，拿过锣来，边敲边喊："多栽桑，多植麻，多点豆，多种瓜。栽桑植麻有衣穿，点豆种瓜饥不怕。春天种，秋天收，冬天藏，夏天晾。春种秋收家兴旺，冬藏夏晾备饥荒。"围观的百姓纷纷叫好。

一老者上前说："大人唱得真好，请问大人是……"衙役告诉他这就是太守苏大人，老者听了忙下跪施礼，苏轼急忙扶起，连说使不得。老者坚持着叩完头后站起，两眼含泪，动情地说："怎么使不得？你救了徐州城，又送来了石炭，你是天上的菩萨啊！"

苏轼往后一指参寥、佛印，笑着说："老人家，菩萨不是我，在后边啊！"老人稍一迟疑，也笑着说："哎呀，太守，不要骗小老儿了。这菩萨啊，不一定都光头，光头的啊，不一定是菩萨啊！"佛印听了，大赞老人家说得好。

得到讯息的村民携带酒食，蜂拥而至。一些胆大的村民拥挤着争相递酒食。胆小的村民挤在篱笆后面观看，原来王闰之、朝云和王巩三妾都一同跟随，此时揭开车帘，赏玩田野风光，引得村民们争相观看车中貌美女子。

佛印和参寥将一包包的种子分发给乡亲们，苏轼将一包种子递给一老者后，大声说："乡亲们，官府的人不能扰民，我们自己带着饭食呢！"村民们纷纷说："大人太见外了。""要不是大人，我们都饿死、冻死了。"

苏轼抱拳说："多谢诸位，真的不用。再说，我们还得往前走呢！"一个村姑壮着胆子请苏轼在村里住些日子，众人轰然大笑。一位老婆婆讽刺她说："你想得美，你想招女婿啊！"众人哄笑。苏轼指着秦观，向老婆婆说："老人家，我这里有个学生，他要是愿意啊，就招到你们村吧！"秦观"哎呀"一声就向后跑，引得姑娘们大笑。

另一名村姑大起胆子问苏轼能不能看看太守夫人，苏轼"呵呵"一笑，说："哈哈，看吧，看吧！"村妇们挤到第一辆马车旁喊说道："苏夫人，我们扶你下车！"不料，王巩从马车内走出来，纠正她们说："什么苏夫人，这里是我的夫人！"村妇们纷纷表示不信，王巩反问此事哪能骗人。佛印哈哈大笑，对王巩说："哈哈，王兄，人家说你配不上这三位夫人！"村妇们一起点头称是。盼盼、英英、卿卿相继下车。村妇们见到三人貌美如花，赞叹说："啧啧，俺长这么大头回见啊！""俺的亲娘啊，画上的人儿也不及啊！""别说你亲娘，就是你亲奶奶也没有见过啊！"

一个村姑指着盼盼三人问王巩："她们真是你夫人？"王巩点头称是，那村姑又指着王巩问盼盼、英英、卿卿三人："真的吗？"盼盼、英英、卿卿点头说："真的！"那村姑摇头叹息说："可惜了，可惜了。"王巩不明白，问她什么可惜了，那村姑回答说："她们和你配成夫妻可惜了。"王巩一听，心中生气，便问她觉得盼盼三人和谁配才不可惜？那村姑不假思索地向秦观一指，也不说话。众人放声大笑，王巩大窘，跺脚甩手，大叫："待不得了，待不得了！子瞻兄，快走，快走！"

这时王闰之与朝云款款下车，村姑们发出一片惊叹声，纷纷说比刚才那三位大美人还美。

苏轼想还要到别的村子劝农，而且百姓们这时节在田里都有农活，也不能耽搁太长时间，便劝众乡亲回去，赶快去田间忙活，嘱咐大家一年之计在于春，千万不要误了农田。乡亲们齐声感谢苏轼，送走苏轼一行人。

苏轼一行人继续行走，锣声咣咣，衙役们说唱着。佛印打趣秦观说："少游兄今日应是最为高兴！"秦观不明缘由，问他为何有此一说，佛印笑着说："三位美人被村姑一齐配给了你，岂能不高兴！"见王巩生气不止，秦观笑着感叹说："真是好汉无好妻，懒汉配花枝啊！"王巩反驳说："呸，你才是懒汉呢。我看你是比目鸳鸯真可羡，双来双去君不见，喔，是四来四去君不见。"苏轼接口对秦观说："少游莫慌，你不是说'金风玉露一相逢，便胜却人间无数'嘛，定有佳人相待！"

日暮时分，苏轼一行回到家中，却发现赵通判和一名官吏在客厅焦急地等候。苏轼将二人请进书房，问二人有何要事。原来这官吏是徐州递铺掌事，受赵通判之托监察来往信件。苏轼听了惊讶地看着赵通判。赵通判接着说他得知朝廷中有人搜集苏轼的诗文，所以私下让人留意。

那递铺掌事说："近一年有一人总是以私人书信附在官文上步递，一直疑惑，和赵通判说了后，赵通判认为是有人意图对大人您不利，让下官注意这些可疑信件。昨日下官以资费不足为由扣下了一封书信，拆开一看，果然是大人的诗文。"说完，呈上信札。

苏轼看完信札及其中所附的自己的诗文、行动、言论等，略微沉思，问收信人是谁。递铺掌事将信封递上，赵通判在旁边看到信封上的名字，登时一惊，大声说："李定！你注意过没有，此人的书信都是寄给李定的吗？"递铺掌事迟疑片刻，说递件太多，记不清楚了，不过有好几封是寄给李定的……

四十一　乌台诗案

乌云笼罩下的皇宫显得了无生气。崇政殿内，神宗临朝，吴充、王珪各领一班大臣列于殿内。神宗向众位大臣询问参知政事的适宜人选，王珪出班推荐蔡确。宰相吴充则出班奏说："陛下，徐州太守苏轼任期将满，臣以为苏轼最为合适。苏轼自知密州、徐州以来，政绩昭然，天下共知，若不重用，官员们必重门路而轻政绩，天下人必以为朝廷任人唯贤仅口头而已。"

王珪不悦，暗暗向李定使了一个眼色。李定会意，急忙出班奏道："陛下，苏轼居功自傲，吟诗作文有狂悖之言，朝廷应当予以治罪。"神宗却认为苏轼历来爱写诗文，难免偶有思虑不周之处，不足为怪。

李定将早就藏在袖中的苏轼诗卷呈递出来说："微臣有诗为证。苏轼在徐州作《石炭行》一诗，请陛下御览。"神宗心中疑惑，亲自读那诗卷。只见诗前有序言云："彭城旧无石炭，元丰元年十二月，始遣人访获于州之西南白土镇之北，冶铁作兵，犀利胜常云。"全诗为："君不见前年雨雪行人断，城中居民风裂骭。湿薪半束抱衾裯，日暮敲门无处换。岂料山中有遗宝，磊落如磐万车炭。流膏迸液无人知，阵阵腥风自吹散。根苗一发浩无际，万人鼓舞千人看。投泥泼水愈光明，烁玉流金见精悍。南山栗林渐可息，北山顽矿何劳锻。为君铸作百炼刀，要斩长鲸为万段。"神宗看完苏轼的诗作，凝神沉思。

李定接着说："陛下，苏轼这首诗分明在说朝廷是奸邪之窟，说自己是古代的正直遗民，要以徐州之炭，铸成利剑，斫杀朝廷的奸邪之人。"

听到李定如此危言耸听，众大臣大为吃惊，交头接耳，议论纷纷。宰相吴充大怒，戟指而骂："李定，你如此解诗，分明是要陷皇上于不义，陷朝廷于不义！你深文周纳，罗织构陷，你才是大宋的奸臣，你和蔡确分明就是则天武后朝的周兴、来俊臣！"

吴充所言正触到自负而敏感的神宗的痛处，他烦躁地站起，趋走于龙案之后。蔡确察言观色，立刻添油加醋地说："吴充是王安石的亲家，他早对王安石去相不满。这是发泄私愤！"

吴充是公事公论，见蔡确反倒将私事搅浑进来，气得直发抖："蔡确小儿，你……你……和李定以害人起家，难道你……你要害尽天下忠臣！"李定和蔡确心中得意，但表面上还装作无辜，苦求皇上为他们做主。

王珪不动声色，仿佛事不关己一般，静静站在一旁不说话。蔡确跪下恳求道："陛下，臣奉命审理赵世居谋反一案，只知忠于皇上，忠于大宋，不知陷害忠臣！臣可是一片忠心啊！

神宗再也忍耐不住，突然一拍龙案，大声说："好了，忠奸朕自明白，吴充不得妄言！"言下之意显然偏向蔡确，吴充愤懑难当，终于气得倒在朝堂之上，浑身抽搐。

众人大惊，神宗挥挥手，命人抬去太医院。百官心中有的吃惊，有的哀叹，有的愤恨，但都不敢多说一句话。王珪向张璪使了个眼色，张璪会意，出班奏道："陛下，现已查实，苏轼擅自挪用修筑城墙的朝廷拨款挖掘石炭！"因为严冬时节，天寒地冻，修筑城墙的工程无法进行，而徐州百姓又急需取暖的石炭，苏轼便将修筑城墙的朝廷拨款暂时用来雇用劳力挖掘石炭，之后用出售石炭所得之资及时还补朝廷拨款。神宗知道上述情况，觉得苏轼挪用之罪不必追究。张璪也承认苏轼及时还补款项，但坚称苏轼的行为终究是未经朝廷允许，实属私自挪用，仍请神宗治苏轼之罪。

德高望重的吴充气倒在朝堂之上，神宗心中有些愧疚，对李定、蔡确也有些不满，听到张璪坚决请治苏轼之罪，烦躁不已地说："好了，好了，蔡确任参知政事，就让苏轼到湖州任知州吧！"

王珪不发一言就达到了阻止苏轼进京的目的，还使吴充惹恼了圣上，心中暗喜，急忙俯首遵旨，回翰林院起草苏轼调任的诏书去了。

王珪办完事刚出翰林院门，就看见王诜兴高采烈地从殿内走出，腋下夹着几本诗集。王珪忙上前施礼，问王驸马何事如此高兴。王诜晃着手中的诗集，说这是他给苏子瞻出的诗集。王珪听了，登时两眼一亮，请求王诜送他一本。

王诜知道王珪一直看不惯苏轼，对苏轼官职升迁百般阻挠。他上下打量着王珪，狐疑地说："你历来对子瞻没有好感，要他的诗集做什么？"王珪眯着小眼睛，呵呵一笑，说："此话从何说起，论起渊源，子瞻科考之时，我还是考官之一呢，按说我与子瞻也有师生之缘吧。"王诜见王珪一脸诚恳，便答应送他一本，接着带讽刺意味地说："毕竟是当朝的宰相嘛！该读一读我大宋第一才子的大作呢！"王珪急忙点头称是。

王珪拿着《苏轼诗集》欢喜地回到家，立刻命下人去请张璪，自己在书房翻看起来。夜幕降临，王珪看罢《苏轼诗集》，长舒一口气，郑重其事地将诗集轻轻放在桌上。他的脸上浮现出一丝诡秘的笑容，又吩咐管家拿酒上来。管家端酒进来，心中纳闷儿，老爷极重养生，晚上一般不饮酒的。今日为何要破例饮酒呢？王珪端起一杯酒，细细地闻了酒香，一饮而尽，还咂咂嘴，仿佛别有滋味，吟诵道："好。'五花马，千金裘，呼儿将出换美酒，与尔同销万古愁'。这种时候该饮酒。茶，太淡了。"

这时，仆人来报张璪来了。王珪命人请他进来，张璪进来施礼罢，忙问道："恩公，这么晚找学生来，所为何事？"王珪叫声"邃明"，便扶桌欲起，张璪急忙上前扶住。王珪坚持起身，将诗集交到张璪手里，郑重其事地说："速将此诗集交给李定，一定要细细验看！"

张璪施礼说："恩师尽管放心，学生这就去办！"说完，转身欲走。王珪叫住他，叮咛说："成败在此一举，不可疏忽。"张璪深深点头，转身离去，消失在茫茫夜色中……

深夜的谏院内，灯烛通明。张璪和李定、舒亶等人彻夜翻看苏轼的诗集，一边检查，一边用朱笔勾画，不时议论。窗纸上人影幢幢，让人不寒而栗。

第二天早朝，李定首先向神宗禀奏说："陛下，新任湖州知州苏轼，在谢表中嘲弄朝廷，妄自尊大，目无人主。他在谢表中称变法者为'新进'，大有不屑之意，看得出他仍对变法耿耿于怀。言外之意，执新政美法者皆年幼无知之辈，惹事生非之徒。苏轼妄称自己能牧养小民，其寓意是新法美政不能养民，语锋直指陛下。苏轼每遇水灾干旱，必散布谣言，归咎于新法美度。因其善以诗讽刺时政，在民间流传甚广，影响极坏，若听之任之，必酿大祸。臣伏望陛下念新美法度来之不易，痛割仁爱之心，将其依法治罪。"神宗略皱眉头，说："谢表乃官场例文，不必过于当真。"

御史舒亶接着出班，从袖中掏出《苏轼诗集》奏道："陛下，此乃苏轼诗集与微臣奏劄，请陛下御览。"神宗命张茂则呈上来。舒亶掏出奏章，拿腔拿调地说："陛下，臣见苏轼知湖州近谢上表，有讥讽时事之言。流俗争相传诵，忠义之士无不愤慨。自新法颁行以来，异论之人固为不少，然包藏祸心，怨望其上，举天下只有苏轼一人而已。所言无一不讥谤圣上。陛下推行《青苗贷款》，意在接济农民，振兴农桑。然而苏轼却说，'赢得儿童语音好，一年强半在城中'，意思是说农民们老老小小都跑到城里去借青苗钱，却在城里胡乱花掉，其结果只是使孩子们学会了一点城里口音，耕作务农全都荒废了。这不是诽谤新法又是什么？陛下行仁德之政，可谓尧舜之心矣，昭若天日，而苏轼以偶得之虚名，无用黄老之学，不思圣恩，讥讽朝政。伏望陛下诏有司论苏轼大不敬罪，以儆天下为人臣子者。"

章惇没好气地斜了舒亶一眼，不想张璪出班奏说他也要参劾苏轼，章惇为之一怔。他们与苏轼同举进士，一同为官，想不到他竟落井下石。自从攀附了王珪，连同年之谊都抛诸脑后了。神宗翻看了《苏轼诗集》，有些生气地将诗集合上，让张璪奏来。张璪说："微臣在谏院接到一份检举劄子。劄子中称，苏轼在湖州上任时途经灵壁镇，被邀游览张氏艺园，苏轼为此作了一篇记文。其中云'古之君子，不必仕，不必不仕；必仕则忘其身，必不仕则忘其君'。我主乃盛世明君，而苏轼分明教天下之人，无进取之心。微臣以为，天下之人，无论仕与不仕，皆不能忘其君父，而独苏轼有'必不仕则忘其君父'之意，此乃废为人臣之道也！"

自负而敏感的神宗登时怒容满面。章惇见状，赶紧出班说："陛下，苏轼之意是说要行老庄之道，凡事不可强力而致。知谏院张璪不学无术，歪曲苏轼原意，居心甚为叵测！"

张璪在众多同年当中，本就是举业不精。进入仕途之后一心想着升官，每见苏轼、章惇底气就泄了三分，这会儿被章惇骂得无语反驳，只得低下头去。李定见机也进言道："苏轼有四罪当废——目无人主，暗讽君主，是为不忠，此其一也；造谣惑众，动摇民心，扰乱天下，臣德丧尽，此其二也；攻击新法美度，诽谤时政，此其三也；好大喜功，借天灾之机，为己树碑立传，贪天功而为己有，有不臣之心，此其四也。臣伏望陛下圣裁。"四条罪状以第四条最为严重，将苏轼刻碑纪念说成谋逆之举！李定如此蛇蝎心肠，使众臣都惊呆了，一时都面面相觑，不知所措。

神宗目视左右，见无人再言，心中更不耐烦。他读过苏轼不少诗文，也听过太后对苏轼的夸赞，本不信他会有不臣之心，只是愤恨苏轼的文人做派。新法是自己一生的心血，需要的是朝臣团结一心，怎能容他吟诗作文搅乱读书人的心思？李定等人不免夹杂私心，但还得驾驭他们为新法施行继续出力。想到这，神宗点头道："也好，就召苏轼进京，审理清楚吧！"

章惇大惊，急忙说此事并无实据，劝神宗慎重为宜。驸马王诜也出班说："陛下，台谏异口同声，共参苏轼，虽有慷慨之言，但理不能服天下。诗讽朝政，古来如此，未闻以诗文治罪者，若以此治罪诗人，我大宋必开文字狱之先河。况诗中所指，并非捏造，皆为事实。台谏之言，表为忠君，实为阻塞言路，打击切直忠臣。臣伏望陛下明辨是非，莫上奸佞之臣危言耸听之当。"

王诜的话引起大臣一阵骚动，但显然激怒了神宗，更何况神宗的妹妹西蜀公主对自己这个驸马颇有微词，神宗对他一直心存不满。神宗怒容满面，高声地说："你给我站回去。如何处置，朕自有数。"接着喝命专使押苏轼进京查问。

这时，王珪不失时机地出班表奏，建议苏轼诗案一事，交知谏院张璪和御史中丞李定二人主持审理。神宗点头答应，便命退朝。王诜还要申辩，张茂则已催着众官退朝了。王诜只好失望地回到家中，直为苏轼的境况担忧。

王诜回到驸马府，神情落寞。一个人躲进画室，看到桌案上的笔墨纸砚，心中气愤，上前把桌案掀翻，摔得"哗哗"作响，接着大骂道："小人当道，忠良受害，天地不容！"西蜀公主闻声而至，急忙询问他为何如此动怒。王诜便把朝堂上李定等人以苏轼作诗诽谤新法之事说了一遍，西蜀公主感叹道："真是小人当道，吟诗也能牵出罪过来！"王诜叹气道："欲加之罪，何患无辞！这回连圣上都下旨押子瞻进京，恐怕凶多吉少啊！"

西蜀公主担心地说："本宫知道，是驸马为苏轼刻印诗集，恐怕也会牵连进去的。"王诜一拍脑门，懊恼不迭地说："王珪老贼！可恶至极，怪不得他跟我要子瞻的诗集，原来是暗中要诬陷于他！公主啊，你去向太后求求情，救救子瞻这一难吧！"

公主本意是为王诜担心，想不到他只想到苏轼的安危，对自己却浑然不顾，不禁又懊恼又觉好笑，端着架子故意撒娇说："驸马也知求本宫了，你不是说永不求我吗？"王诜无奈地施礼说："公主大仁大义，请见谅吧！眼下救人要紧。"公主不依不饶，旋即哀怨地说："本宫帮了你，你就对本宫言听计从；事情一过，依然如故，冷落本宫。"王诜听了，立刻说："天地良心，为夫岂能如此无状"言毕，跪于地上，说："公主，为夫求你了，救救子瞻吧！"说完，王诜泪水滚滚而下。

西蜀公主为之一惊，忙上前相扶，说："驸马请起，你为朋友肝脑涂地，为妻又怎能坐视不管呢？况且国之忠臣。本宫这就去求母后。"

此时，御史台大院中的几棵古松上，一群乌鸦在嘶叫着。树下的李定、舒亶焦躁地来回踱步。原来，他们找了很多人，要他们去湖州逮捕苏轼，却没有一个人愿意去。这时，脸皮蜡黄、络腮胡浓密的皇甫遵进来施礼说："殿前诸班都虞侯皇甫遵见过李大人、舒大人。"李定欢喜地说："不敢，不敢。你可是皇亲国戚啊！皇甫兄大驾光临，不知有何见教？"皇甫遵笑着反问："大人，下官之意，难道大人不知？"李定、舒亶登时会意，拱手道："那就有劳皇甫兄走一趟，路上可要好好照应苏大人！"皇甫遵会心一笑。

王诜忽然想起还要将这消息尽快告诉苏轼，便立即差人去打探李定究竟派何人做押解官。仆人回报说是太皇太后的远房表侄——都虞侯皇甫遵。王诜知道他是个势利小人，恐怕途中会对苏轼不利。王诜心中惊慌，急忙写了一封密信，告知在南京当通判的苏辙火速通知苏轼朝中动向，令仆人连夜去送信，仆人迟疑地说："大人，按大宋律法，这样通风报信是重罪，要不要……"王诜瞪了他一眼，喝道："怕什么！出了事有老爷我担着。赶紧去南京！"仆人不敢多言，飞马赶去南京。

西蜀公主慌慌张张地奔进怡养殿，边走边喊："母后！"高太后正在看书，见女儿神色惊慌，以为女儿和驸马又吵架了，前来告状。公主摇头否认，接着说："母亲，驸马为苏轼出了诗集，台谏们以苏轼讥讽新政为名弹劾苏轼。皇兄一怒之下，要以诗案治苏轼的罪。"高太后吃惊地说："竟有这等事?！"说完，又起身喃喃自语地说："苏轼乃国之名士，自杭州、密州、徐州任职以来，政绩不凡。天下读书人也无不视其为文坛泰斗，如何忽然又以诗治罪呢？况且，这些诗已过去数年，分明有小人要谗害忠良。"

西蜀公主忙点头称是，并说情势十万火急，请太后快救救苏轼。高太后得知苏轼并没有革职，只是召还京城问话，心中稍稍安定，缓缓说道："嗯。莫急，此时你皇兄正在气头上，不宜去找他。况且，祖宗有制，后宫不得干预朝政，待事情水落石出，哀家自有主张。"西蜀公主无奈地点头答应……

元丰二年（1079）三月，苏轼改知湖州，接到调任的圣旨，辞别远送出城的徐州官员和百姓，带着一家人南下，于四月抵达湖州。

湖州南接杭州，北濒太湖，是一座具有两千多年历史的江南古城。战国时楚国春申君徙封于此，筑城置县，因其泽多菰草故名菰城县。隋置州治，以滨太湖而名湖州，湖州之名从此始。苏轼通判杭州，曾因公事多次来往湖州，这回也算是重回故地了。湖州官员、百姓听闻保全徐州城的大宋第一才子——苏轼来任湖州太守，兴奋不已，纷纷出城迎接，令苏轼一家感动不已。

苏轼一家在府衙安顿停当，趁着天晴，便与采莲在院内晾画。突然一个青年衙役快步走了进来，正是苏辙手下的差官李福。他慌慌张张地进来要找苏轼，采莲忙将他领进来。李福向苏轼施礼道："大人，小的奉南京苏大人之命，来给大人送信。"说着从怀里掏出一封信来。苏轼笑着对采莲说："是子由送信来，不知有何事。"展信读罢，不由得脸色大变。

李福担忧地说："苏大人，我们家通判大人说了，李定在朝堂上弹劾大人，圣上大怒，要遣专使前来拿问。据说，驸马爷为大人出了诗集，那伙人发现后，说您有以诗讥谤新政之罪。您写的一篇什么灵壁……"

苏轼一下就知道其中原委，知道这祸是躲不过了，接口道："是《灵壁张氏园亭记》。"李福点头说："对对对，就这篇文章，说是也有谤君之罪。通判大人令小的转告太守，速想办法。"

采莲一听，慌得直叫："这可如何是好?!"苏轼皱着眉头，示意家人不必惊慌，坦然说道："天下有大勇者，猝然临之而不惊，无故加之而不怒，岂能躲避求全。况且，我并无罪，只是说了几句实话。若说实话也有罪，那苏某苟活于世还有何意义，不如与屈原一样投江算了！告诉子由，让他放宽心即是。"李福点头答应，心中对苏轼的坦然既惊奇又佩服，转身回南京复命去了。

王闰之得知朝廷要来抓人，急得大哭："叫你不要作诗议论朝政，眼下祸从天降，可怎么得了？"苏轼安慰道："子由信中说，只是回京接受询问，并未罢官问罪，不会有事的。再说我坐得直，行得正，问心无愧，有何惧哉！"闰之当即无话。

第二天，苏轼着官服坐于湖州府衙大堂之上，衙役侍立，静静等着差官到来。忽然闯进来五人，手执刀剑，杀气腾腾地围在府衙门口。皇甫遵身穿官袍，手持笏板，其两旁差人青衣黑巾，刀剑在腰，到堂下站定。苏轼神情自若，下堂来到皇甫遵前，施礼说："苏某自知得罪朝廷，请让苏某与家人告别。"皇甫遵瞥了苏轼一眼，冷冷地说："还不至于如此。御史台有令，押解大人进京问案。"苏轼淡淡笑道："你还叫我大人？就是说朝廷尚未削夺我的官职？"

皇甫遵尴尬地点头承认，旋即摆手，四个随从迅速来绑苏轼。湖州府衙役大喝一声："谁敢！"未等四人动手，已将他们镇住，把皇甫遵也吓得后退了几步，大喊道："怎么？要拒捕抗命吗？"苏轼喝命衙役退下，四个差人仍上前欲绑苏轼。苏轼凛然说："我尚是朝廷命官，岂可随便缉拿？"皇甫遵冷笑说："我只知御史台有令，羁押进京，不问其他。拿下！"差人见苏轼镇定自若，一时迟疑不定。

苏轼淡淡一笑，说："无非是蔡确、李定兴风作浪罢了！谅你们也不敢置老夫于死地！"皇甫遵一愣，再次喝命差人拿下苏轼。差人们只好上前，低声说："大人，公务在身，我们也是无法。得罪了。"说完，将苏轼五花大绑起来，乌纱帽也坠落于地。然后他们如同捆缚鸡犬般地推搡着苏轼出了公堂。

湖州府衙外，闻讯赶来的官员、衙役、百姓哭跪于地上，纷纷为苏轼告饶求情。有许多年轻百姓团团围住皇甫遵和差役，大声质问苏太守所犯何罪，更有的百姓直接呵骂他们为狗官、狗腿子等。皇甫遵见状大惊，壮着胆子喝道："刁民！违抗圣旨，罪加一等，让开！"

苏轼心中万分感动，大声说："各位同人，父老乡亲，朝廷无非是叫我进京问话，你们不要担心，万不可冲撞专使。"不料，有百姓立刻高声质问道："问话还绑人？哪有绑人问话的？打死这帮奸贼。"一时群情激愤。众人听到此言，纷纷响应，层层叠叠地拥上来。皇甫遵和差人们登时惊慌失措。

苏轼见情况危急，立刻以身挡住差人和皇甫遵，高声说："乡亲们，千万不要这样，打了官差，我无罪也是有罪了！"众人一惊，渐渐停止大闹，都哭道："苍天啊，哪里还有天理啊！""苏大人是好人哪，菩萨啊！怎么不显灵啊！""断子绝孙的奸贼啊，早晚要遭报应！"皇甫遵乘机催促差人："快走，快走！"他们缩头缩尾、胆战心惊地押着苏轼向苏家走去。

王闰之在家又惊又怕，慌慌张张地跑到苏轼书房，将苏轼诗文稿件全都收拢起来，抱到厨房，一边撕一边扔进火盆，哭泣着说："让你写，让你写，告诉你祸从口出，你就是不听。"朝云大惊，急忙劝阻："夫人，这些可都是先生的心血啊。再说这事情不怨先生。"王闰之瞪了朝云一眼："哼，当初小莲姐在的时候，就处处护着先生！他不写诗，朝廷会来捉他吗？"朝云吓得不敢呓声，但看着苏轼的诗文都烧掉了，眼泪直往下掉。苏迈壮着胆子劝说："母亲，事已至此，也无可挽回了。烧了父亲会生气的！还是想想父亲到京城该怎么办。"苏迈妻范氏也哭着劝说："婆婆，别烧了，别烧了，这是公公的命根子啊！"夫妻二人边说边从火盆中往外抢那些字纸，王闰之哭着说："命都没有了，还管生不生气！这哪是命根子，这是命中的祸根！"边哭边从苏迈夫妻二人手中抢回字纸，扔进火盆。年纪幼小的苏迨、苏过吓得不知所措，站在一旁不住地哭泣。

这时，五花大绑的苏轼回到家中，见全家人正在喊天哭地，乱作一团，不禁心中痛如刀绞。王闰之见苏轼被绑着回家，扑到他怀中大哭。采莲和朝云都过来扶着她。苏迈拉着苏迨、苏过在一旁抹泪。

苏轼平静地说："都不要哭了，闰之啊，你能否学那杨朴之妻呢？"王闰之停止哭泣，疑惑地抬头看着他。苏轼泰然地讲起了故事："本朝真宗时有一隐士叫杨朴，能作诗，但不愿做官。真宗皇帝就派官兵押他到朝廷，问他是否会作诗。杨朴说不会。又问到临行时可有人赠诗否？他说只有老妻送了一绝'且休落拓贪杯酒，更莫猖狂爱吟诗。今日捉将官里去，这回断送老头皮'。圣上闻后大笑，就把他放回去了。"

王闰之忍俊不禁，破涕为笑。采莲表姑过来哽咽着说："家里有我，你放心，天塌不下来，让迈儿陪你进京，路上好有个照应。"苏轼含着热泪点点头，说："表姑，你老人家要多保重啊，家里就交给你了！"接着嘱咐采莲、王闰之带着家人收拾好行装后，便去南京投奔弟弟苏辙，再看朝廷如何处置。采莲用颤抖的双手抚摸着苏轼身上的捆绳，泪如雨倾，低声说："子瞻，想开些，佛祖会保佑你的。苍天有眼，他会听到老身和百姓们的哭声。"苏轼单腿跪地向采莲施礼，采莲抱着苏轼的头哭了起来，其余人无不擦泪。差人中也有看不过去的，悄悄地把头转向一边。

皇甫遵不耐烦地催促苏轼即刻上路，采莲带着王闰之等跟随着走出门外，一直送到码头。

沿途聚集了闻讯赶来的湖州百姓，他们啼哭不已，跟在苏轼等人的后面，沿路哭送。

这是中国文化史上黑暗的一天，泱泱诗国由此开了写诗获罪的先河。苏轼到任湖州知州仅三个月，就被捆缚前往京城。天忽然下起了瓢泼大雨，浇得人睁不开眼，不知是雨水还是泪水。

　　皇甫遵害怕拖延太久会再生事端，急令差人把苏轼押到官船上，苏迈也跟着上了船。王闰之跪在码头上，失魂落魄，采莲和朝云两边扶着她，在雨中淋得发髻散乱。苏轼见了，心疼地说："回去吧，不会有事的。闰之，只管安心等我回来。"旁边的百姓也都哭送不已。

　　苏轼所乘小船消失在茫茫烟雨中……

四十二　诗　谳

　　苏轼因诗获罪、被缚进京的消息不胫而走，很快传遍中华大地。凤翔、杭州、密州、徐州等地的百姓悲痛不已，纷纷为苏轼烧香祈福；苏轼的师友为之愤怒、伤悲；范镇捶胸顿足悲愤难平；赵抃骑马向京师疾奔；王安石拍案而起，然后提笔书写奏劄；司马光听到报告后掷笔而立；秦少游伏案痛哭；佛印饮酒大怒，乱舞禅杖；参寥在佛前跪地祈祷……

　　三清山上，吴复古对巢谷说："现在是你见子瞻的时候了。记住，不可伤人，否则，子瞻有口难辩！"巢谷点头答应，一身道袍的他飘然下山。

　　傍晚时分，押解船驶入太湖。苏轼被捆绑在一角，苏迈护在父亲身旁，抚摸着父亲身上紧捆的麻绳问疼不疼，苏轼苦笑一声说不疼。苏迈向皇甫遵恳求道："官差大人，我父子关押在船上，飘荡在湖中，反正是跑不掉的，求官差大人给我父亲松绑，让他歇一会儿吧。"皇甫遵冷冷一笑："无知小儿，懂不懂王法？我奉命缉拿苏轼回京问罪，要受的苦还多着呢。这算什么？想要松绑？门儿都没有。"苏迈生气地大声反驳："你们才不懂王法呢！我父亲未被罢职，你们这是虐待朝廷命官。"

　　一个差人过来，扬手就打了苏迈一个耳光，呵斥说："这儿岂有你说话的份儿！"苏迈捂着脸怒目而视，苏轼伤心地对苏迈说："迈儿，不要理睬他们。为父对不起你，从小我舍不得戳你一指头，今日竟随我受此大辱。"苏迈回答道："父亲，不必难过。我就不信没有王法天理。"皇甫遵哼哼冷笑："天理王法？到了御史台跟御史们说去，慢慢享受吧你。"说着将一名差人叫到船头，对他耳语一番。那差人心领神会，连连点头。过了一会儿，差人把饭菜端进舱里，对苏轼父子说："赶紧吃饭，饿死了我们没法交差。"苏轼父子不知情由，坦然吃了下去。

夜幕降临，苏轼与苏迈都吃了带有蒙汗药的菜饭，沉沉昏睡。差人道："这药果然灵验，老爷可以办事了。"皇甫遵奸笑道："王大人钧旨，要我乘便结果了苏轼，眼下太湖中正是办事的好地方。将他们父子二人一起给我扔进湖里喂鱼，到了御史台只推说苏轼自己畏罪寻了短见，跳水自杀，与我们也没什么干系了。哎呀，可惜了这年轻后生了，非要跟着来。也难怪，谁让他是苏轼的儿子！"

差人七手八脚地抬起苏轼到船头，看着黝黑的湖水，心里都发怵。正要抬起来往湖里扔的时候，忽然船头跳上一个黑衣人来，飞起一脚，便把官差踢倒在地。皇甫遵大惊，吓得直往舱里躲，那黑衣人赶上来一把抓住他的肩膀，往后一提，皇甫遵重重地摔在甲板上，嘴里疼得直喊："你……你是何人？胆敢劫持朝廷罪犯。"

黑衣人呵斥说："畜生！你的那些勾当，我看得一清二楚。我给你演示一下什么叫畏罪投湖。"说着一把抓起下蒙汗药的官差，一脚踢下水去。皇甫遵吓得直哆嗦，连喊好汉饶命。

黑衣人厉声喝道："你的一举一动，我都看在眼里。日后去往京城的路上，给我好生招待苏轼父子，若是有半点差池，我也让你畏罪投湖去喂鱼！"皇甫遵连忙叩头听命。黑衣人看着昏睡的苏轼，说："还不把苏轼父子抬回舱去！"皇甫遵啄米似的点头答应，忙叫人来抬。再看时，黑衣人已不见了踪影。浩瀚无际的湖面上，只有半轮残月忽然从云间露出来，发出清冷的光。皇甫遵惊魂甫定，直擦额头上的冷汗。

第二天，皇甫遵的态度出奇得好，不但给苏轼松绑，还好酒好菜地招呼他，差人也都点头哈腰，不敢有半点怠慢。苏轼觉得奇怪，却也不去细问，只管和苏迈在舱中闲话。皇甫遵长吁一口气，走到船头，看到不远处一艘小船缓缓跟随，心中害怕，更加谨细地护送苏轼，一路直到京城。

八月初，苏轼被押进京城，关入御史台监狱。汉代朱博当御史大夫时，因御史台柏树甚多，数以千计的乌鸦栖息其上，便称御史台为"乌台"。苏轼一案因诗而起，故谓之"乌台诗案"。

牢房内苏轼戴着镣铐倚在墙上，头发蓬乱，地上散乱着黄麦穰。苏轼入狱第二天一早，面目狰狞的狱曹何钦带两名狱卒前来。狱卒打开重重的门锁，何钦喊叫："苏轼，出来！该受审了！"苏轼厌恶地瞪了他们一眼，起身提着镣铐走来，何钦连推带搡地说："你快一点，慢慢腾腾的，太守的威风哪儿去了？！"

苏轼怒不可遏："小人得志！"何钦一愣，未料对方会有如此态度，捋着袖子道："哟呵，不服是吧？来到这里的没好人！你给我听着，不管你是什么人，只要来到这里，是龙你得盘着，是虎你得卧着！"

苏轼恼怒至极，大声说："你要再敢动手动脚，侮辱本官，休怪我不客气！"何钦举鞭就打，狱卒梁成忙拦住劝说："狱曹大人，使不得使不得，一旦捅到皇上那里，你就不好办了。因为他现在还是朝廷命官。"

何钦只好放下鞭子，"哼"了一声，阴阳怪气地说："能不能出去还不一定呢！走！"

苏轼被带到大堂，两旁站着衙役。李定、张璪、舒亶坐于大堂正中，旁有一小吏持笔记录。何钦手按苏轼后颈，脚踹苏轼膝腿，喝命："跪下！"苏轼一下子被按倒在地。李定一拍惊堂木，煞有介事且扬扬得意地喝问："下跪何人，报上姓名、年龄、祖籍。"

苏轼见堂上三人，心知他们都是有备而来，意欲整他，立即起身，怒斥道："李定，我官职未削，凭什么给你下跪？苏轼跪天跪地跪父母跪君王，不跪小人，更不跪不孝之人！"

李定暴怒而起，手指苏轼，喝命衙役："给我打！"苏轼傲岸而立，衙役们欲上前动手，张璪立即制止说："慢来慢来。"接着对苏轼说："子瞻，真是十年河东十年河西啊！你我同年，当年你在凤翔任通判，张某在你手下任法曹，未料今天你我如此见面。"

苏轼冷冷一笑，说："这不足为怪。"张璪为之一惊，看着苏轼说："噢？愿闻其详。"苏轼叹一口气，神色萧然："邃明啊邃明，二十年前，你我同在京城击登闻鼓，仿佛还在昨日。"他忽然怒容满面，目光如电，高声道，"可是此后，你张邃明巴结王安石而得小志，后背叛王安石投三旨宰相王珪，变节得志，有何道哉？安石变法，多次邀我，若如尔等，今日不过苏某手下一吏也。"

张璪气得面如土色，"哼"了一声，说："忠君为节，岂能以忠一二臣为节？"苏轼立刻驳斥他说："历来的奸佞之臣皆言忠君，其实多是背师卖友之徒。"

张璪气短，无话可说。李定说："邃明兄，休和他斗嘴，不动重刑，他也不知王法的厉害！"苏轼立刻质问李定："何为王法？李定，按大宋律，言者无罪。苏某写几首诗就问罪，大宋有此法乎？审问未削功名者，岂能像对囚犯一样？尔等目无王法，还扯谈律法，真是滑天下之大稽！"李定登时被问得哑口无言，尴尬至极。

舒亶瞥了李定一眼，立刻接口呵斥苏轼："大胆苏轼！还敢狡辩，你写诗讥讽良法美政，还敢说无罪?！"苏轼立刻反驳道："自《诗经》以来，兴、观、群、怨即成定制，以诗刺政，乃诗之美，何罪之有？你不懂诗，非我之过也。"舒亶瞪着眼睛，手指苏轼："你，大胆……"却发现自己无语辩驳，僵在当场。

红日西沉，御史台监狱审判堂内渐渐昏暗，李定、张璪等人依然在审问苏轼。苏轼慷慨陈词："……文若断章取义，则义无不有罪；诗若断章取理，则理无不有过。无中生有，罗织罪名，构筑诬词，乃尔等台谏之专长也。好了，要杀要剐，请随其便，若再审我，连坐位都没有，苏某概不伺候。"言毕，昂首走出厅堂。

李定等人面面相觑，他恍然说道："嘿，是他审我等，还是我等审他？"张璪意欲给苏轼来个下马威，反倒被他在言辞上占了上风，于是贼眼一转，提议明日再审，必须换个审法。李定问他有何高见，张璪沉着脸，目视远方，低声说："要使苏轼就范，我等须以逸待劳！"舒亶立刻附和说："张大人言之有理，我等轮番审理，昼夜不停，不怕他不服！"李定点头，称赞此乃上策。

一轮明月升上夜空，皎洁的月光照进监狱，监狱内喧哗杂乱，哭喊哀号、鞭打咒骂之声此起彼伏。苏轼躺在牢房里，侧身向里，虽然身体疲惫，但心境澄明，不忧不惧。这时，梁成端着一铜盆温水进来请苏轼洗脚解乏。苏轼翻身坐起，疑惑不解地问梁成为何对他如此厚待。梁成笑着回答说："因为大人是咱老百姓的好官。小人的外祖父是徐州人，他来京城告诉我和娘，是大人您救了徐州城二十万百姓的性命。小的救不了大人，但我可以伺候您，让大人少受点罪。"

苏轼不禁心头一热，颇为动情地说："好兄弟，不要连累了你。"梁成慨然地说："大人为天下百姓坐牢，我就不能为大人坐牢吗？"苏轼心中无比激动，抓着梁成的双臂大声说："梁成，有你这句话，老夫坐牢何惧！"梁成让苏轼低声，低头给苏轼洗脚。苏轼看着梁成，两眼含泪。

洗完脚，梁成小声地说："大人，今天你据理力争，李定他们恼羞成怒，一定不会放过你。"苏轼"哼"了一声，说："他们有何本事就全使出来吧。"梁成接着低声嘱咐苏轼说："今天晚上，他们一定会指使何钦等人连夜提审你。小的告诉你一个办法，不管他们如何折磨你，你一定要一言不发，一字不吐，他们就什么辙都没了。洗完脚后，好好睡一觉，晚上可好应付他们。"

苏轼点头笑着说："嗯，好，我给他来个徐庶进曹营，一言不发。"梁成望望夜空，只见明月高悬，脸色凝重地说："大人为民之心，苍天可鉴。上天一定会保佑大人平安无事的。"言毕，告辞而去。

苏轼被御史台监狱收押后，陪他进京的苏迈便到处拜访亲友，求人援救父亲。可那些人见苏轼得罪了王珪，不是托言外出闭门不见，就是躲瘟神似的把他拒之门外。二十岁的苏迈受尽了白眼，第一次见识到世态炎凉，情比纸薄。他沮丧万分，走在汴京的大街上，行人熙攘，商贩喧嚣，却令他倍感孤单落寞，仰望苍天，泪水滚滚而落。

夜幕时分，失魂落魄的苏迈拖着沉重的步子下意识地来到御史台监狱，请求探望父亲，却被狱卒告知探视时间已过，不得入内。苏迈苦求，被狱卒恶狠狠地推坐在地上。他仰望夜空中的明月，再也控制不住，号啕大哭。

这时，听说苏轼已被押解进京的王巩骑马而来，见到苏迈后，赶忙下马跑过来，边跑边叫："是迈儿吗？迈儿！"苏迈哭道："王叔叔。"王巩爱怜地抱着苏迈，叹息道："好孩子，不哭了。"又询问他来京的境况，苏迈满怀委屈地把情形一五一十地讲出来。王巩问道："傻孩子，为何不来找我？"苏迈迟疑地说："父亲交代过，担心连累叔叔，叫我不要麻烦叔叔了。"

王巩叹息一声，说："这不是看扁我王巩了吗？迈儿，哪里也不要去了，就住在我家。所有用物，概由我负责。"说着便拉他回家。

到了王巩府上，王巩的三位夫人都过来，又是准备饭菜，又是浆洗衣物，询问苏轼的状况。苏迈泪如雨下，跪地哭道："多谢叔叔临危相救。"王巩急忙扶他起来，两眼含泪道："看你说的，咱们本是一家人。子瞻遭此大难，咱们一定要尽力营救。你就安心在此住下，往后的事，我来安排打理。过些日子到御史台去看你父亲。"苏迈含泪点点头，盼盼等也都垂泪不止。

深夜寂静，月色如水，御史台监狱松柏上的乌鸦忽然惊飞而起。何钦带着几个狱卒，突然闯进苏轼的牢房，把他连推带搡地带到一个封闭的小房间里。何钦满脸油光，在火把的映照下更显得面目狰狞。他邪笑着说："老东西，你倒是说话呀！"他们不停地辱骂、推搡，把苏轼折磨得筋疲力尽，头发散乱。但苏轼想起梁成的话，任凭他们如何打骂都一言不发，冷冷地看着何钦还能耍出什么花样。何钦气急败坏，狂怒地吼道："老东西，不识好歹，给我打！"

深夜的御史台监狱死一般寂静，远远的只有鞭打辱骂之声。这时一个黑衣人轻巧地跃过高墙，脚尖一点就上了房顶。他匍匐而行，揭开瓦片朝下窥视，看见刑讯室内，苏轼半歪在地上，衣衫不整，胸膛上全是鞭痕。何钦几个人打得累了，口中谩骂不已，愤愤地离去，只留下一个人锁起门来看管。那黑衣人见状，从腰间抽出匕首，几次欲冲下房去，然而又强忍住了，盖上瓦片，飞身离去。

苏轼被打了一夜，天快亮的时候才被送回牢房。何钦折腾了一夜也没能让苏轼屈服，气焰早消了一半。他恶狠狠地骂道："老骨头真够硬的。今天姑且饶过你，回头再收拾你！"被打得鼻青脸肿的苏轼一瘸一拐地向牢房走去，狱卒不时在后面推他一把，喝命他快走。

苏轼吃力地走着，散落的一缕头发遮在了脸上，愤怒的双眼紧紧盯着前方。穿过牢房黑洞洞的走廊，苏轼被狱卒一脚踹进牢内，猝不及防，跌倒在地。狱卒锁好牢门，扬长而去。苏轼艰难地撑起身，踉跄着来到牢门口，愤怒地举起双拳吼叫："暴政！暴政！"

这时，梁成端着一盆热水赶来。苏轼悲愤地大声说："梁成，士可杀，不可辱！这是什么世道，我为何要苟活在这污浊的世上？什么制策三等，什么国士名流，什么清正廉明，什么忠君爱民！早被这些小小狱卒给打光了！圣上啊，这就是你的仁政吗？！"梁成流着泪劝说苏轼："苏大人，你就忍了吧，忍过一日是一日！"

远处牢中的囚犯木然地看着苏轼，不明白他被折磨了一整夜，为何还有力气喊叫。看看梁成，看看左右牢舍中的犯人，苏轼呆坐在地上，颓然无语。牢房中陷入死一般的沉寂中……

崇政殿上，神宗临朝。退居许昌的范镇听说苏轼被捕入狱，连夜写了奏章送到朝廷来，奏章里说："自古迄今，诗有风雅颂之分，固有美刺一说。周朝之政，不谓不美，尚有刺政之诗。自始皇出，焚书坑儒，天下缄口，士民无言，秦以此短命而亡。自汉以降，不兴文字之罪，几近千年矣。今杀苏轼易，服天下难，一苏子死而忠臣避退，一文狱成而奸佞猖行！国之兴衰，庶几一系于此。伏望陛下三思。"神宗读罢大怒，将龙案一拍，霍地站起。群臣个个悚惧不敢言。神宗气得两手哆嗦，有些委屈地说："朕一心变法图强，范镇竟然……竟然含沙射影，以秦始皇比朕！"众大臣惊呼不已，悄悄议论："这还了得。""范镇太过猖狂！"……

神宗气得坐不住，来回踱步道："变法图强，自古如此，为何变法就如此之难？！"忽而又高声向众大臣问道："卿等可直言，我大宋难道不该变法？！"

李定当即出班，躬身说："世无不变之法，陛下奉天承运，应天而动，实乃千古圣君！"众大臣也忙齐呼："陛下乃千古圣君！"

神宗"嘿嘿"冷笑："你们不要以为朕真的糊涂，什么千古圣君，朕能不是昏君、庸君就不错了。看看，范镇差点就要将朕说成暴君了！"

蔡确适时出班，奏道："范镇大不敬，罪大至极，应处极刑！"章惇急忙出班劝说，并援引宋朝从不杀上书言事的士大夫之惯例。蔡确却说："范镇居心叵测，并非言事！"李定等人纷纷附和。章惇怒不可遏，大声反驳蔡确："上书即是言事，不言事如何上书？"也有一些大臣点头称是，支持章惇的主张。

　　朝堂上气氛已是十分紧张，神宗见众臣争论，便默然就座，不再言语。这时，内侍张茂则匆匆上来禀告宰相吴充病逝。神宗和众大臣听了惊讶不已，大臣们耳语议论。神宗迟疑了片刻，显得有些颓丧，叹气道："罢了。范镇之事，就此搁下吧。宁可天下人负我，我不负天下人。"接着命王珪领众臣去办吴充丧事，并嘱咐要以国礼葬之。神宗凄然地看了看满朝百官，无奈地退回内宫去了。

　　张璪、李定等见一审苏轼不利，又接着轮番提审，意欲消耗他的精神，摧垮他的斗志。苏轼又被带上堂，昂然而立。李定不无嘲讽地指着当中的座椅说："苏轼，今日给你一个座位，请坐吧。"苏轼冷笑着，安然坐于大堂中央。

　　李定接着说："我来问你……"苏轼抢过话说："我先问你，狱曹有无权力审我，而且打骂动刑?!"李定"嘿嘿"一笑，佯装不知，阴阳怪气地说："他们审你了吗？本官没命他们审你。不过……就是王公大臣，一旦来到这里，也要服从这里的规矩呀，不能没有王法，是不是？"

　　看着李定一副小人得志的嘴脸，苏轼坦然大笑不止。李定一拍惊堂木，厉声问道："苏轼为何发笑？"苏轼回答说："当年包公言道'这御史台大狱一旦被小人玩于股掌之中，就成人间的地狱，忠臣的法场'。"

　　李定咆哮说："你忠吗？你目无君父，何颜说忠道直？"苏轼冷笑道："苏某不敢妄称大宋第一忠臣，但自幼受父母教诲，君父之理是牢记在胸的。我大宋朝以仁孝治天下，苏某至少还懂人子之孝。"

　　苏轼最后一句话是暗骂李定不孝。李定不服母孝、不守母丧，一直饱受讥评，甚至有正直官员上书建议朝廷削去其官职，永不录用。后来他巴结急于揽士的王安石，指天发誓，成功地欺骗王安石在朝堂上为他担保绝无不孝之事，才得以保住官位，进而又转投王珪，才攀爬到今日的官职。李定最忌讳别人提他这些不光彩的家底，不禁恚怒道："李某自进京师为官，诬我不孝者，就是你这竖子！"

苏轼"呵呵"一笑，仿佛戏弄小孩一般："慢来慢来，你冤枉好人了。乌鸦自食其力，也还知为母捉三日之食呢。大人治苏轼之罪不会是公报私仇吧？"

张璪在一旁悄声地说："切勿让苏轼占了上风，中了他的圈套。"李定这才定了定神，"哼"了一声，厉声说："你的《山村五绝》分明是在讥讽朝政！"

《山村五绝》是苏轼任杭州通判时，有感于新法颁布后农民的真实生活而作，五首诗依次为：竹篱茅屋趁溪斜，春入山村处处花。无象太平还有象，孤烟起处是人家。（其一）烟雨濛濛鸡犬声，有生何处不安生。但令黄犊无人佩，布谷何劳也劝耕。（其二）老翁七十自腰镰，惭愧春山笋蕨甜。岂是闻韶解忘味，迩来三月无食盐。（其三）杖藜裹饭去匆匆，过眼青钱转手空。赢得儿童语音好，一年强半在城中。（其四）窃禄忘归我自羞，丰年底事汝忧愁。不须更待飞鸢坠，方念平生马少游。（其五）这五首诗被李定等人挑出来，被认为是苏轼诽谤新法、指斥圣上最显著的证据。

苏轼朗声笑道："《青苗法》颁布后，圣上不准强行贷款，而江浙一带某些官员为标榜青苗政绩，强制贷款，结果弄得杭州监狱人满为患，农商不兴，此乃有目共睹。李大人，你敢脱去这身官服与本人到当地核实吗？"

李定当然不敢了，他只管张嘴骂道："苏轼，你这是在污蔑圣上的良法美度。"苏轼笑着反问李定："污蔑？既然如此，那当年沈括为何去放粮呢？圣上看到郑侠的《流民图》何以罢免王介甫的相位呢？"

这些都是事实，天下人人皆知。李定无法反驳，只好狡辩说那是天灾难免。苏轼微笑着看看李定，突然脸色一沉，高声地说："自古神州共事一天，杭州过去也有旱蝗之灾，为何过去能抵御，自变法以来就难以抵御了呢！尔等只知谄媚圣上，取悦圣心，以图升官发财，不管百姓死活，这是忠臣吗？最多也只能叫弄臣。什么叫弄臣呢？上取媚以欺瞒人主，下施威以压榨百姓！"说完，极度蔑视地看了李定一眼。

李定气得暴跳如雷，张口结舌地不知如何反驳苏轼，只是猛拍惊堂木，喝令退堂。

李定三人又被苏轼挫败，不胜烦躁，便来到王珪府上商议对策。三人坐于厅堂内等候，久久不见王珪人影，他们沮丧不已，愈发显得疲惫委顿。张璪恨恨地抱怨："这苏轼实在难缠，本来是我等审他，现在倒像他审我们。"李定咬牙切齿地说："实在不行，给他上重刑，看他还强词夺理！"舒亶也附和："对，打他，重重地打，看他还敢不敢嘴硬！"

这时王珪才缓缓进来，满脸含笑。他身后跟着一位仆人，端着托盘，盛有一大碗汤和三个精致的小碗。王珪亲手给张璪三人盛汤，笑着说："来，来，几位同人连日审案辛苦了。老夫亲自吩咐下面给你们熬制了桂花汤，清热去毒，提神养身。来，你们都尝尝。"

三人见王珪气定神闲，丝毫不着急提审苏轼的事，心中正感纳闷儿，但又不敢问他，只得端碗喝汤，连声赞叹好喝。王珪于堂上坐定，这才笑着对众位说："苏轼一案，千头万绪，庞杂难断。加之苏轼是何等人物，岂是甘愿俯首之辈？所以你们审案，不要以为能一蹴而就，势如破竹。慢慢审，苏轼再有耐性也会不堪牢狱之苦，总能等到破绽，到时候让他主动认罪，则可大功告成。"李定等点头称是。

第二天，苏轼再次被提审。舒亶怒问："苏轼！《八月十五日看潮五绝》分明是在讥讽圣上兴修水利，你还有何话可说？"

《八月十五日看潮五绝》为苏轼任杭州通判时观钱塘潮所作，苏轼吟道：
"定知玉兔十分圆，已作霜风九月寒。寄语重门休上钥，夜潮留向月中看。
万人鼓噪慑吴侬，犹似浮江老阿童。欲识潮头高几许，越山浑在浪花中。
江边身世两悠悠，久与沧波共白头。造物亦知人易老，故教江水更西流。
吴儿生长狎涛渊，冒利轻生不自怜。东海若知明主意，应教斥卤变桑田。
江神河伯两醯鸡，海若东来气吐霓。安得夫差水犀手，三千强弩射潮低。"

吟毕，苏轼问道："可是这几首诗？"舒亶等人面面相觑，想不到苏轼竟有这样惊人的记忆力，十几年前的诗竟能倒背如流，一时惊得说不出话来。

苏轼见他们不说话，便说："所谓讥讽新法，可是指'吴儿生长狎涛渊，冒利轻生不自怜'等句？"舒亶点头承认。苏轼笑着说："如果谈到水就与圣上兴修水利联系起来，那天下人就变成哑巴算了！"

舒亶怒斥说："休要狡辩，你的《和刘攽寄张师民》两首诗，骂尽天下读书之人，还有何面目妄称圣人之徒！"

苏轼皱眉沉思，说："苏某奇怪，我大宋以文采风流笑傲前人，却不知为何堂堂知谏院、御史大人都是诗盲！"

舒亶不满道："大胆，你说我们是诗盲，你的诗作何解释？"苏轼侃侃而谈："'仁义大捷径，诗书一旅亭'，是说有些读书人嘴上侈谈仁义道德，实则以此为追求功名之捷径、阶梯。'相夸绶若若，犹育麦青青'，是说追求官爵利禄之人，以印绶相夸，以为不朽。然而，其坟墓迟早会被夷为平地，种上青青的麦子，其意在劝刘贡父不必为失一官职而挂心，宽解之语，乃人之常情嘛！难道还要苏某劝刘贡父哭上三天三夜不成？至于最后两句'癫狂不用唤，酒尽渐须醒'，也属实理。醉酒之人不免有些癫狂，酒力过后，自可醒也。"

舒亶"哼"了一声，继续指责苏轼说："你把弹劾刘攽的人比喻成醉酒之人，不是讽刺又是何意？"苏轼皱眉问："世上醉酒之人比比皆是，就是把你舒亶比喻成醉汉，难道需要治罪吗？尔等台谏，屡屡弹劾直言之臣，任意打击，为所欲为，望风捕影，却不让他人说半个'不'字，这大宋江山难道姓舒吗？"

听了苏轼最后的反问，舒亶慌忙摆手。李定一拍惊堂木，反驳道："苏轼，你在给李常的赠诗中说'岁恶诗人无好语'、'洒涕循城拾弃孩'，分明攻击新法有害百姓！"舒亶见李定给自己解了围，赶紧擦擦额头的汗珠。

苏轼笑着对李定说："你李定缺乏家教，轻易就动无明。我问你，《手实法》是新法吧？若此法允当，圣上为何还罢免此法？请你说清楚！"李定登时无语辩驳，只好转移话题，说："即使如此，也不似你所渲染的百姓到处扔婴儿！"苏轼慨然说："刘庭式的道德为人，朝廷上下无人不知。你把他传来，当时他任密州通判，你问问他，我捡了多少婴儿？李大人，是否你我到密州问案，查询证人？"

李定害怕又上了苏轼言语的圈套，赶忙摆摆手说："我不用劳师远循，即可判若神明。"苏轼脸上写满不屑，"哼"了一声，说："就你？你不传证人问案，分明是陷害忠臣！随意陷害州官，该当何罪！"

一直在旁边的张璪终于站出来低声说："苏轼，少安毋躁，戴罪之人，咆哮公堂，也是罪！"苏轼立刻反问张璪："苏某何罪之有？张璪，你会判案吗？当年若非苏某，你所判冤案必罪自身，还有何面目教训他人？！"张璪任凤翔法曹时，太守和签判还未补缺。他代理职事，审理案件，错乱无数。最后苏轼上任，才一一纠正。张璪尴尬无语。

李定命押下苏轼，苏轼哈哈大笑，不等众衙役上前，转身而去，众衙役只好跟在苏轼后面。看着苏轼的背影，李定又气又急，尴尬地一拍惊堂木，却再也喊不出"退堂"二字。

四十三　赤　子

　　苏迈在王巩家住下后，每日前往御史台监狱给父亲送饭。何钦受了李定的指使，无故阻拦苏轼父子见面，直到王巩出面呵斥他才作罢。每日的饭食，王巩的三位夫人都争着去做。王巩见夫人劳累，劝道："夫人哪，让下人去做饭就是了，何必要亲自动手呢？"英英说："下人做的哪有我们三姐妹做的好？苏大人在狱中受苦，我们女人家帮不上忙，做顿饭让他吃饱还是可以的。"盼盼和卿卿也跟着点头，王巩感动地说："唉，子瞻兄一代奇才，而今却做了奸臣的刀俎之肉。"英英正在切肉，听到这话，禁不住掉下泪来。

　　苏迈拿着食盒来到狱中看望父亲，看到他遍体鳞伤，衣衫凌乱，忍不住哭了。苏轼却笑着掀开食盒，大口吃起饭来，并安慰说："迈儿，不要哭。为父问心无愧，任凭他们如何折磨我，也不会弯了这老骨头的。"苏迈擦擦眼泪，告知他家人已经安顿在南京苏辙家中，不必牵挂；范镇等一干老臣都在外面设法营救他，让他只管咬牙挺住。

　　苏轼点点头，叹气道："接连几天审问，恐怕李定一伙人不把我置于死地是不会善罢甘休的。以后你要再进来送饭怕也难了。记住，平时送些寻常菜即可，若有杀身的消息，就送一条鱼来！"苏迈听了，心中悲痛，哽咽着请父亲用饭，说："您千万要挺住，凡事想开些。"说完，为父亲斟上了一杯酒。

　　苏轼点点头将酒喝下，眯着眼笑道："定国家有好酒啊！"苏迈说："这些饭菜都是王叔叔家几位婶婶亲手做的。"苏轼说："难得她们看得起苏某，患难之中方显真情。你定国叔叔是王宰相的孙子，那是道德文章之家。迈儿，你要记住，身处逆境而品节不坠，这才是真难得。"苏迈点点头。

苏轼又想到拖累苏辙一家，愧疚地说："你叔叔在南京，已经要养一大家人，现在又要受我拖累照顾迨儿、过儿，为父实在过意不去。万一为父难逃此劫，你要顶起家中的事，知道吗？"苏迈含泪应允。

突然梁成慌忙跑来，低声说："苏迈兄弟，快走吧，何钦快来了，他已经给我下令，不准你再进牢内送饭。你放心，苏大人的饭食有我照应着，要是有什么消息就跟我说，我会从中通传的。"苏迈忙起身相谢："嗯，梁成大哥，我把父亲交给你了。大恩他日再报。"说完，躬身施礼。梁成大义凛然地说："看你说的，梁成只是良心未泯，只要能照顾好苏大人，也不枉我做回狱吏了。"

王诜自从暗传消息给苏辙之后，一直关心着苏轼的处境。得知苏轼已被关进御史台监狱，他又向西蜀公主求情，请她进宫去见太后。高太后本就关心苏轼，知道皇儿为奸臣所蒙蔽才令苏轼受此不白之冤，如今兴文字之狱，治文士之罪，有违祖训，便借神宗进来问安之机，向神宗问起苏轼一案。神宗禀道："台谏们弹劾苏轼非议新法，有不臣之心，所以才将苏轼押解进京审问。"太后问道："那陛下是如何看待苏轼的呢？"

神宗略微沉吟，感叹地说："苏轼有大才，有大能，亦有大见识，但一向对新法颇有微词。变法之初，司马光、范镇、欧阳修等大臣们虽异义甚多，但皆言安石之过，独苏轼直陈朕有大过。不是皇儿不用，实是用之有碍变法。皇儿有爱才之心，却无用才之计！"

听到神宗因苏轼直陈其过，于是弃之不用，却又托言变法大局，高太后大吃一惊，紧皱眉头，劝说神宗："陛下之言，让哀家不得要领啊！到底是用苏轼有碍变法呢，还是因苏轼直言犯君呢？"

神宗无奈地说："圣明莫过母后。朝政变化，有时并非皇儿能左右。皇儿有用苏轼之心，但未得其便！其实……其实皇儿也想不清楚！"

高太后叹口气说："哀家看来，苏轼乃大宋以来少有的忠臣。陛下一直认为苏轼乃天下奇才，且常常说起，但陛下只夸不用，自然让那些想陷害苏轼的人有了可乘之机。记得熙宁三年，苏轼守制归来，谢景温、李定等人状告苏轼利用回蜀守制之机贩运私盐，陛下听之信之，于是不授予苏轼翰林学士之位，而委之史馆。但贩运私盐之事，最后查明是举报人弄错了，其实质与诬告无异。"

神宗回想往事，不禁尴尬一笑。高太后接着说："一个爱民如子的人怎会目无人主呢。徐州抗洪，救生灵数十万，除苏轼之外，还能有谁？苏轼乃治世英才，其爱民之德，忠君之义，可比者能有几人？"

神宗有些不耐烦了，便起身施礼说："母后，待台谏们审理完毕，再定如何？"高太后知他固执己见，便说："哀家不干预你的政事，只是为皇儿的社稷江山担忧啊。"神宗听高太后语气中责备之意更重，赶忙说："母后之心，如日月经天，皇儿心知肚明。"说完便告辞退下。高太后看着神宗远去的背影，摇头叹息……

李定等人夜以继日地提审苏轼，终没能问个所以然来，反倒每次都让苏轼给问住了。他们拿着苏轼的诗集比比画画，走走坐坐，无理纠缠，指斥不休。待他们坐定后，这才发现，苏轼已坐在椅子上打起了呼噜，而站立两旁的几个衙役也拄板打起了瞌睡。

舒亶猛拍惊堂木，大喝："苏轼，你竟敢在大堂之上傲慢无礼，该当何罪?!"苏轼打了一个哈欠，大声反问："尔等车轮审讯，毁人身心，欲置人死地，该当何罪?!"

每天夜里，那位神秘的黑衣人都会来到御史台，伏在房顶上窥视李定等人如何折磨苏轼。他看到苏轼忍受羞辱痛楚，心中不忍，每次都悄然离去。但这夜他实在受不了舒亶指使衙役殴打苏轼的行为，于是半夜潜入舒亶的卧室，拔出了匕首……

第二天早晨，舒亶起床后，见床头上搭着一缕头发，正自奇怪，起身照镜子时才发现自己后脑的头发被人削去一大片！他望着床头那缕头发吓得瘫软在地，豆大的汗珠从额头渗出。他瞅瞅这屋梁，又瞅瞅墙角，实在弄不明白是什么人这么大胆。他找了一个大点的帽子歪歪戴上，盖住光光的后脑，提心吊胆地来到御史台公堂。

李定、张璪二人见舒亶终于到来，便命衙役去传苏轼。前晚苏轼被打得遍体鳞伤，昏迷不醒，今日已不能行走，两个差役便架着他来到公堂，放于椅子上。

李定看着苏轼委顿的样子，心中欢喜，微笑着说："苏轼，知道王法的厉害了吧？"憔悴不堪的苏轼冷笑一声，说道："天下无物不能夺，唯匹夫之志不可夺。随便你们！"

张璪与李定得意地相互而视，脸上露出一丝奸笑。张璪阴阳怪气地问："那你就说吧，为何有不臣之心？"苏轼闭目抬头，一语不发。心中想起自己任职凤翔签判时，一次张璪来访，苏轼与之相谈甚欢，送走张璪后，王弗劝告苏轼："子瞻，你为何要对张璪说那么多话？这个人阴险狡诈，决不能和他倾心交谈。"苏轼不解地问："你怎么如此讨厌邃明呢？我看这人没那么坏。"王弗告诉他如若不听，迟早会受张璪之害。苏轼满不在乎地认为王弗多虑了，没有那么严重。王弗摇头叹息说："子瞻，你眼里没坏人，是要吃亏的。"苏轼却扬扬得意地说："上到玉皇大帝，下到屠夫乞儿，在我眼中天下无一不是好人！哈哈！"……

张璪猛拍惊堂木，大喝："苏轼！苏轼！"苏轼被张璪喝醒，两眼逼视张璪，大声说："张璪，凡事不可做绝。我记得唐朝武则天时，有请君入瓮之说，历来的酷吏爪牙没一个有好下场的。听也罢，不听也罢，这是苏某劝你的最后一句话。"

张璪"嘿嘿"一笑。李定眯着眼睛说："苏轼，你的确有点小才，时运好中了个进士，不过是妄得虚名，有甚了得。你凭什么瞧不起这个瞧不起那个！"

苏轼冷笑说："比起你这金榜无名，出卖朋友，攀结富贵，变节无德，不忠不孝之人，苏某自信强你百倍。制策三等，乃仁宗帝所赐，焉有滥得之理？不学无术之辈，妄评国士奇才，可发一笑耳！"

听苏轼自称国士奇才，李定、张璪哭笑不得，认为苏轼真是滑天下之大稽。舒亶早已忘却自己的害怕，大声呵斥苏轼恬不知耻。苏轼平静地问道："奇才非是苏某自夸自盗之名，是当今圣上所赐。难道你要抗旨吗？正因为圣上屡次夸臣，赞叹臣的诗词文章，汝等小辈才如坐针毡。早在苏某徐州上任之时，汝等设卡阻止进内城，苏某就明白了。"

李定等人听了，浑身不自在。他恼羞成怒道："苏轼，你是奇才又怎么样？你就是铁嘴钢牙也没用，毕竟今日你成了阶下之囚。"

苏轼坦然一笑，朗声道："李定，你笑得不坦然。尔等惧怕我正直刚硬，一旦入为京官，于尔等不利，于是便罗织诬词，处心积虑地对付苏某，必欲置苏某于死地而后快。殊不知物极必反，越压名气越大。尔等制造了这"乌台诗案"，开文字狱之先河，陷圣上于不明之地，也使尔等遗臭万年，而苏某则名垂千古。这怪不得我，是尔等成全的，我谢谢你们了。为了这千古不朽之名，我不会称尔等的心愿，宁愿一死。"

三人大吃一惊，为之恍然，面面相觑。苏轼接着说："我与汝等所要说的话都说完了，自此，一字不发！"说完，拖着腿一瘸一拐地向堂下走去。两名衙役跟上，押苏轼回牢房。

苏轼走后，舒亶问李定如何是好，接着又担心苏轼自尽。李定也万分担心地说："要死，也必须由圣上赐死。"舒亶点头称是。张璪沉思片刻，恍然大悟，一脸郑重地说："其实，我等已经审理清楚了！"李定忙问此话怎讲，张璪看了一眼站立两旁的衙役。舒亶心领神会地扬了扬手命衙役们退堂。

衙役们迅速退下之后，张璪又眼珠一转，看看四周。李定、舒亶会意，一齐凑了过去。张璪低声说："对于诗中所言，我等弹劾他讥讽良制美法，苏轼并没有否认啊！"李定恍然大悟，点头称是。舒亶更是笑得帽子都掉了，后脑巴掌大的秃皮都露出来。张璪奇怪地问："信道兄，你的头发怎么了？"舒亶尴尬地说："家中有老鼠，有老鼠。"李定不解地问："怎么，你家里老鼠还啃头发吗？"舒亶大窘，讪讪地说："咳，夫人属鼠……"

他们将苏轼供词乱改一通，又把审理结果汇报给王珪。王珪大喜，立即写好奏章，准备早朝时将苏轼罪状告知神宗，请圣上处置。

苏迈的妻子范英自从随着王闰之一家从湖州赶到南京，想到祖父范镇就在不远的许昌，就奔回娘家请求祖父为营救苏轼想办法。范镇早得知苏轼被关进了御史台，不待孙女细说，先上了一通奏章为苏轼澄清冤屈，然后不顾年迈启程去京城面见圣上和太后。

范镇住进京城官驿时，恰好遇到自越州赶来的赵抃。二人都是为苏轼而返京的。范镇感叹："你我幸亏没早死，若是早日见了仁宗帝，你我可如何交代？"赵抃笑着说："若是早死了，不称了别人的心愿吗？你我虽是风烛残年，但绝非省油的灯。子瞻这回遭难，虽是李定等人兴风作浪，依我看，背后阴主该是王珪。"

听到王珪是阴主，范镇吃惊不已："王珪与子瞻有师生之谊，他不至于如此吧？"赵抃摆摆手说："他从王晋卿手里要了一本诗集，而李定等人，自王介甫二次罢相后，一直是王珪的座上宾。"范镇仍是疑问："王珪这个三旨宰相虽对子瞻有些看法，但不应该把子瞻往死里治啊。"赵抃摇头说："王珪这个人你不了解，他在官场上装傻卖乖，但城府很深。本来宰相吴充就对子瞻颇有好感，介甫二次罢相后，想起变法之初子瞻的稳健之策，更加敬佩子瞻，两人的友情越来越深；恰在此时，徐州抗洪大捷，声动天下，又加上子瞻已经坐上了大宋文坛领袖的宝座，圣上呢，又特别喜欢他的文章诗词。王珪对圣上相当了解，深恐子瞻一旦得到重用，以王珪为首的台谏派就会马上失宠，明白了吧？所以要利用李定置子瞻于死地。"

范镇登时明白其中原委，霍地站起身，点头说："对！他们还想趁机把持不同政见者一网打尽，蔡确是有名的酷吏！"赵抃也猛然立身，大声说："打上金殿去，救出苏子瞻！"范镇立刻接口说："我还要找找太皇太后和高太后！"

范镇、赵抃两人都是耿直刚正之士，就此决定上金銮殿批驳佞小，并向太皇太后和高太后求情。可他们并不知道，太皇太后曹氏已经病重多时了。

养心殿内，太皇太后病情垂危，高太后、向皇后、歧王等人正围在病榻前，个个神情凄然。太皇太后断断续续地说："哀家深蒙仁宗帝的恩宠，几十年了，哀家历尽成败兴废的风风雨雨。现在，先帝要招哀家回去了，尔等都很孝顺，我已满足。历朝历代，这三宫六院，都是你争我夺，能像我娘儿们这样，实属难得啊。今后之事，哀家有一言相嘱，尔等要切记在心。当今皇上乃仁义之君，但失于知人，所用之臣，君子甚少，而旧党之中，君子甚多，可以信赖，然又迂腐者亦多，唯苏氏兄弟可托大事，尔等要多翼护才是啊！"

高太后垂泪说："我等记住了。太皇太后吉人天相，不会有此不祥。"太皇太后惨然一笑，说："没有千年的江山，也没有千年的皇帝皇后。在生与死上，我等与平民百姓都是一样的。"

这时，神宗慌忙进来问安。太皇太后让神宗起身，看着他问："哀家听说，苏轼下狱了？"神宗点了点头，太皇太后接着说："哀家曾记，嘉祐二年，殿试完毕，仁宗帝喜形于色，说'朕为子孙得太平宰相二人，苏轼、苏辙兄弟是也'。恍如昨日。如今这位太平宰相没坐在相位之上，反倒坐在监牢之中。唉，必是小人中伤。咳，咳，咳……"太皇太后一阵咳嗽，神宗忙上前捶背。太皇太后缓口气说："哀家恐愈之无望了。你勿再冤枉无辜，神灵不容啊！"言毕，老泪纵横而下。

神宗哽咽着说："孙儿谨遵皇祖母教诲，定赦天下死罪，以求上苍，保佑皇祖母。"太皇太后摇头说："不必赦天下凶犯，唯放一苏轼足矣！"神宗惊愕不已，但很快恢复平静，低声说："请太皇太后放心便是。"

却说苏迈得知范镇要来京城，欢喜异常，忙去驿馆接他老人家。王巩三位夫人照例给苏轼做好饭菜，装在食盒内，请一个管家送到梁成家中，再由梁成拿进牢房给苏轼。苏轼揭开食盒，看到里面烧了一条鱼，大吃一惊，不禁呆坐在床边一言不发。

梁成还以为是今天的菜不合口味，便解释道："苏大人，苏公子今日好像去接范大人了，是王大人家管家送来的饭。大人要是觉得不合口味，我这就另给您换一份饭菜来。"苏轼有些颓然地说："不用了，梁成兄弟。你把它吃了吧，这么些日子多谢你的照应。"梁成憨厚地笑道："苏大人说哪儿的话。"

苏轼问道："你实话告诉我，外面是否听到了什么消息？御史台的判决是不是定下了？"梁成不解地说："没有什么消息啊？大人吉人天相，不会有事的。大人，你不必想得太多，历朝历代，哪有因为写几首诗就掉脑袋的？圣上虽受小人蒙蔽，但毕竟……不会这么做的。"原来，苏轼和苏迈约好，如果朝廷定了他死罪，就在送饭时送一条鱼。苏迈去接范镇，竟忘了嘱咐厨子不要做鱼。英英、盼盼、卿卿三姊妹听说苏迈外出，忙到厨房照看厨子为苏轼准备饭菜，见厨子做的都是清淡菜肴，商议着应该给苏轼改善一下，便命厨子做了一条鱼。

苏轼望着碗里的这条鱼，不禁凄然神伤，拿起桌上要他写供词的纸笔，慨然成诗："予以事系御史台狱，狱吏稍见侵，自度不能堪，死狱中，不得一别子由，故和二诗授狱卒梁成，以遗子由。圣主如天万物春，小臣愚暗自忘身。百年未满先偿债，十口无归更累人。是处青山可埋骨，他年夜雨独伤神。与君世世为兄弟，更结人间未了因……"

苏轼因诗获罪的消息同样传到了洛阳。在司马光的独乐园内，前夜的大雪已铺满了整个庭院。仆人吕直清早起来，正欲拿着扫帚扫除积雪，却见地上早已留下了一串串脚印。司马光正站在小园花圃边上，对着一树老梅沉默不语，良久，又不住地徘徊叹息。吕直小心翼翼地问："先生，今年的雪来得可早啊。"司马光仿佛没有听见，绕到墙角一丛翠竹前，仰首不语。吕直不敢再问什么，悄然走开。那竹枝虽被大雪压得弯了腰，却显得更加苍健了。

当年司马光因为反对王安石变法，便自求隐退于洛阳，蜗居于独乐园内，潜心撰写《资治通鉴》。但他并非全然忘却朝政，而是时时刻刻关心着朝廷的政令举措，思考着大宋社稷的未来。他得知苏轼因作诗而下狱，愤懑不已，但又无法营救，还被新党小人指斥为朋党，愈觉忧闷，所以才独自踏雪徘徊。他素来钦佩苏轼的人品才干，以学问道德相交，引以为君子同道，尽管在变法的意见上并不能达成一致，但这并不妨碍他们的私人情谊。苏轼是当世贤才，却一直沉抑州官，不被重用，这回又因诗得罪，系于囹圄，受尽狱吏呵骂鞭棰之辱，岂非我朝百年文治之耻？朝中奸邪用事，嫉贤妒能，蒙蔽圣听，迫害忠良，只怕天下有识之士都要畏祸缄口，致国事日非了。想到这里，司马光全然忘记了冬晨的寒冷，茫然立在雪地里一动不动。

这时，范祖禹从读书堂走了出来。范祖禹是范镇的孙子，一直追随司马光著书。他忧心忡忡地说："恩公，'乌台诗案'至今未结，不知圣意如何？"司马光这才回过神来，叹道："是啊，祖禹，凭你祖父的脾气，欲做之事无有不成。可这次上了奏章也没有救下苏子瞻！"范祖禹说："看来我大宋的清明文治，要被这'乌台诗案'玷污了。"

司马光点点头，满脸沉郁之色："老夫历来主张'责君严'，现在的台谏不责君只责臣，哪里是什么忠君？分明是奸臣当道，弄权误国！"范祖禹说："他们置圣上于不仁不义之地，我真担心苏公的处境啊！"司马光背手踱步，仰天长叹："我又何尝不是呢？他们就是要把持不同政见的人彻底除尽。王安石只是拗，但他毕竟是君子。这些人就不同了，他们是小人，是恶人，是大奸大恶！"他转身接着说："我给圣上写了一份奏劄，今天你把它送给朝廷。"范祖禹领命而去。

开封皇城内。众大臣正聚集殿外，等待上朝。正谈说之际，李定窜到人群中，扬扬得意地大声嚷道："苏轼真天才也。二十二年前写的诗，竟倒背如流，一字不差。"众人都鄙夷其为人，故意不去理会。李定自觉没趣，快快闪到一边，见王安礼、章惇面沉似水，目光逼视自己，心中愧惧，只得像丧家狗一样躲开，转身向王珪作揖，满脸堆笑。王诜怒目直视王珪，见他扬扬不睬，正欲上前怒骂一气，忽听得内侍高喊"时辰到"，才不得不收敛盛怒，整理衣冠，随众官列队步入崇政殿。

神宗临朝坐定，李定立刻闪出奏道："陛下，经过四十五天的审问，苏轼诗案已经问清。苏轼对诽谤朝廷，影射陛下，攻击良制美度供认不讳，其险恶用心昭然若揭。按律当处极刑！"群臣窃窃私语，一阵骚动。王诜拂袖大骂，章惇气结无语，王珪却恭敬低首，不赞一词。

李定见神宗并不回话，愈加趾高气扬："此案涉及人员众多，其中包括司马光、范镇、张方平、苏辙、李常、孙觉、刘攽、黄庭坚、王巩、王诜、秦观等二十二人。驸马王诜，素与苏轼来往密切，互相唱酬，互赠礼物。案卷中已经详记，酒食茶果，笔墨纸砚，弓箭裙带已经列出。上述之人，与苏轼勾结一起，狼狈为奸，视新法美度为眼中钉、肉中刺，全然目无朝纲，蔑视人主，怀不臣之心，已经久矣。若不严办，我主所行之尧舜大业，定毁于此等人之手。"奏毕，伏地不起。

神宗一边听着李定启奏，一边御览案宗，脸色沉郁，一语不发。李定以额贴地，屁股撅起，不时抬头看看神宗，见神宗不语，又俯首长跪。

张璪乘势出班奏道："陛下，从苏轼与诸大臣的交往信件中，更能看出苏轼的怨毒之心。"舒亶也跟着说："陛下，微臣审查了苏轼与范镇等人的信件，这些人冤枉圣上，对新法怀恨在心。若不严惩，则国无宁日啊。"直说得声泪俱下。见朝堂上气氛肃然，愈加斗胆哭奏道："伏望陛下处苏轼极刑，褫夺司马光、范镇、张方平、李常、孙觉、苏辙、刘攽、王巩、王诜等人的官职，永不叙用！"众臣大惊，交头接耳，议论纷纷，只有王珪袖手旁立，恭敬自若，但嘴角却闪现出人们不易察觉的冷笑。

神宗愤愤地将奏章扔到御案上。朝堂上霎时安静下来。

此时，范镇正在怡心宫内拜见高太后。范镇这次回京，显然是为苏轼而来，但他并未急着面见神宗，而是先来与高太后叙旧寒暄。高太后见了这位三朝老臣也十分高兴，让他与自己对面而坐，问道："范镇啊，你这一去就是八年，身子骨还结实吧？"范镇于座上拱手笑道："托太后的福，还好。老臣今日见到太后康健，格外高兴，此乃朝廷之福、天下之福啊。太后啊，老臣是无事不登三宝殿。"高太后知他快人快语，忙问何事。范镇说："老臣已是黄土埋到脖子上的人了，脱了今日鞋和袜，不知明日能否穿。但老臣处江湖之远不忘吾君，此次进京面圣，不为别的，就为这'乌台诗案'而来。"

太后早已猜到他定为苏轼而来。关于苏轼入狱，她也早有耳闻，屡次对神宗好言相劝，不得妄杀读书人，坏了祖宗家法，何况苏轼又是先帝仁宗亲点的儿孙宰相呢？只是神宗一意变法，为奸邪小人所蒙蔽，连她的话也听不进去了。她深知范镇忠直可嘉，便问道："不知卿家对'乌台诗案'有何高见？"

范镇直言道："《诗经》乃孔子删定，不乏刺政之言，圣人称为美刺。故汉以降，无有以诗定罪者。今日以诗问罪子瞻，圣上开了文字狱之先河。由此，我大宋开明之政蒙了灰尘，皇上圣明的美誉也有毁损。另外，苏轼之诗，问世已经有年，传播甚广，台谏未必不知，何以在今日旧事重提，以罪相加呢？对变法持有异议者都有大难临头之感，以后谁还敢对朝政进献忠言？老臣恐怕从此之后，我大宋清议之美政亦不复存，上下只有阿谀献媚之言了。如此一言之堂，若朝政有失，直臣则不敢言；若奸臣当道，忠臣则不敢出。如此，大宋江山，何以久乎？"

高太后点头称是："这也正是哀家日夜忧心的啊！本宫当力劝皇帝，保苏轼无虞！"范镇立即离座下拜："多谢太后。太后啊，老臣垂暮之年，退而进言，除忠君为民之外，还因仁宗帝临终有言，托臣翼护旧臣、忠臣！"并从袖中取出一支金牌令箭，呈递给太后。太后为之一惊，诚惶诚恐地接过，再三查看后确信无疑地说："不错。是先帝神器。太皇太后有言，若出乱臣贼子，无须担心，自有持神器之人挺身力挽狂澜，所指即是范公了。"范镇点点头。太后将令箭交还范镇，说："神器不可轻易示人，望范公收好。"范镇连忙说："太后应直呼老臣之名，不可以范公称之！"太后说："你手持先帝神器，自当与一般朝臣不同。"范镇坚执固请："朝廷有法度，不可乱了。"高太后只好应允。

范镇感激太后深明大义，备受鼓舞，朗声说道："太后，李定等人若置苏轼于死地，老臣就不得不大闹金殿，请太后恩准。"高太后大惊，忙说："此乃国家大事，你如此信任老身，哀家又怎能违背先圣之意呢？只是哀家不能干政，你应大胆行事，不要负了先帝之托，这也是对当今皇帝的爱护。"范镇高兴地说："若如此，真乃大宋之福也！老臣有礼了。"说罢，便要跪拜。高太后忙起身相扶："哎呀，快起来，不可不可，你怀揣神器呢！"

这时一个宫女神色慌张地跑进来："太后，不好啦，太皇太后薨了！"

高太后大惊失色："你说什么？！"

崇政殿内，内侍忽然哭着跑进朝堂，跪于地上启奏道："陛下，太皇太后薨了！"

满朝哗然。

神宗惊闻噩耗，瘫软在龙椅之上，当着大臣的面痛哭起来："皇祖母啊……"张茂则一面抹着眼角的眼泪，一面上前来劝慰神宗节哀。众臣"呼啦"一声都跪在地上，哀泣之声遍满朝堂。神宗哭道："难道真如皇祖母所说，冤枉无辜，神灵不容……"又指着舒亶大声喝道，"你，给我出去！"

　　舒亶抱头鼠窜，悻悻退下，王珪、李定都吓得不敢出声，兀自装出一片哀戚的神色。神宗已无心绪上朝，下旨道："搁置诗案，办好国丧！"

　　张茂则大声宣旨时，王珪暗暗松了口气。他本来盘算着唆使李定等人将苏轼定个死罪，不想触怒天威，早已吓得汗如雨下。但如今正值国丧，诗案搁置，神宗定无精力来穷究此事，自己也正好免受皇上责罚。他又盘算着借此机会将苏轼远远发配了事，待神宗日后再问起，便是木已成舟，无可挽回了。想到此，王珪又心下暗喜，但还是满面哀戚地随众臣退下。

　　御史台监狱内，梁成慌慌张张地跑进苏轼的监牢中来，气喘吁吁地说："大人恐怕是要在这牢中多待些时日了。"苏轼忙问为何。梁成接着说："太皇太后归天了，诗案搁置起来，在办国丧呢。"苏轼将信将疑，待追问梁成后方知实情，不禁捶胸顿足，放声大哭。他想起嘉祐二年进士登第后太皇太后曾在宫中接见过他，勉励他忠君报国，那时他意气风发，如今身陷囹圄，壮志未酬而斯人已逝，不禁悲从中来。梁成忙好言宽慰，苏轼收泪说道："梁成啊，太皇太后是有史以来鲜有的好太后哇。"梁成也感泣不已。

　　这时狱卒送饭进来，提着一只大桶，往苏轼的碗里舀上一勺，便欲出去。梁成看那碗中，全是些残羹剩饭，混着些脏兮兮的菜汤，一股馊臭味儿，实在令人作呕。梁成看不过去，一把拉住狱卒说："苏大人自有家人送饭，送这些猪狗食来做什么？"狱卒不屑地挣开他说："梁成，你少管闲事。上方有令，以后不准苏大人吃家人送的饭。"说完扬长而去。梁成仍愤愤骂道："王八蛋！苏大人，这个不能吃，我回家给您偷偷带点吃的来。回头我会告诉苏公子，让他以后不用送饭了。"

　　苏轼双手擎起饭碗，稍微闻了一下，说："别连累了你。别人能吃，我也能吃。"说完就要吞一口，梁成赶忙制止说："哎呀，大人知道这里面是什么？残汤剩饭不说，什么脏东西他们都往里扔，里面有吐的痰，有沙子，有鸡屎。蔡确当御史中丞的时候，就用这个法子审了一批官。结果，大家宁愿认罪，不愿再待在这个大牢之中。"苏轼为之一惊："竟有这等事？"梁成说："想不到吧。蔡确为了往上爬，整了不少人，用诬告把对手整进来，再用这法子把人整出去？所以，案子没有破不了的。圣上呢，认为他是干练之臣。最后，他上去了，别人喊冤叫屈都被打入十八层地狱。"苏轼倚在墙上不再言语，陷入沉思……

四十四 范镇打殿

眼看严冬将要过去了。

太皇太后的国丧已办完，神宗从哀痛中平复过来，又开始处理日常政务。他苦心经营的变法大业步履维艰，朝臣的纷争常令他心力交瘁，这严重地损伤了他的健康。即位之初的那种血气方刚的精神不见了，只能勉力支撑艰难。他感到独木难支，需要贤能之臣置于左右，尽心辅弼。他不由得想起远在江宁的王安石来。

内侍忽然奏报："陛下，王安石的奏章！"

神宗大喜："久不见王安石的奏章了，快拿来！"急急展阅，默念道："陛下追先王之道，而'乌台诗案'陷陛下于不义之地，李定、张璪等人不可信，焉有盛世杀名士之理乎？"他放下劄子，起身踱步，想起了已在御史台监狱羁押数月的苏轼，沉吟不语。

原来王安石自从当起半山老人，就已对变法心灰意冷，决意不再过问朝中政事。但听说苏轼被人罗织罪名下狱，还是每日愁眉不展。王夫人明白他的心思，从旁劝解说："苏子瞻与你政见有所不同，但此人是至诚君子，忠正之士，与你所任用之人可有天渊之别啊！"王安石岂会不知苏轼的为人，但还是十分钦佩夫人的眼光，便问眼下如何才能打动圣心呢？王夫人只说了四个字："圣上好名。"王安石大喜，急忙提笔写了这封营救苏轼的奏章。

神宗口中喃喃自语："焉有盛世杀名士之理乎？"心中已有七分打算了。

次日，神宗临朝，召集众臣问道："国丧大礼已毕，苏轼诗案当如何处置？"李定出班奏道："陛下，微臣以为，应对苏轼处以极刑。"神宗斜睨了李定一眼，不作任何表态。这时侍卫奏报赵抃觐见，神宗大喜，即命宣入。赵抃年近七旬，但步履沉着，昂然迈到殿前，施礼道："老臣赵抃参见陛下！"神宗和颜悦色地说："越州瘟疫肆虐，卿处置有方，应予重赏。"赵抃叩谢："陛下，老臣不求嘉奖，只求赦免苏轼即可。"

神宗面露不悦之色："卿任职僻远之地，有些事情尚不清楚。"赵抃高声说道："陛下，老臣无知，但知奸佞之臣陷陛下于不明，欲置苏轼于死地！"神宗说："卿言重了。台谏向朝廷进言，乃职责所在。是非曲直，朕自明了。"赵抃仍直言进谏："老臣也做过御史，早在仁宗帝皇祐年间即与包拯同任御史。台谏们如何才是忠，如何才是奸，微臣略知一二。"

李定在一旁觑得真切，见赵抃步步紧逼，直指苏轼诗案，便想杀杀他的威风，为自己捞个尽忠进言的直名，吼道："赵抃，你休得倚老卖老！"

赵抃转头厉声喝道："倚老卖老？老有所依，才得老有所卖，你李定又有何可依，有何可卖？李定，你母亲病故后，你不守制，我已调查清楚，大不孝之人，有何面目在朝称臣？"李定嗫嚅无语，只好向神宗大呼冤枉。赵抃又进一步逼问道："李定，你投圣上之所好，欺蒙圣上，天下无人不知。你这十足的奸佞之臣，难道还不自知羞耻吗？"李定一时无语。

张璪见势不妙，也插言道："赵抃你休得血口喷人！"

赵抃又直视张璪道："我血口喷人？张璪，你先是阿附韩琦，再投靠王安石起家，后又见风使舵，背叛王安石，投靠王珪。不知情者叫你张璪，知情者叫你三姓家奴！像你这种朝秦暮楚、寡恩薄义之徒，也有脸面任知谏院！"张璪被骂得腿一软，跪下哭求圣上做主。

赵抃见他这副丑态，不齿地说："皇上被你们这些小人、奸佞团团包围，以致闭目塞听，我大宋的开明之政变成了暴政，圣君也变成了昏君！"

朝堂上一片哗然，神宗也气得直发抖。

王珪乘机奏道："陛下，赵抃污蔑圣主，罪不可恕！"

赵抃指着王珪的鼻子朗声骂道："王珪！你这个三旨宰相，只图投机钻营，表面温和，暗中阴毒，政事无能，害人有余，实为大奸巨猾！"王珪被骂得笏板都拿不稳，气得直哆嗦："你……你……你简直无法无天！"

赵抃这番舌战，直骂得奸邪小人心胆俱裂，支吾不语，令一干忠直之臣暗暗称快。他大笑不止，然后道："陛下，自吕惠卿执政以来，举国上下，连起牢狱。安石二次罢相，牢狱之风愈演愈烈，弄得天下怨声载道，皆是这伙乱臣贼子所为，而陛下听之任之。陛下只听顺耳之言，独不察忠臣之屈，不怜民间之苦，故奸佞之人猖獗于朝廷，贤德之人皆远避乡野。难道，难道这大宋江山就要葬送在陛下的手里吗？陛下啊！"说罢义愤填膺，捶胸大哭。

"大胆！"神宗再也按捺不住怒火了，拍案而起，"赵抃，你咆哮朝堂，目无君主，如此卖直取忠，以为朕看不出吗？你纵有清廉之名，朕也不能容你！拉出去！"

赵抃仍不改那耿直之气，跺脚咆哮不已："昏君！昏君！赵家的江山，定毁尔手！"

神宗喝令武士拉出去斩首。赵抃仍大骂不绝："昏君，赵抃死而无憾，只可惜了大好江山！"

章惇立即跪奏求情道："陛下，请刀下留人，不能斩赵大人呀！"神宗早已气得听不进任何话了，直吼道："不准不准，谁为赵抃求情，一律处斩！"章惇坚持启奏道："陛下暂息雷霆之怒。早在仁宗年间，赵大人就与包公有'铁面御史'之称。今若处斩，恐对陛下名声不利呀！"蔡确出班奏道："此言差矣，功过自当分明。即便赵抃过去有功，今日犯下十恶不赦之罪，当斩则斩。否则，陛下还有何皇威面对天下。"王诜反驳道："皇威靠民心，不是靠杀人。秦始皇靠杀人夺天下，而今安在哉！"神宗大怒："你给朕住口！再说连你也杀了！"

局面紧张得似乎空气都凝固了，人人屏息凝视，生怕再触碰了龙鳞之怒。只有被五花大绑的赵抃被武士押着，站在崇政殿外仰天大笑说："奸臣昏君，赵抃早知有此一死，正所谓死得其所！"那笑声震动屋瓦，连风云也为之色变。

神宗已被气昏了头了，只管咆哮着说："杀！杀！杀！"

忽然殿外有人大喝一声："慢!"众人都惊呆了，只见范镇举着金光闪闪的令箭大步前来，也不施礼，昂首阔步直至殿下。

王珪使个眼色给李定，李定会意，立刻跑上前去阻拦："大胆范镇，擅闯朝堂，该当何罪!"范镇二话不说，举起金箭照着李定劈头打去，把乌纱都打落了，吓得李定抱头退下。张璪正欲上前，却被范镇的威严所震慑，畏缩而退。范镇举箭直上龙台，向神宗喝道："见此金令箭，如见圣祖仁宗面。"

神宗慌忙从御案后起身，扶冠朝范镇跪下。王珪犹不忿，大声说："慢。范镇你竟敢私造令箭，借此打殿，莫非想篡位不成? 陛下快将此人拿下。"神宗迟疑半晌。范镇举箭遍示群臣说："此金令箭乃仁宗帝所赐，可号令朝野君臣，大宋三军。当年，仁宗帝迟迟不敢把江山传给赵氏旁支，唯恐新君诛杀前朝忠臣，动摇江山根本，故在临终之际授臣此箭，上可打昏君，下可打奸臣。"

神宗大惊失色。王珪仍不罢休，说道："陛下，老臣也是三朝元老，却从未听说。范镇是想篡权谋政。他这是要借此弑君。陛下呀，不可迟疑，快将范镇拿下，立刻斩首。"说罢，跪下请求。李定、张璪也如法炮制。神宗起身，惊慌问道："范镇你竟敢大逆不道，要弑君吗?"范镇哈哈大笑："陛下难道还怀疑老夫不成?"这时蔡确旁敲侧击地说道："陛下，不可轻信范镇之言。他有何凭据证明是仁宗先帝所赐?"并示意其他人也一并起哄。不少人随即附和，要神宗杀掉范镇。

神宗已是惊惧不已，一时没了主意，即喝令武士上殿将范镇拿下。章惇等人大惊失色。

突然殿外传来一声："慢着! 是忠是奸，自有公论!"只见高太后在几个侍女的簇拥下快步走上龙台，几名武士立即被呵斥下去。

神宗十分诧异，急忙向太后行礼。高太后对范镇说："范公，还是赶快拿出来吧。"范镇施礼毕，转身对王珪冷笑一声，从令箭箭柄中抽出圣旨道："宰相大人，请你将圣旨展示于陛下。"张茂则将圣旨交与王珪。

王珪接过圣旨一看，惊得脊骨发凉，脑门冒汗，只得恭恭敬敬地对神宗说："陛下，确实是先帝的圣旨。"神宗也验看了，不敢再说什么，忙令张茂则交还范镇。高太后见形势已定，便说："皇上，接旨吧！"便引侍女下殿离去。神宗慌忙跪下，众臣也跪倒在地，齐声说："恭迎圣祖圣旨！"范镇说："赵抃乃先帝御封的'铁面御史'，须即刻放人！陛下平身，众臣平身吧。"

神宗与众人平身而起。范镇收起令箭，这才向神宗施礼道："陛下，请回御座。"神宗松了一口气，待坐定，便下令释放赵抃。赵抃进殿跪谢。神宗没好气地说："你不必谢朕，要谢就谢仁宗圣祖的在天之灵吧。"赵抃奏道："陛下，老臣恳求退休归隐，请恩准。"神宗看了一眼范镇，即刻恩准。赵抃叩谢而去。

王珪等担心范镇以令箭要挟神宗审定苏轼诗案一事，一时无法可想。范镇却施礼告辞，并不提起"乌台诗案"半个字。神宗欲要挽留，范镇已举着令箭踏步走出殿外去了。

退朝后，王珪同蔡确等人还是心有未安。今日朝堂上一场风波，说不定会令神宗改变主意，他必须要去劝说圣上，给他吃一颗定心丸，要不然给苏轼定罪的事就要前功尽弃了。可是张茂则守住殿门，说皇上谁也不见。蔡确撒谎说担心神宗身体要去问安，张茂则也一口回绝了。王珪等人只好悻悻离去。

现在，王珪的如意算盘已然落空了。范镇突然亮出先帝令箭这一招，实在太厉害！他在朝堂上只为救赵抃，而只字不提苏轼，但明眼人都知道，他们都是冲着苏轼来的。苏轼是深得仁宗宠爱的旧臣，现在若要置苏轼于死地，范镇必然问罪圣上。圣上心中两难，故避而不见。这"乌台诗案"，已是难以收场了。

李定见无计可施，谋划着要把令箭从范镇那里盗出来。蔡确听了这话，没好气地说："你想得太简单了！范镇当着文武百官将令箭一亮，这宝贝到了谁手里也不灵了。它就是用来节制圣上的，圣上拿着没用，别人拿着就是盗取，文武百官岂不指责为窃国大盗？"张璪不解地问："既然令箭可以节制圣上，为何在变法最激烈的时候，范镇不出示令箭阻止变法呢？他不是一向反对王安石的吗？"

还是王珪道出其中玄机："唉，仁宗帝并非反对变法，如果反对，就没有庆历新政。只是到了晚年，心有余而力不足而已。范镇如果事事节制后来的皇帝，朝政又怎能维持？范镇不傻，贬不贬官无所谓，杀不杀臣可就不一样了，脑袋掉了安不上，东山再起也无望啊。还有，授此令箭也是为了保太皇太后，但又不直授予太皇太后，是怕赵家江山丢了。仁宗帝就是仁宗帝，不服不行啊！"

张璪抓耳挠腮，无计可施。李定眼珠骨碌一转，奸笑一声："那令箭保的是忠臣，有罪之人何谈忠臣？这就看怎么说了。"众人面面相觑。王珪也冷笑道："皇上一生心血，都在变法。范镇、苏轼等分明是结党反对新法。只要抓住这一点，巧妙奏告，皇上还是会动心的……"

李定等人暗暗点头称是。

神宗受了范镇手持令箭这么一惊，愤而罢朝，退回养心殿，愈觉心事烦乱，卧倒在龙床上，闭目沉思。内侍急忙拿来一块毛巾，用热水焐过，搭在神宗额上。这时，张茂则领着高太后走了进来。神宗听到是母后前来，急忙从榻上起身施礼。高太后关切地问道："快躺下。听说皇儿身体不适？"神宗答道："偶感风寒，无甚要紧。"说完瞪了张茂则一眼。张茂则低头不语，只递过一张狐皮裘来披在神宗身上，即默默退下。

原来正是张茂则请高太后过来的。太后坐在榻边，心疼地说："皇儿，这几日朝上的事我都听说了，是不是心里不痛快呀？"神宗颇感委屈地说："母后，都是皇儿不好。"高太后说："在娘的眼里，我儿都好；在母后的眼里，皇儿尚须努力。"

神宗颇为动情地说："母亲，这些日子儿臣一直在想，朕到底是不是一个好皇帝。过去，朕只是想当一个好皇帝，使朕的子民过上丰衣足食的好日子，使朕的国家不受外族欺负。所以，朕冲破一切阻力实行变法。朕励精图治，殚精竭虑，无一日睡过一场安稳觉，可……可赵抃竟然当着满朝文武的面骂我……骂我是昏君！"

高太后和蔼地问："是不是感到委屈？""委屈得几乎呕出血来。"神宗点头说道，"可赵老爱卿是不说假话的。朕真是个昏君吗？朕昏在何处？没有人告诉朕。是用人出了差错吗？朕深知，吕惠卿、王珪、邓绾、李定等人的毛病，可朕是在用其长避其短呀！变法图强没有人拥护，如何进行？还有，驭臣之术，历来是清浊并用的，否则，皇权就会旁落他人之手。朕究竟错在何处呢？"

高太后微微笑道："孩子，天下谁都可以叫屈，唯独皇帝不能。因为天下都在你的股掌之中啊。赵抃骂殿、范镇打殿虽然伤了你的帝王之尊，但也事出有因啊！你可知道我们家的江山是怎么来的吗？"神宗答道："母后，朕知道，应该感谢这些老臣。但作为皇帝，我不允许他们以此来挟持我，左右我，不能因此干扰朝政。"高太后摇了摇头，说："你说得不错，不过这'挟持'二字恐怕是他人的蛊惑之言。韩琦、欧阳修、司马光、范镇、赵抃，都为你的父皇接过这江山立下了不世之功，但他们没有一个向我们索取什么。他们敢于直言，都是为了你的江山社稷，他们为此不怕丢官丢命。这样无私事君的忠臣，不正是你成就伟业要依赖的人吗？现在韩琦、欧阳修都先后去世了，范镇、赵抃也已暮年，每失去一个，都是失去国之柱石啊！"

神宗若有所悟，但又接着说："不过，皇儿未料他们竟然冒死保苏轼。"高太后意味深长地说："那是他们在为你保护国之重臣。孩子，苏轼的才干远在王安石之上，早在变法之初，苏轼就提出徐立徐行之策，并为你献上三策。如今看来，都被他言中了，难道你还怀疑苏轼的才德吗？"神宗回忆起此事，不免为之一惊。高太后接着说："自古忠臣，多有逆耳之言，且以媚上为耻。唐太宗胸阔如海，才得以纳百川之流，从而有了贞观之治，也由此成就了他的大自尊。"

神宗恍然大悟。高太后笑道："孩子，你明白就好。朝堂之上，诗案之事，百官放言，只需察言观色，即可辨忠奸。苏轼的案子，还须仔细斟酌啊！亲贤臣，远小人，你要切记，否则大宋危矣！"神宗说："多谢母后指教，孩儿谨记。"

送走母后，神宗独坐御榻，沉思良久。他召来一名内侍，秘密吩咐如此这般……

入夜了。月光如水，缓缓泻进御史台监狱苏轼的囚牢中。苏轼正枕肱酣睡。突然一个黑影窜了进来，拣了与苏轼相对的墙下倒头便睡。苏轼翻了个身，以为又关进来一个犯人，未予理睬，仍自睡去，不久鼾声如雷。那人躺在一边，捂耳挠头，被鼾声惊得一宿不得安眠，辗转反侧到天亮。

那人便是神宗派来的内侍。他天明后即刻回宫禀告神宗："陛下，奴才昨夜奉旨探监，睡于苏轼一侧。不料，苏轼整夜鼾声如雷，搞得奴才一夜未睡。"神宗大笑道："这就是了，说明苏轼胸中并无亏心之事。大凡喜欢诽谤之人，若身陷囹圄必有怨恨之言，且不能入睡。"这时他已有了赦免苏轼之心。

寒冬终于过去了！

圣谕下达了：责授苏轼水部员外郎、黄州团练副使，本州安置，不得签书公事。

自八月十八日被逮入御史台监狱以来，苏轼被关押了将近百余日。牢狱中艰苦恶劣的环境，巨大的精神压力，使他虚弱憔悴而略显衰老了。但他倔强倨傲的脾气却不曾受一点摧折，放达诙谐的性格仍显露在炯炯有神的目光里。

他扑打着满身的尘土草屑，乞丐般地走出监狱大门，感受那久违的阳光和春风的气息，一切都像历经劫难后的重生一样富有生机！显然，由于久处黑暗，他一时不习惯外面刺眼的光亮，但很快就享受着身心不受羁管约束的畅快。诗人本真的性情又开始恢复，溢于言表了。无限的诗情已在心中开始酝酿！

范镇、赵抃、苏迈已在监狱门外等候，其身后停着一辆马车。

"父亲！"看见苏轼出来，苏迈马上迎上前去。

"子瞻！"范、赵二老也步履蹒跚地走去，一把拉住苏轼的手。"二位老爷子，我们这不是在做梦吧？"苏轼说罢，已是涕泪横流，二老也都老泪涟涟。范镇说："过去是恶梦，现在是喜梦。"又看了看苏轼说，"头发都灰白了啊。"苏轼笑道："老爷子，白了好，头发白了就老成了。"

赵抃感慨地说："子瞻哪，我们这可真是两世为人哟。"苏轼愕然不解。范镇解释道："他为了救你，把圣上都骂了，结果差点被斩。要不是我及时赶到，他这瘦猴子就到阎王爷那里称臣了。"苏轼连忙施礼道："哎呀，二位老人家，这个人情债太大了，我可还不起啊！"赵抃笑道："哪里哪里，不光为救你，也是尽人臣之本分。哪里有人情债哟！"

范镇故作嗔怪："脾气还是不改，只顾打趣了。还不快见见儿子。""父亲！"苏迈扑到苏轼怀里大哭起来。苏轼也哽咽道："好孩子，别哭了，为父对不起你们了。"

赵抃从旁劝慰道："大难不死，必有后福！"范镇也笑道："对咯，大磨难造就大贤臣。走吧，上车再说。"

苏轼也拭泪而笑，自我解嘲道："看看，我在乌台几个月，连澡也洗不了，养了一身虱子。我还是骑马为好，免得同乘一车，让乌台的虱子也咬了二位大人。"范镇笑说："你身上的虱子，怕是也比李定有学问！"苏迈不由得破涕为笑。

赵抃说："这次'乌台诗案'，景仁兄、司马光、黄庭坚各罚铜二十斤；张方平三十斤；驸马王晋卿被削去一切官职；子由被贬筠州酒监；王巩被贬为宾州酒监。"范镇接过话头说："你嘛，被贬黄州，做什么团练副使，不得签书任何公文。黄州安置，与软禁差不多。总之，不管老屁股嫩屁股，该挨的板子挨了，不该挨的板子也挨了。"

苏轼不禁叹道："以诗获罪，古来未有；千古奇冤，归于一哭。"

范镇打趣道："看来子瞻这回是只哭不歌了！"赵抃说："子瞻怕不是这样的人。"又回头问苏轼还作诗否。苏轼笑道："不作诗怎么对得起李定他们呢？现在就有两首。"范镇忙催着念给大家听听。

苏轼随口吟道：

"百日归期恰及春，余年乐事最关身。出门便旋风吹面，走马连翩鹊噪人。却对酒杯浑是梦，试捻诗笔已如神。此灾何必深追咎，窃禄从来岂有因?"

范镇拍手笑道:"好个'试捻诗笔已如神',子瞻的骨头还是硬啊!"

苏轼接着说:"还有第二首。平生文字为吾累,此去声名不厌低。塞上纵归他日马,城东不斗少年鸡……"苏迈大惊:"父亲,最后一句可又得罪人了!"苏轼佯装大惊:"又闯祸了?"赵抃说:"如今天下忌讳说'少年'二字啊!"三人会心相视,哈哈大笑。

苏轼听苏迈说王巩被贬往宾州,不日开封府差役就要催着上路了,急忙换了一身干净衣服叫上苏迈一起前去探望。苏迈劝道:"父亲刚出狱,身体虚弱,先歇息一两日吧。"苏轼坚决地说:"定国受我连累,远贬千里之外,如此恩德,难以为报啊!"苏迈见拗不过,急忙搀着苏轼出去。

到了王巩府中,只见家人正在收拾物什,准备启程。王巩在房间内对众夫人说:"我求求你们,不要跟我到贬所。远去宾州,一路千山万水且不说,我干的是酒监,说白了就是卖盐卖酒的。你们三人跟着去,吃不了那个苦啊!"他那三位夫人倒是十分坦然,英英叠着衣物道:"你能受得,我们怎么就受不得?'乌台诗案'被贬的官员,都是一家一家地走,我们怎么能分开啊!"盼盼正在整理书籍笔墨,接过话茬说:"有难同当,有福同享,俚闾卑巷且如此,何况我等是知书达礼之人。"卿卿正装箱子,跟着说:"就是。你以为我等是图你富贵来了?恩爱大于天。"直说得那王巩七尺男儿也忍不住掉泪。

苏轼听罢三位夫人的高论,拄着拐杖踱步进来,笑道:"怎么,这就开始打点行装?"王巩急忙迎上前去,又惊又喜,抓着苏轼的手说:"子瞻兄,我们正要去看你呢,想不到你先来了。"三位夫人也停了手里的活计,纷纷围拢来。苏轼潸然泪下,说道:"定国,我的好兄弟,愚兄身陷囹圄,很多亲友都避之唯恐不及,而贤弟与几位夫人却仗义援手,大有古君子之风,请接受愚兄一拜。"言毕,苏轼一躬到地。

王巩连忙扶着说:"子瞻兄,折杀小弟也。你我本是兄弟,小弟岂能做负义之人。"苏轼又转身向三位夫人施礼,吓得三位佳丽连忙还礼。苏轼解嘲道:"愚兄是个穷骨头,连累你等远谪千里荒僻之地,让愚兄如何受得了啊！"英英哭道："大人千万不要这样说，只要你平平安安出来了就好。这一百多日以来，姐妹们与定国无日不以泪水洗面，现在好了，该高兴才是。"盼盼拭泪道："大人到黄州后，万事要想开些，不要忘记鸿雁传书，我等及时互通消息。"卿卿道："大人受苦了，我等终于见到了你出狱的这一天，过一个磨难一重天。我嘱咐他们设宴为你压惊。"

苏轼本不忍看王巩一家离散，心中不免难过，待听见这三位夫人情深义重，好言劝慰，又心头一暖，含笑答道："多谢多谢。贤妹们，愚兄害得你们颠沛流离，这京城的故相府也不能住下去了。"盼盼坦然笑道："看你说的，此心安处便是吾乡！"苏轼不禁大加称赞道："好啊，'此心安处便是吾乡'，夫人真是有菩萨的大悲悯、大智慧！"众人都含泪而笑。

苏轼又听说驸马都尉王诜也被贬筠州，特地前去问候。一进门，王诜就上下打量着苏轼，也不施礼，歪着头问："是人还是鬼？"苏轼笑道："入狱前是人，入狱后是鬼，如今出狱了，非人非鬼。"王诜反问："莫非成了仙佛？"苏轼解嘲道："是啊。不过，这次我应当感谢李定他们，让我多活了一百多年。"王诜不解。苏轼接着说："大牢之中，度日如年，一百多日，不恰好一百多年嘛。古人说磨难长见识，不无道理，一日一年，自然见识就多了。"王诜笑道："有理有理。应该把王珪那个老杂毛和李定一伙投进去，叫他们也长长见识。"苏轼摆摆手，说："此言差矣。读书还请先生呢，长大见识的好处怎能轻易送给他们呢？他们只有死了以后才有资格入地狱。"两人都哈哈大笑。

说到这，王诜叹了口气："唉，是我害了你，要是不给你出诗集，不给王珪那个老杂毛，焉有'乌台诗案'？"苏轼笑道："这是迟早要发生的事情，他们早就在收集我的诗文了。只是，你的官职都没了。"王诜说："无官一身轻，只要叫我画画就行。只是我天资有限，怎么卖力也不能望你项背啊！哪像你，随手一写一画便成大家！"苏轼平和地说："你倒羡慕起我来了。大家怎样，小家又如何？昨日，定国的夫人盼盼告诉我，'此心安处便是吾乡'，你我连一个小女子都不如啊！"王诜也叹服不已。

由于差遣日期紧迫，不敢迟滞，次日苏轼就要启程离京。二人絮絮谈到深夜，苏轼便起身告辞。王诜说要去送行，苏轼婉谢："不必了，免得又有人从中再生事端。在京诸人受我牵累的，都已一一拜望分别了。还请晋卿兄多多珍重。"说罢，二人洒泪而别。

元丰三年正月初一，正是新年。苏轼告别了京中诸友，独与苏迈骑驴挑担，冒着寒风，缓缓向南往黄州而去。

出都门便是近郊，只见官道绵延，隐没在一片寒林之外。荒村中农舍倾颓，一派萧索的光景。

四十五　初到黄州

苏轼父子走了一月有余，到了黄州地界。因是一路南行，故地气渐暖，道路两旁的风景已不似中原那般萧瑟了，不仅绿树渐多春意，连溪涧中也薄冰渐融，潺潺流响不绝。时有几丛野梅花，微白淡粉的，熠熠地开放在山谷间。

苏轼骑在驴上，须髯飞动，意态飘然。苏迈挑着行李，缓缓跟在后面，时不时跟父亲搭话："父亲，您看这路边的野梅开得多好啊。"

苏轼顿了顿，呆呆地看看路边的梅花，神情凄然地说："你刚才说梅花……呵呵，被贬时能有梅花相送，也是人生之大幸！"说罢，缓缓地吟出一首诗来：

"何人把酒慰深幽，开自无聊落更愁。幸有清溪三百曲，不辞相送到黄州。"

苏迈听了诗句，心中惨然一伤，不禁抽泣起来。苏轼就地坐在杂草丛中歇一歇脚，出神地看那一丛梅花。

在他们身后不远处，一个道士打扮的人伏在草丛中，偷偷地窥视着。他腰里别着一把剑，肩上搭个包袱，已跟随苏轼他们走走停停行了几十里路了。但他一直不愿现身，见苏轼父子停下，便也伏在草中远远观望。听得苏迈的哭声，那人正犹豫着是否要探身出来。突然只听见有人喊道："子瞻兄！"他又缩回草中，静观动静。

苏轼听见有人叫喊，欠身相望，只见大路前方，远远的一个人头戴斗笠，骑着马飞驰而来，一个家仆健步相随。到了跟前，那人飞身下马，拱手施礼道："子瞻兄！还认得我吗？小弟我来接你啦！"

苏轼大惊，起身仔细打量，思索着："你是……"

来人摘下斗笠，大声说："子瞻兄，我是季常啊！"

原来正是陈慥！当年陈季常因父丧回乡，在京师与苏轼别过，怎想到会在这里相聚！苏轼又惊又喜，抱住陈慥双臂，潸然泪下："季常，我的好兄弟，你怎么到了黄州？"陈慥也动情地说："子瞻兄，我知你贬黄州，已在此等候多时了。子瞻兄，你老了！"苏轼也上下打量了一番，说："季常，你也老了，当年那个风风火火的英武少年，如何流落在此，成了个老农？"陈慥笑道："这个说来话长了，先到我的竹舍住上几日再说。"苏轼转身对苏迈说："迈儿，这是为父常跟你说起的陈季常叔叔。"苏迈上前施礼下拜，陈慥忙扶起，喜爱地说："侄儿都长这么高了！"一边说话，一边让仆人背了行李。各人拽了驴马缰绳，缓缓向前走去。

身后那道人见了此番情景，默默抱拳，眼中含泪，目送他们远去。

此人正是巢谷。小莲死后，巢谷悲伤不已，离开苏轼云游四方。自得知苏轼因诗案被捕以来，便一路悄悄跟随，暗暗保护，但始终不肯露面。他此刻心中自语道："子瞻兄，这些时日你受此磨难，度日如年，小弟看在眼里，痛在心里。我又何尝不想见你啊，只是小弟尚有心结。子瞻兄，莫怪小弟，望你一路走好。"他抹干眼泪，回头疾走，一会儿就不见了踪迹。

苏轼同陈慥边说边走，来到一座不高的土丘山前，山上遍植松木，一片苍然。沿石板路拾级而上，曲曲折折绕到松林后面，便可见十来户人家构成的村落，鸡犬相闻，炊烟袅袅，一派田家气象。村口立有一块石碑，上写"龙丘村"。村口一座精致的竹舍，就是陈慥的居所了。陈慥吩咐家仆收拾行李，拴驴喂马，自己引苏轼进门来。几个使女正在院中洗菜端盘，进出忙碌。北屋不时传来一个粗大嗓门妇女的吆喝声，使女们应声行事，井井有条。

苏轼听了这声音，不禁愕然，陈慥忙拉着他进里屋去了。苏迈留在庭院中，闲看一株老梅，一个使女笑吟吟地走过来问："苏公子，为何这么喜欢梅花？"苏迈答道："梅、兰、竹、菊，梅为四君子之首。"使女又问："为何梅兰竹菊是四君子？"苏迈说："梅凌冬先开，不畏冰雪；兰幽居默处，不与俗花争艳；竹节节而生，虚心而直；菊傲霜不凋，抱香枝头。故为四君子。"使女啧啧称赞不已。

另一个使女听得出奇，也凑过来问道："那荷花呢？"苏迈笑答："荷花虽美，但毕竟经不起雪压霜欺。"这使女还是笑吟吟地追问："既然如此，佛家何以视莲荷为佛花？"苏迈心里有点纳闷儿，心想这里的婢女还知晓佛理，忙答道："佛家讲究度人，荷花出污泥而不染，大约是取此意。"两个使女咯咯笑着："公子学问真好。"

这时门首闪出一个胖大妇人来，便是陈慥的夫人柳氏。只见她壮硕高大，挽着袖口，围着围裙，大笑道："你们两个小蹄子在说什么？我的侄儿是你们能问得住的吗？"使女笑着退下，各自干活去了。苏迈连忙施礼，柳氏热情地拉着苏迈说："你家叔叔成日里只知道读书念佛，弄得这些小蹄子也满嘴诗书。"苏迈抿嘴微笑。

向晚时分，陈慥在家招待苏轼父子。其实也不过几盘山蔬野味、几杯村醪而已。而陈慥夫妇并几个仆人，都怡然自乐。众人把盏酬杯，话说平生，苏轼父子旅途的疲乏和罪遣的忧愁都消散去了。苏轼已少有这般的快活，直说到星月初上，仆人们点起了灯烛。

饭后，柳氏与仆人自去收拾，陈慥领着苏轼来到书房。整个书房不大，颇显简陋，几部书，几轴画，倒十分清净雅致。向北开一扇小窗，可以望见影影绰绰的农舍树木。苏轼不禁叹道："没想到，你这不为王公所屈的刚烈汉子能如此务本向道。"

陈慥请苏轼坐于藤椅之上，拄杖而谈："父亲去世后，我游历四方。吾家千万资产，一夜变为乌有，总是于心耿耿，不能释怀。后得师傅真言，才悟到荣华富贵乃过眼烟云，世上的名利之争，终不过是一场空罢了。蒙师傅不弃，将其爱女嫁于我，我就在此地隐居起来。不过，说是隐居，却也避不过那官府的骚扰啊！"

苏轼羡慕不已："老弟实在是好福气啊！当年你文武双全，不知近年进境如何？"陈慥笑说："说来惭愧。如今倒是研究易理，参悟佛理时多。至于生计，倒是不必担心，均由拙荆代劳。"苏轼打趣道："那你还不知足啊。"陈慥面有难色："只是拙荆过于……"欲言又止。苏轼却待细问，忽听见屋外人声喧哗，狗吠鸡鸣，响成一片。陈慥急忙拉着苏轼的手往外跑："州县官吏催租来了。"

刚到院中，只听见柳氏一声大吼："狗娘养的，又来了！"提着一条槌衣棒，捋起袖子，便冲出门去。陈慥慌忙阻拦不及，也跟着出去。只见村路中央，几个衙役拿着火把，驱赶着几个被绑着的老人和小孩，正挨家挨户拍门叫嚣，弄得四下里鸡飞狗跳。柳氏叉着腰横在路口，大喝一声："把人留下！"

衙役们都吃了一惊。为首的一个问道："你是谁？"柳氏怒眉倒竖："我是你姑奶奶！"衙役头目一惊："又是你！你这个疯婆子，屡屡干扰公务，还有没有王法？快把她拿下！"众衙役都拥上来。柳氏抡起槌衣棒，呼呼生风，三两下就把衙役打翻在地。衙役头目大惊失色，支吾道："你，你还打人？你无视王法，想要造反不成！"

柳氏说："你要有王法就不能夜里绑人。我打的就是你们这些冒充官府衙役的土匪、强盗！"衙役头目大叫："什么？我们是黄州太守曹大人派来的！"柳氏说："那你就回去告诉你那曹大人，就说他私收租税，欺榨百姓，姑奶奶正要找他算账呢！"众衙役只好抱头逃窜。柳氏喝道："慢着！把人放了。"众衙役没法，只好放人，都灰溜溜地走了。柳氏叉着腰，哈哈大笑："哼，以后你们来一回姑奶奶打一回！"那些老人都来道谢施礼。

陈慥与苏轼、苏迈在院门看得真切。苏轼笑着说："季常兄，你夫人可是厉害啊！"陈慥说："咳，子瞻兄见笑了。那个太守曹贵，是个小人，因巴结吕惠卿而升了黄州太守，成天就知道盘剥百姓、讨好朝廷。这黄州的赋税，比邻州多了三成。"苏轼夸赞道："你夫人敢抗贪官污吏，不愧是女中豪杰啊！"陈慥支吾不言，又岔开话题道："咱们还是看看我收藏的几幅画吧。"连忙拉着苏轼走进屋内。

陈慥拿出一幅《嫁娶图》说："子瞻兄在徐州，百废皆举，万民咸乐。徐州萧县有个朱陈村，村里有位画家，专门画了这幅嫁娶图，以纪念你在徐州的政绩。后来此画就辗转到了我的手里。"说着，又指着画中人问："你看，这位劝耕的人是不是你？"

苏轼觉得惊讶，凑过来细看，笑道："还真像呢！"

陈慥说："这些年啊，我遇到你的字画就收集起来，这幅《朱陈村嫁娶图》虽不是你的字画，可画的是你的事迹啊！"苏轼笑道："既然如此，我在此画上题诗一首，你再收藏，岂不就没有遗憾了？"陈慥喜出望外，连声道谢，为苏轼研墨。苏轼提笔写道：

我是朱陈旧使君，劝耕曾入杏花村。而今风物那堪画，县吏催钱夜打门。

陈慥轻声念诗，一面赞叹。这时柳氏送洗漱用水进来，苏轼拱手道："有劳弟妹了！"陈慥说："时候不早了，子瞻兄好好休息，明日好去见太守！"柳氏突然大声吼道："慌什么，让子瞻兄安心调养两天。过几天我陪着去见那王八蛋太守，看他能怎的！"陈慥惊得目瞪口呆，连手里的木杖都失手掉在地上。柳氏倒毫不理睬，瞪了他一眼才出去。苏轼看着陈慥，忍俊不禁，便调笑说："陈慥兄原是一英武少年，如今，呵呵……'龙丘居士亦可怜，谈空说有夜不眠。忽闻河东狮子吼，拄杖落地心茫然'……"陈慥听了，也哈哈大笑起来。

次日起身，洗漱完毕，陈慥和柳氏执意要陪同苏轼父子去府衙，苏轼推辞不掉，便一起上路。半日就到了黄州府衙。苏轼留众人在堂外，自己大步踏入堂内，只见这曹太守脸色阴沉，坐在公堂之上，两班衙役持板而立。苏轼于堂下站定，不卑不亢地拱手施礼道："太守大人，下官苏轼前来报到。"曹贵呵斥道："大胆！你既来见本官，为何不跪？"苏轼早料到此人心存不善，凛然说："大人，下官虽然戴罪，但仍是朝廷官员，无须下跪！"堂外柳氏见了曹贵这般气势，心中早发怒了，要冲进去揪着打一顿，被陈慥死死抱住了。

那曹贵见苏轼强硬，心中锐气也挫败了三分，只得说："嗯……那你可有公文？"苏轼交出公文，由衙役转交给曹贵。曹贵斜眼看了一下，说："苏轼，你可知道朝廷的规矩吗？"苏轼昂首答道："第一次戴罪外贬，不知规矩，还望大人指点。"曹贵冷笑说："不准你签署公文。"苏轼也笑道："倒落个逍遥自在。"曹贵又说："不准你离开黄州地界。一旦离开，罪上加罪。"苏轼说："下官记住了。"曹贵见苏轼俯首听命，登时自信膨胀，得意地说："还有，每十天需到本府向本官表悔过之心。"苏轼仍是淡淡地说："下官记住了。"曹贵得胜似的挥挥手："嗯，清楚就好，下去吧。"

苏轼仍伫立不动，问道："大人，不知让下官住在何处？"曹贵睁圆了眼说："什么？你住在哪里，我怎么知道？"苏轼说："本人虽是戴罪，但并未革职，理应有住处。"曹贵懒懒地说："我到哪里去找空房？此事你自己看着办吧！"苏轼发怒道："这与朝廷律制不合。官府理应为下官安排住处，我又岂敢私租民房。"曹贵气得拂袖而起："你……不打你八十杀威棒，就便宜你了。怎么，你还讹上本官了？"苏轼答道："本人并非充军！"

曹贵说不过苏轼，气得干瞪眼。柳氏冲上堂来大声说："子瞻兄，少给他啰唆。走，我们到他家住去！"说完就拉着苏轼往外走。曹贵惊问："你……你是何人？"柳氏回头大骂道："我是你姑奶奶！"把曹贵气得一口气噎在喉咙，半晌吐气不得。衙役头目扯扯曹贵的衣襟，向曹贵耳语："大人，这女人是柳大侠的女儿，可不好惹啊。"曹贵大惊，故作镇定地清清喉咙说："好吧，为了让你好好反省，你就到定慧院与僧人们吃住在一起吧。"

柳氏正待喝问，苏轼赶忙阻止了她，转向曹贵道："多谢大人给我一个吃斋念佛的机会。"曹贵松了口气，急令退堂。柳氏扶着苏轼出来，一边还愤愤地骂个不停，那曹贵满脸冒汗地退下去了。苏轼以时辰不早为由坚请陈慥和柳氏早些回去，自己与苏迈拿了行李往定慧院去了。

定慧院位于州城东边土山上，掩映于繁茂的树木当中。山下不远即是大江。时已黄昏，群动皆息，万籁俱寂，定慧院中的木鱼声显得格外清脆，一声声敲在苏轼心上，真有澄怀静虑之感。拜见过长老，苏轼父子暂于一间禅房内安歇。

布置妥当后，苏轼与苏迈合盖一床被子，和衣靠着床边墙上，以足相抵。清冽的月光从窗口流泻进来，投在砖地上。二人都无眠，静听着窗外山间松风鸣响。房内不时有老鼠循墙而走，窸窸窣窣地厮打着。

苏迈说："父亲，要不是这场诗案，我们怎会在这里抵足靠墙而眠！哎，对了，父亲，为何俗语说'在家靠娘，出外靠墙'？"苏轼答道："在家靠娘，自不待言；出外靠墙，是说住店靠墙而睡总比靠人而睡要来的安稳！"苏迈叹道："是啊，人太不可靠了。"

苏轼听见这句话，不由得想起这数月来的种种变故，人事无常，世情冷暖，恍如一场梦！如今临老投荒，戴罪远贬，栖居在禅房之中，听松风而望明月，不禁喟然长叹，觉得命运如此摆弄人，冥冥中受着无形的支配，却还琢磨不得、思索不得。他幽幽地对苏迈说："迈儿啊，为父给你讲个故事。古时候啊，有个叫艾子的人乘船漂浮在海上。傍晚停泊在一座石岛上，夜里听见水底下有人哭泣，又像是有人说话，就仔细地听着。其中一个说道，'昨天龙王下了一道命令，水族中有尾巴的都要斩首。我是一头鼍啊，怕被斩首，所以在这里哭泣。你是只蛤蟆，没有尾巴，你哭什么'？只听另一个声音哭道，'即使我现在没有尾巴，但我怕龙王追究我做蝌蚪时候的事啊'！"

苏迈笑道："父亲，要是被李定一伙听到了，您恐怕又要进御史台了！"

苏轼喃喃地说："御史台……"哑然失笑。

第二天苏迈醒来，寻不见父亲，急忙起身在寺内寻找，却见苏轼在钟楼上撞钟，钟声悲响，震荡山谷。定慧院善济禅师吩咐小和尚不要打搅苏施主，只合十默念道："阿弥陀佛。"苏轼走下钟楼来，向善济禅师顶礼，随其到住持禅房中打坐诵经去了。苏迈看着父亲虔诚诵经的模样，心中凄苦，正欲上前劝阻，善济禅师劝道："阿弥陀佛，苏施主心中烦郁，劝阻无用。苏施主乃心境清明之人，过几日即能自行化解。"苏迈只好呆呆地倚在门边，无语相望。

自此苏轼每日盘桓在这定慧院内，随僧人起居饮食，打坐参禅。他本就对佛法领悟甚深，当年通判杭州时，与吴越名僧多有交接，如今遭逢大难，愈觉人生如梦，对佛法的参究更精进深刻了。自出狱到黄州，一路魂魄惊悸，身心不宁，现在终日焚香默坐，诵经参禅，渐觉万事都无可挂怀，把争竞得失之心都忘却了。

这日，苏轼正闭目默诵《金刚经》："……须菩提，若三千大世界中所有诸须弥山王，如是等七宝聚，有人持用布施，若人以此般若波罗密经乃至四句偈语等受持读诵，为他人说，与前福德百分不及一。须菩提，于意如何？……如梦幻泡影，如电复如露……"

善济进来，不忍打扰，悄悄地立在一旁。少顷，苏轼睁开眼来，见长老在旁，急忙起身施礼："苏某失礼了！苏某见过善济长老。太守命苏某来此居住，给长老添麻烦了。"善济说："苏大人名满天下，能到敝寺一住，实使敝寺生辉。只是敝寺简陋，怕委屈了苏大人！"苏轼以佛语答道："幻身虚妄，所至非实。法身充满，处处皆一。"善济大笑，随即邀请苏轼用斋饭。

这时陈慥拿着一个包裹走来，对苏轼说："子瞻兄，遵夫人之命，弟特送来一些用品，还让弟邀你和迈儿到家中吃饭。"苏轼笑道："季常兄何不与我们一起吃一回僧饭？"陈慥面有难色。苏轼立即打趣道："莫怕河东狮子吼。这僧饭可不是想吃就能吃上的，季常兄只怕还未吃过吧？"

一旁的小和尚都捂嘴偷笑，摆上几碗斋饭，其中一个问道："苏大人，这僧饭与官饭有何不同？"苏轼笑道："也同，也不同！"众和尚与陈慥都停箸静听。苏轼慢悠悠地说："这同嘛，就是不论官饭还是僧饭，大家都在供着一个佛……大肚佛！"说着一手指着肚皮，众僧都笑。小和尚急着问："那不同呢？"苏轼说："僧饭饱人，官饭饿人啊！"众人都吃惊地瞪眼，不解其意。苏轼接着说："你想啊，这僧饭越吃越圆满，人的精神圆满了，腹中自然也就饱了；这官饭呢，往往是越吃越没有良心，人要是没有良心了，就无耻贪婪，这欲壑难填之人，岂不是越吃越饿？！"

众人抚掌赞叹。善济合十道："阿弥陀佛，听苏居士这一番话，胜诵三年真经！"苏轼起身答礼："哪里哪里，斋间闲谈，让长老笑话了。"众人也都笑而施礼。

转眼二十余日过去了，苏迈见父亲每日端坐诵经，莫不是把十日一见太守的命令忘了？他怕太守借故挑起是非，忙去问苏轼。苏轼胸有成竹地说："迈儿莫急，我自有道理。"便由苏迈搀扶着来到府衙。

那曹贵早因苏轼不来拜见之事怀恨在心，意欲来个下马威，大声问道："下面站的可是苏轼？"苏轼答道："正是罪官。"曹贵猛一拍桌子，喝道："大胆苏轼！依大宋律例，罪官本州安置，须十日一拜，如今二十余日不拜。分明是蔑视本官。来人！重打四十大板，让他长长记性！"说完即命衙役上前。苏轼捂住口鼻，略一咳嗽，装病道："大人，罪官苏轼初来此地，水土不服，这几日卧病在床，怕是得了瘟疫了。害怕传染给大人，故未能及时前来拜见。"说完，又一个劲儿地咳嗽起来。众衙役都面面相觑，纷纷退后。曹贵也用袖子掩了口鼻，皱眉说："既然如此，先回去养好病再说。"

苏轼父子退出府衙来，苏迈笑道："父亲此计甚好，以后不用十日一见这太守了。"苏轼也笑说："为父也不愿见他这张丑脸啊。"正说着，走到一条林荫小路上来。

这时春光正盛，四处绿树繁花，景致清幽。父子二人心情畅快，欣赏着春光，慢慢走回定慧院。在院首东面的山坡上，一株海棠正迎风怒放，那满树鲜艳的颜色，似乎要把苏轼衰病的老眼都照亮了。苏轼大惊大喜，紧跑几步，驻足花前，凝神玩赏，口中还喃喃自语："这样的海棠，似只有西蜀才有啊，怎么长在了这黄州呢？"苏迈笑道："想必是这花知道父亲要来此地，故而从天而降的吧。"苏轼捋着胡须，开怀大笑。

这时一位老农赶着牛从旁经过，看见苏轼如此激动地欣赏路边的野花，大惑不解地问："先生，这花有何好看的？"苏轼答道："老人家，这是海棠，是名花啊。"农夫不以为然，淡淡地说："先生真是多情啊，再好的花儿，在这儿又有何用呢？没人赏它。"说罢，赶着牛悠悠而去。

苏轼一下子怔住了，自言自语道："在这儿又有何用？无人赏它，就没有用吗？"

不必定期去参见太守，苏轼便获得了极大的自由。平日在定慧院念经打坐，天气好时，便信步走到附近的田野农家，饱看这里的山林风光。黄州地势低平，池塘溪流遍布，翠竹绿树触目即是，终日闲走，也不会觉得厌倦。长江对岸的武昌岗峦起伏，古木苍然，虽没有幽深险绝的去处，倒也可供游赏。有时候苏轼会雇一叶扁舟，漂荡过江，到山林深处消磨大半天的光景。

黄州的农人都知道本州贬来一位当世的大才子，并时常见他穿着粗布衣裳独行在山径田埂上。苏轼逢人都亲切地打声招呼，仿佛是地道的黄州人了，由此也结识了不少古道热肠的当地人，有进学的秀才，有卖酒的店家，也有耕田的老农。有时相从出游，必乐而忘返。赶上下雨天，江上不得行船，便止于农舍歇脚避雨。勤劳本分的友人必定会杀鸡烹鱼来款待，苏轼与其对饮几杯薄酒即可闲聊到深夜。

四十多岁的潘丙本已中了举人，后隐居于武昌樊口，在江边开了间小酒馆。苏轼有时过江来，定去他店中喝几杯浊酒，有时银钱不够，潘丙也不计较，慷慨地赊酒给他，或者是白送。潘丙还时常向客人炫耀说，朝廷贬来一个因写诗获罪的大文豪，经常到本店来喝酒。客人也乐意聚拢到他店里，希望有一日能与传说中的文豪同桌对酌。

这一日，苏轼又翩然渡江来，缓步踱进潘丙酒店，笑道："潘兄，最近生意可好啊？"潘丙一见苏轼来了，忙迎过来说："托大人的福，还行。"苏轼一摆手："我是个穷骨头，有什么福可托，有福就不会贬到这里来了。"潘丙憨厚地说："大人，话不能这么说，人在官场，哪有一帆风顺的。您是当今的文坛泰斗，是为老百姓写诗才得罪朝廷的。"一边说，一边亲自斟上茶来，吩咐店小二摆上丰盛的酒菜。

苏轼见摆了这么多酒菜，忙说："潘兄，上这么多菜不行啊，我可没那么多钱。"潘丙一边忙着端菜，一边说："先生放心吧，已经有人给你付钱了。以后你天天来喝酒就是。"苏轼大为惊讶，忙问是谁。潘丙说："是一位英俊的公子和一位美貌的夫人。这里还有他们给您的信呢。"说着从怀里将信掏出来递给苏轼。苏轼看那信，却是一首词：

君别杭州去，西湖七载愁。红杏清泪付东流。只有孤山梅朵，望归舟。忽报风云起，凤凰不自由。江湖难储一分忧。莫道是非成败，恨悠悠。

信中不曾署名，但看那字迹，无疑是杭州的周韶。苏轼在杭州曾助她脱籍，她如今暗暗相助，还留了这首劝慰开导的词，如此情深意重，怎能不令苏轼感慨？他即刻问潘丙："她现在在哪里？"潘丙指着江边渡口说："乘船刚去不久。"苏轼快步走到江边，远望江上烟波，一点白帆若隐若现，渐渐消失在苍茫的暮色中了。苏轼知道她避而不见，自有她的道理，不禁长叹一声，慢慢走回店中。

想起往事，苏轼不禁感慨万千，一时喝得大醉。天色向晚，苏轼摇摇晃晃地起身道："潘兄，我这就回去了。多谢你的盛情款待。"潘丙忙过来扶着："苏大人，你喝得不少了，别掉到江里去，还是先在我这里睡一会儿吧。"苏轼醉眼蒙眬，摆摆手说："我没醉，掉不到江里，就是掉到江里，龙王也会把我扔上岸来的。他一定会说，你……你还不该来，九九八十一难，还有八十难等着你呢。"潘丙笑着说："难说啊，没准龙王会留您在龙宫当翰林学士呢。"苏轼反说："我才不伺候他呢。"说着，走出店外。潘丙搀扶着说："还是我送你回去吧，我不放心。"苏轼说："放心吧。你要送我，以后就不来了。"

潘丙没法，只好扶着苏轼小心上船，又嘱托艄公看好他，不要让他靠近船舷。艄公常载着苏轼过江，十分相熟了，连声答应，驾舟离岸而去。潘丙站在江边，远远目送那小舟出没在波浪中，摇头叹息不已。

小舟飘摇过江，那江潮初平，与小舟低昂上下。月亮已从一片黝黑的林子后升起了，把清辉平铺在江面上。苏轼见此景象，心中畅快，歪歪倒倒地站到船头，要将这清江明月的图画看个分明。倒把那老艄公吓了一跳，忙把苏轼拉回来。所幸船很快靠岸，艄公扶苏轼上岸说："苏大人，慢点，我送您回寺去。"苏轼婉谢了，一个人幽幽地向山径走去。

小径蜿蜒，直绕定慧院东墙松林而去。苏轼晃晃荡荡地走到那株海棠花下，仰首凝睇，悄然不语。海棠也默默无言，在林间薄雾中幽幽绽放。月光轻柔地从密树间漏下来，散碎地铺在如茵的绿草上。苏轼醉眼蒙眬，只管去听这月下山中的一切声息，心想道，这海棠花春睡未足，还是不去打搅的好。莫非也同我一样醉了？酒劲儿一时涌上，便斜躺在路边的青石上，酣睡起来。

夜归的农人牵着牛从路边走过，看到石头上躺着一个人，仔细一瞧，正是常常赏花的那位苏大人。农人好心，恐露水沾湿了衣衫，忙去叫醒苏轼。恰好苏迈见父亲至夜未归，下山寻来，赶忙谢过老农，把苏轼背上山去。

苏轼还兀自沉浸在那一片梦境般的情景里，知是苏迈来背他，微笑道："迈儿，为父这一觉睡出一首海棠诗来！"苏迈说："那父亲快念来听听！"苏轼仍是醉意醺然，抬眼看了看天上的明月，一首海棠诗从唇齿间流淌出来：

"江城地瘴蕃草木，只有名花苦幽独。嫣然一笑竹篱间，桃李满山总粗俗。也知造物有深意，故遣佳人在空谷。自然富贵出天姿，不待金盘荐华屋。朱唇得酒晕生脸，翠袖卷纱红映肉。林深雾暗晓光迟，日暖风轻春睡足。雨中有泪亦凄怆，月下无人更清淑。先生食饱无一事，散步逍遥自扪腹。不问人家与僧舍，拄杖敲门看修竹。忽逢绝艳照衰朽，叹息无言揩病目。陋邦何处得此花，无乃好事移西蜀。寸根千里不易到，衔子飞来定鸿鹄。天涯流落俱可念，为饮一樽歌此曲。明朝酒醒还独来，雪落纷纷哪忍触？"

次日酒醒，苏轼起身将昨夜作的诗誊录了一遍，还不断吟哦。苏迈端洗漱水进来说："父亲还惦记着作诗呢！"苏轼笑道："醉里作诗，如有神助。"苏迈说："父亲此诗，可谓写得海棠神韵。我想就算是生长陋邦，海棠也会因父亲的诗而引以为幸的。"苏轼听罢大笑。

苏迈又掏出一封信来说："父亲，叔叔来信了，说是不久会送母亲和弟弟们来黄州。"苏轼大喜，急忙接过信来仔细看，半晌又说："难为子由了。他携家带口也不容易。"转念又十分发愁："一大家子人来黄州可怎么办呢？连住的地方也没有啊。"苏迈也跟着发愁，但还是安慰父亲说："所幸家人又可团聚了。"苏轼若有所思地点点头。

四十六　秧　马

正是三四月间，黄州乡下农人都忙着插秧种稻。原来这黄州雨水充沛，处处都是水田，家家以种稻为食，只有山冈丘陵上才垦殖旱地种麦。春雨过后，一望田野，尽是白水青苗，农人都弯腰在泥水里劳作。种稻是十分精细的农活，先要辟出一块田来撒下稻种，集中培育秧苗，待秧苗萌发成长，再小心从泥中拔出，洗掉泥块，以干稻草捆之成束，再一担担地挑到其他水田里，分开一绺绺地插下。苏轼漫步在田塍上，见农民弯腰立在水田里，小心地拔秧洗秧，再一束束捆起，长时间弯腰，脚又陷在泥水里，行动十分不便，头顶烈日，十分辛苦。他便问一位上了年纪的老农人："老人家，插秧之事如此辛苦，怎么不想想便利的办法啊？"那老农答道："祖辈如此，能有什么好办法。小民就是出力的命啊！"苏轼说："我这就回去给你想想办法。"

第二天，苏轼带着苏迈和几个匠人，抬着一件器物到田间，找到那位老农说："老人家，我给您做了个物件，你坐在上面扯秧就省力气啦！"说着便让匠人把那器物抬到水田里。那器物形似小船，以枣木制成，轻便至极。底部磨平，正好可以浮在泥水上，两头翘起，腹内可置稻草捆缚秧苗。老农骑在上面，扯秧洗秧都可以不必弯腰了，双腿稍微用力，便可滑行泥水当中，实在是省力多了。众农人都凑过来看，连声叫好。

老农问："苏大人，这个物件叫什么名字啊？"一个匠人说："苏大人昨天叫我们几个按他的设计做成这个物件，还没有名字呢。就请苏大人给起个名字吧。"苏轼说:"农民扯秧插秧,坐在上面如同骑马,就叫秧马吧!"众人都欢呼雀跃。

苏轼又说:"眼下只做了这一只,回去再多做些,使黄州的百姓都能享此便利。"苏迈说:"可是,父亲,我们哪有那么多钱呢?"那几个匠人说:"苏大人为民谋利,我们哪会要大人的工钱呢。"

苏轼又同众人回到定慧院,赶制秧马。所需木材人工,附近乡民都踊跃备办。隔了一两日,陈慥同柳氏忽然造访。柳氏大声喊道:"子瞻兄,你干的好事,也不通报我们一声。"苏轼怔了一下,问道:"我干什么了?"陈慥笑道:"整个黄州都说你发明了一种插稻秧的木马,人称'苏公马'。"苏轼明白过来,指着匠人正忙活的东西说:"就是这种秧马。"陈慥说:"子瞻兄,我们正是为此而来,现在正是插秧季节,听说你发明了苏公马,乡亲们就托我们来求子瞻兄。"

柳氏将肩上的褡裢"哗"地摔在地上,倒出一堆铜钱:"看看,这些钱够不够买一百只秧马的木料?"苏轼忙说:"够了够了,就是做两百只也够了。只是让你们破费了。"柳氏皱眉佯怒道:"为民造福,子瞻兄做得,我们岂做不得?"苏轼赶紧调笑道:"哎呀,河东狮子吼啦!"众人都被逗得大笑起来。

不消几日,更多的秧马分发到了农民手中。苏轼父子与陈慥夫妇走在田塍上,见农民扯秧插秧比从前省力多了。农民受其恩惠,纷纷向苏轼施礼致谢。

这时衙役抬着一乘轿子过来。为首的一个上前施礼道:"大人,新任太守大人请您前去!"柳氏走上前来,虎虎生威地说:"干什么?你们还敢来找苏大人的麻烦?"衙役是早知柳大侠女的威名的,吓得慌忙解释:"夫人误会了,误会了,是新任太守请苏大人到府上一叙。"苏轼忙问:"新太守是谁?"衙役答道:"徐君猷徐大人。"苏轼思忖道:"噢,是了。是人称'建安风流'的徐君猷徐太守吧?"衙役说:"小人不知。太守只是差小人来请大人去府上相见。请大人上轿。"苏轼料想是新太守上任要召见僚属,可是自己是戴罪安置,怎么能坐轿呢?便笑道:"新太守对我这罪官还颇有礼哪。那老夫就不客气了。"说罢告别诸位,上轿去了。

轿子在太守府第门口停下，徐君猷已在门口等候了。苏轼急忙上前施礼，徐君猷大笑迎接："久闻苏子瞻大名，徐某能与先生同治黄州，是徐某之幸也！"苏轼答礼道："太守过誉了。想苏某是朝廷罪臣，谪遣在此，太守如此以上宾待之，若朝廷知道，深究下来，太守如何担待呀！"徐君猷正色道："罪与不罪，我心知之。凡有良知者，岂能与势利小人同伍？前任太守实在慢待子瞻啦。况且，与高人有幸相聚一处，失之交臂，终身有悔呀！"即延请至后花园，酒席已摆设好了。

那新任太守徐君猷年纪五十多，一贯崇儒重道，下士爱民，有'建安风流'之誉。他拉着苏轼往后花园来，一面大声说："胜之，看我把谁请来了！"回廊下走出一位妙龄女郎来，眼似横波，眉如翠黛，意态轻盈，含睇巧笑，向苏轼道个万福："小女子见过苏大人。"苏轼忙还礼。徐君猷道："这是我的红颜知己李胜之。"又对胜之说："你今天要陪苏大人多喝几杯。若不能使他尽兴而饮，拿你是问。"李胜之笑道："苏大人，你可要给我面子，多饮几杯。不然，我今后的日子可就不好过了。"苏轼忙说："我当尽力而为，太守有建安风流，只怕我无魏晋风度了。"

徐君猷请苏轼入座，李胜之坐于苏轼旁边，为二人斟酒。徐君猷举杯先干为敬，接着说："这黄州，猪肉、鹿肉价钱很贱。子瞻兄一家来此，生活不会有太大难处吧？如有所求，尽管道来。哎，你的宝眷何时来黄州呀？"苏轼举杯谢道："尚需些时日，她们正在路上。子由来信，把家人先安置下，即可亲送闰之他们到黄州来。"

李胜之一边斟酒，一边说："苏夫人想必是天上有地下无的人物啊，到时定要拜会。"苏轼笑道："糟糠之妻，怎敢相比。"徐君猷说："子瞻兄过谦了，当年宁不要公主也要娶的夫人，如何说是糟糠啊？不过宝眷到来得找一所房子。子瞻兄放心，此事由我来办。"苏轼正为此事发愁，太守肯相助此事，实在感激，忙举杯敬谢。

徐君猷宽厚儒雅，苏轼与他甚为相契。席间李胜之清歌数曲，妙绝不可言，最后尽兴而返。

数日后，徐君猷使人送来帖子请苏轼到城南临皋亭一聚，苏轼即与苏迈一同前去。临皋亭原是朝廷三司的行衙，离江只有八十余步，原设有水驿。这亭便修筑在临江的高阜处，并由此得名。亭侧有一处大院落，原是驿站的旧址，倚山而建，重门洞开，但由于年久失修，已经破败不堪了。苏轼见过徐君猷，便陪同他一起游览江边景致。到亭上四望，只见江水洄流，白云舒卷，渔人摇舟江上，帆影点点，对岸武昌诸山历历在目，晴烟明晦，美不胜收。

徐君猷回头指着那一处院落道："我为子瞻选了一处居所，住在这里你看如何？"苏轼想起那日太守承诺的事，心下感激不已，施礼谢道："多谢徐大人！若能住在这里，起观江色，卧枕波涛，昼夜听一江春水向东流，岂不快哉！"徐君猷大笑道："我知道你一定会喜欢这里的。只是年久失修，屋宇破败，回头我找人来修葺一番。"

苏轼忽然有所顾虑地说道："可是徐公啊，这是三司的行衙，苏某乃一罪人，岂敢寄居于此呢？万一朝廷查验，岂不是要连累大人了！"徐君猷是至诚君子，哪里会忌惮这些，忙摆手说："皇恩浩荡，长江水亦是浩浩荡荡，见长江则不忘君恩，你在此思过再合适不过。你家眷不日到来，人口众多，黄州偏远，没有大的院落，只怕这里委屈了你的宝眷。"苏轼拱手相谢。

这日潘丙的酒店中异常热闹，很多人顾不上吃酒就涌到店里来，围着墙上一幅画品头论足。店里的伙计忙着招呼进来喝酒的顾客，潘丙则在柜台上乐呵呵地算账。这时有客人过来问："掌柜的，这画果真是苏学士的真迹？"潘丙有些得意地说："那还有假？苏大人亲手送给我的。"众人也都围拢过来，啧啧称赞，羡慕不已。又有人问："酒家，你知道苏轼的画有多大名气吗？"潘丙佯装不知，那人说："在画画上，他与驸马爷王诜齐名，但价钱更高。"潘丙放下账目，不以为然地说："苏大人的画高明在气势上，何论价钱！我曾亲眼见苏大人画这墨竹的。"

众人一听来劲了，纷纷涌过来，嚷着让他仔细说一说。潘丙慢悠悠地说："前日我过江去拜望苏大人，见苏大人正在书案上聚精会神地作画。我悄悄侍立在旁边看，见他横笔往上直推，那竹子挺拔直冲云霄之势便成了。一般人画竹一节一节地勾描，却都是死竹。苏大人告诉我竹子生长时未必是一节一节长的，那样画就失去了竹子的神韵了。还有画笋，苏大人画的竹笋破土而出，正像是刚从地底下钻出来一样，简直都画活了。"众人都啧啧称奇。

潘丙接着说："苏大人画竹的妙处，就是胸中有成竹。必定是仔细观察竹子的形态，亲身感受竹子的神韵，落笔才会有神。苏大人告诉我他就曾在竹林亲眼看到竹笋破土而出的情景，这就是画里的妙处了。"众人都听得呆了。

潘丙讲了一大段，又赶紧招呼众人去喝酒。众人满意地散开，三三两两地评论不已。

这时一个中年人走过来问："酒家，我乃杭州的绸缎商，我用一百两银子买你这幅画，肯卖吗？"潘丙打量了这人说："不卖。"那人说："一百二十两？"潘丙摇头。"二百两？"潘丙还是摇头。众人又围拢来看热闹。那人最后伸出三个指头："三百两！"众人都"嘘"地惊叫起来。

潘丙放下账目，盯着他问道："先生执意要买这幅画？"那人点点头。潘丙说："你且说个道理来。"那人拱手道："鄙人姓王，字尚之。家父酷爱收藏书画，始终为没有得到苏大人的画而苦恼。本人若是能了却老人的一桩心愿，也算尽了我的一份孝心。"潘丙叹道："没看出你还是个孝子，我最敬重的就是孝子，最恨的是不孝之人。"略一沉吟便说："好吧，这幅画归你了。"说着便把画取下来卷好递给他。王尚之掏出三百两的交子给潘丙，即拿了画出门去了。

恰巧苏轼从店外走来，众人都用好奇的眼光看着他。苏轼感到奇怪，笑说："苏某又不是怪物，有何可看？"潘丙走出柜台说："大人，你的那幅竹笋图被一个杭州的商人用三百两银子买走了。这是交子。"说着便把交子递给苏轼。

苏轼为之一惊："潘兄，为何你要卖给他？"潘丙如实答道："他说他父亲酷爱收藏，正因没有你的字画而苦恼不堪。加上，我看你正缺钱用，不久全家就搬来了。安家需要钱哪，于是我就答应他了。"

苏轼验看了那交子，笑道："价格不菲，是吧？不过，没盖印章，那东西就不真呀。你赶快追回来，我给他加印章。"潘丙大喜道："好嘞！"拔腿冲出店外。

少顷，潘丙带着王尚之回到店中。王尚之拿着画轴向苏轼施礼："见过苏大人。"苏轼笑道："王先生，承蒙对苏某画的厚爱。"王尚之说："能得大人之画，乃我家之幸也。"苏轼将交子交还王尚之，又拿过画，走到灶前，将画投入火中，那画登时就化为灰烬了。众人叹惋不已，王尚之也愕然不解："大人您这是……"

苏轼正色说："苏某虽穷，但画艺无价，妙在一个干干净净。若染上铜臭气，就是跳进长江也洗不清了。"说完，飘然而去。那满店的人都惊愕称赞。倒是潘丙独独像受了委屈一样，指着王尚之说："王先生，你可害了我了。"言毕，打了自己一个耳光。

太守徐君猷派人将临皋亭侧的院落重新修葺，收拾齐整，又帮着苏轼父子搬进新居，定慧院的和尚与附近的乡民也都来帮忙。院子虽朴陋，但四周风光甚美。苏轼心中十分高兴，对苏迈说："为父宦游半生，如今才有这咫尺栖身之地。黄州民物风俗与我们家乡也没有什么差别，在此终老也算不错。"

苏迈满怀深情地望着父亲，苏轼知道他为自己难过，便笑道："算起来还要感谢李定他们呢，要不然咱们也来不了黄州啊。你看那临皋亭下数十步便是大江，其中大半是家乡峨眉山的雪水，我们今后饮食沐浴都仰仗此水，回不回家乡又有什么分别呢？"苏迈被说得笑了，但双眼已噙满泪水。

苏轼慈爱地拍了拍苏迈的肩说："算日子，你母亲和叔父他们三两日内就要到了。趁这几天清闲，可以把室内收拾收拾。过几天我们到江边去接他们。"苏迈点点头，赶紧忙活去了，悄悄擦去眼角的泪水。

船到的那一天，苏轼同苏迈早早就到码头等候，翘首远望。同家人离别快一年了，生活发生了天翻地覆的变化，从湖州到御史台监狱再到黄州。人生居处不定，梦魂不安，竟飘飘荡荡到了这里。所幸家人还能团聚，这无疑是苏轼心头最大的安慰了。

一艘大船终于渐渐驶近。苏迈早已喊出声来，苏轼引领远望，只见苏辙与王闰之站在船首，苏迨、苏过站在他们身后，朝云陪着苏迈的妻子范英站在舱中。

"哥哥！"苏辙远远地招手。

王闰之抹着眼泪，已激动得说不出话来。

"父亲！哥哥！"苏迨、苏过纷纷喊起来。

船一靠岸，家人都相拥痛哭，挥泪不已。那江水似乎也懂得人间欢聚离别，江涛拍打着岩石，溅出片片浪花。

苏轼忽然发觉少了一人，忙问道："为何不见表姑？"王闰之已泣不成声。苏辙含泪道："哥哥莫要伤悲，表姑在你被抓之后不久就去世了……"

苏轼觉得眼前一阵眩晕，大哭道："表姑……表姑您在我苏家大半生，跟着我没过一天好日子，我对不起您啊！"苏迈忙扶住苏轼，也哭泣不止。苏辙接着说："表姑临去前念念不忘哥哥，嘱咐我要常常劝你。可怜表姑一生操劳，我也只能在江宁将她掩埋，无力送回故里啊！"

苏迈扶住苏轼，不住地劝说。苏辙忍住悲伤说："哥哥，表姑已去，悲伤无用。这江边风大，哥哥还是快带嫂嫂及侄儿们回家吧。"苏轼哽咽不言，朝江面跪下磕了三个头，然后领着家人回到临皋亭。

家人相见，千言万语也说不尽。苏轼满怀歉疚地对苏辙说："子由，如今我们在此见面，是为兄之过呀！是我连累了你们。"苏辙忙宽慰道："哥哥，不要说了。哥哥受此一劫，弟和嫂嫂无时不牵挂着哥哥，见到哥哥，弟已心满意足。"苏轼又问起苏辙家人的情况，苏辙说："哥哥不必担心，家人十分安好。我已经将他们安排在九江驿站，我送嫂嫂来黄州安定后，再返回去接他们一起去筠州上任。"苏轼欣慰地点点头。

苏轼又向王闰之深鞠一躬道："多谢夫人不弃之恩。罪夫给夫人赔礼了。"王闰之含泪笑道："都当祖父的人了，还没个正经。"苏轼笑道："闰之啊！要不是有你，我怎能有这儿孙满堂？"苏迈的妻子范英已生下一子，正抱在怀里。苏轼抱过孙子兴奋地说："如今好了，祖孙三代又团聚了。"

苏辙见哥哥家中之事都安排妥当，就要告辞启程。苏轼苦苦挽留道："子由，你我兄弟难得一聚，何不多住些时日？你受我牵累远贬到筠州，如今这朝中之事，哪里还有说得清楚的？不知明天又会有什么诏令下来，你我远隔天涯，想再见面恐怕都难了。"苏辙忙劝道："哥哥不必伤感。我们对床夜语之约，将来定会践行的。"苏轼仍笑着挽留，相邀一起游览黄州的风光，一起驾舟渡江去武昌的山林中闲走，到潘丙的酒店中品尝一下江南的浊醪，这样兄弟二人形影不离地居处了十天。苏辙因筠州酒监上任之期在即，只得再次辞行。苏轼含泪相送，不在话下。

苏轼一家至此在临皋亭安居起来。尽管徐太守帮忙解决了住所问题，但一大家子的开支用度，还是让苏轼那点微薄的俸禄显得捉襟见肘了。王闰之精打细算，也难以维持长久。苏轼整日训导苏迨、苏过读书，教以君子固穷、孔颜乐处之道，可也救不了眼下无米之炊的窘境。

一日，苏迨、苏过正在念《论语》："天下有道则见，无道则隐。邦有道，贫且贱焉，耻也；邦无道，富且贵焉，耻也。"苏轼捻须颔首微笑，王闰之听了，不由得发愁道："子瞻，你少教他们这些，天下有道无道，都一样是这般贫且贱了。你看看，现在全家开销甚大，你每月俸禄却仅有四千五百钱，若不算计着用，恐怕要寅吃卯粮，可如何是好？"苏轼也皱眉沉思，说："我这几日也正想这事儿呢。我有一法，把这四千五百钱分成三十份，每份串一百五十钱，悬于梁上，每日只花一串，剩余的放入竹筒，可用来招待朋友，试试如何？"

王闰之叹气道："这是节流之举，非是开源之法。"苏轼无奈地说："时下也只好如此，我总不能干绿林，学剪径吧？"王闰之有点不高兴，赌气出去了。苏轼没奈何，只得喊苏迈进来，吩咐他扛一把梯子来，再找三十颗钉子。苏迈不解，搬来梯子问道："父亲，这是何意？"苏轼把梯子靠在屋梁上，说："把这三十颗钉子一字儿排开，钉在屋梁上，再把我每月的俸禄分成三十份串起来挂上，每日取一串使用。"苏迈笑说："钱上梁，易召梁上君子呀！"苏轼说："大贼才上梁，小毛贼上不去。"苏迈笑着照办。

家里境况实在太艰难了。小苏过顽皮，因为肚子饿偷吃了王闰之给儿媳范英蒸的蛋羹，王闰之气得打了孩子一下，苏过"哇"的一声哭起来。朝云急忙过来，又是哄孩子，又是劝夫人，急得范氏也抱着孩子出来劝。王闰之看着满家的人，叹口气，无奈地进屋里去了。苏轼也没法子，只得叫苏迈到陈慥家去借些钱米来，聊解燃眉之急。

不过苏轼此刻最忧心的，还不是家中的柴米油盐。他近日从徐君猷那里得知，西北边疆战事又起，朝廷内不知又要起什么变故了。正思虑着，有差役来请苏轼赴府衙议事，苏轼见是太守相邀，急忙前去。见着徐君猷，忙问道："徐公啊，西北战事如何？"徐君猷忧心忡忡地说："圣上如今重用蔡确推荐的徐禧为西北统帅，在边境上筑起了永乐城。此人刚愎自用，不懂打仗，安能担此重任？时下与西夏关系吃紧，兵戈扰攘，不知子瞻对此有何高见？"

苏轼连珠炮似的说："战国时，赵王任赵括为大将去抵挡秦军，而秦军的将领是能征善战的白起。赵括的母亲听说后，找到赵王，说自己的儿子只会纸上谈兵，会误国的。赵王不听，结果赵括被俘，四十万大军被活埋。"徐君猷叹气说："徐禧这人好大喜功，腹无韬略，也许还不如赵括呢。"苏轼忧形于色："二十万大军一旦毁于他手，有多少血海尸山！还有二十万家破人亡，大宋如何经受得起这等创痛啊！"

徐君猷也不无痛心地说："自从王珪、蔡确掌权，将倡议变法诸人尽数外贬，他二人名为皇上鼓吹变法，实则借公谋私，培植自己的势力。就拿这徐禧来说，简直就是用人唯亲！前不久朝廷封王安石为荆国公，吕公著任枢密副使，文彦博任太尉。老夫又风闻圣上要重用司马光，王珪、蔡确等人千方阻挠，正好借这边事骤起弹压不少意见不合者。眼下这朝政已由不得你我议论指点了。"苏轼想到自己身为罪官，无权议政，眼见国事日非，却使不上半点力气，愈觉忧闷，与徐太守絮谈了一阵，即告辞回家。

将近家门口，天色晦暗，渐渐沥沥地下起小雨来。苏轼听到屋内王闰之埋怨道："朝云！朝云！先生哪里去了？这些时日，他整天不着家，又去大谈国政，我看他是好了伤疤忘了疼。这样下去如何是好啊！别忘了，他现在可还是一个戴罪之人哪！快去找先生，告诉他家里没有米了。"

苏轼不禁叹了口气，想自己家国两误，不禁凄然，也不回屋了，转头冒雨登上临皋亭去看那烟雨迷蒙的大江。暮色苍茫，江流无声，更添愁怀。苏轼正沉思着，朝云身披蓑衣，手里拿着个斗笠，悄悄地来到身后。朝云轻声地说："先生，看你，都淋湿了，快回去吧。夫人在家等着呢。"

苏轼闷闷地叹了口气，一语不发。朝云是个极聪慧伶俐的女子，这几天从苏轼的谈论中已耳闻边疆的战事，知道先生正为此忧愁，便问道："先生是为西北的边事担忧吗?"苏轼看着朝云说:"是啊,朝云,边事堪忧啊!"朝云问道:"先生怎么就断定边事不祥呢?"苏轼说:"我在西北呆过。徐禧为西北统帅,在边境上筑起了永乐城。那永乐城是一座孤城,一旦被西夏鹞子军包围,断其水源、粮道,定败无疑。尤其水源,三日无水,军心必乱,七日无水,不攻自灭。"

朝云惊讶不已。她见了苏轼忧愁的样子,想起夫人的话来,忙转开话头道:"先生忧心国事,可是夫人却担心先生啊!"苏轼见朝云如此体贴人意,淡淡笑了一下:"担忧得对,苏轼现今已不敢多舌!走,咱们回家!"朝云忙给苏轼戴上斗笠,跟着吞吞吐吐地说:"先生……家里的粮食不多了。"

苏轼叹了口气道:"我岂能不知呢?总向季常兄借也不是长远办法。我打算向太守请求要一块荒地,我们自己开荒种粮。"朝云愣了一下:"开荒?"苏轼笑说:"开荒怎么了?老夫难道做不了农夫吗?"朝云笑道:"不是。只是,先生,我担心……"苏轼笑道:"担心别人笑话我吗?耕而食,织而衣,将来我做农夫,你陪夫人在家纺织,吃饭穿衣都自食其力,谁能笑我哉!"说罢朗声大笑,朝云也含笑应允。二人慢慢走回家去。

四十七　东坡居士

苏轼向徐君猷请求黄州闲荒土地，得之于城东山丘的土坡之上。徐君猷带随从与苏轼来验看，只见砾石遍地，荆棘丛生，荒芜得不成样子。徐君猷说："苏公要开荒，实在是我这太守之羞，可我也是爱莫能助啊！"苏轼摆摆手笑道："唉，徐公何羞之有？我苏某今日有田可耕，是我天大的福分，也是拜你太守所赐，何谓爱莫能助！"徐君猷叹服道："苏公随遇而安，非常人可及，徐某只有佩服的份啊！"苏轼谢过太守，从苏迈手里接过火把，亲手把那些蒺藜茅草点着，大火借着风势烧得毕毕剥剥地响。

烧荒种地，是乡间耕作的土法，然而即使烧荒，土地仍然贫瘠。想要在这里种庄稼，非要清理碎石瓦砾、刨松土壤不可。为了不耽误明年春天的播种，苏轼带着几个儿子都到山上劳作起来。

他早已脱下长袍，摘去头巾，去掉了作为读书人的一切标记。换上一套麻布短褂，头戴斗笠，脚穿芒鞋，扛着锄头，俨然一个老农的模样。书生拿笔报国，农民荷锄种地，在苏轼看来都是最普通不过的事，并没有贵贱高下的分别。相反，拿笔的手渐渐磨出老茧，汗水滴入泥土，累了就伸腰深吸山间的空气，没有比这样辛勤耕作更能令心灵平静和踏实的了。

苏轼欣慰地对苏迈说："迈儿，为父今后要赖此荒地为生了，能做一介农夫，余愿足矣！"话语中透露出几分安详和满足，再也不是初来黄州那副失魂落魄的样子了。苏迈深知父亲的脾气，但却不知道该为父亲高兴还是悲伤。

两个小儿子苏迨和苏过从没有下地干过活，一开始还觉得新鲜，搬石头搬得满头大汗，但不一会儿就开始叫累，嘟囔着要回家，懒懒地坐在地上不肯起来。苏轼板着脸教训："'谁知盘中餐，粒粒皆辛苦'，现在知道粮食的滋味了吧？"苏过埋怨道："父亲，雇人开荒不行吗？"苏轼放下镢头说："不行，为父现在是农夫，不是地主。"苏过不解地问："可父亲是当官的呀。"苏轼说："为父已经不当官了。"苏过低着头，还是赖着不肯起来，支支吾吾地说："明天不来行吗？"苏轼皱眉道："小小年纪，就如此好逸恶劳，平时教导你们的圣贤道理都忘到脑后啦？"苏过见父亲生气了，只得起来重新干活。苏迨年纪稍大一些，忙过来拉着弟弟，嘴上却嘟囔道："这哪里还像读书人家？"

苏轼走过去，慈祥地对两兄弟说："读书人？你知道什么叫读书人吗？我问你，前朝的范仲淹范文正公是不是读书人？"二人点点头。苏轼接着说："好，你们俩都要当读书人，那就得学范文正公小时候，一顿一碗粥。"二人垂头不语。苏过忽然反问："父亲，那你小时候是一顿一碗粥吗？"苏轼摇头说："我小时候吃得很饱。"小苏过一字一顿地说："子曰，'己所不欲，勿施于人'。"苏轼听了，哭笑不得："我在你们这么大的时候，《论语》、《孟子》、'春秋三传'、'三礼'，以及《史记》中的'世家'、'列传'等书已经倒背如流了，另诵唐诗千首，不错一字。你们倘若能做到这样，我的俸禄就由你们开销了。"兄弟俩你看看我，我看看你，顽皮地咋了咋舌头。

苏迈在一旁听两个弟弟振振有词地跟父亲辩论，并不停下来休息。他心中明白，作为长兄，他应该为父亲肩负更多的担子，为两个弟弟做表率。苏轼欣慰地笑道："好了，今天的活儿干完了，回家吃饭。明天再上山来。"苏迨、苏过懂事地点点头。

晚上，孩子们都睡了。苏轼轻声对王闰之说："明天你跟着大家一起下地开荒去吧？"王闰之惊讶地说："开荒？那谁来做饭管家？"苏轼说："让迈儿媳妇一人做饭就好了。她在家要看孩子，不好下地，你身强力壮，怎么好待在家里？"王闰之一听火了："我在家又没闲着，我不管这个家，谁来管？"苏轼也怒了："我又没说你闲着。现在荒地开垦不出来，误了明年耕种，全家吃什么去？你不愿下地干活，就是放不下夫人的架子！"王闰之听了这话，委屈地哭出来："什么？夫人的架子？我嫁了你就没过一天好日子！"苏轼也是直性子，说："我又没求你嫁给我。"王闰之气愤得说不出话来，不住地哭，朝云赶忙跑过来。苏轼愤愤地摔门而去。

第二天，苏轼闷闷地吃过饭，也不搭理王闰之，拿着镢头就上山了。苏迈带着弟弟们和朝云一声不响地跟在后面。大家都受了情绪的感染，一声不吭，埋头干活。朝云见苏轼闷闷不语，瞅个间隙端碗水来，柔声说道："先生，歇会儿吧！别累坏了身子。"苏轼接过水，一饮而尽，又挥动起镢头。

朝云劝道："先生，为何那样对待夫人？夫人整日在家操劳，还不是为我们弄口饭吃。你也知道，要不是夫人节俭过日，我们早已吃不上饭了。"苏轼这才停下来，长叹一声："哎！是我对不起夫人哪！但如今我已安心做一个农人，全家人也都好好地下田耕作，唯独她放不下官宦人家的架子，这又怎么能行？"朝云耐心地劝道："先生，也许夫人并不是放不下架子，她只是心中烦闷，不愿外出见人而已。"苏轼说："腐儒奋枊支百年，力耕不受众目怜。该高兴才是，又有什么可烦闷的？"

两人的冷战仍在持续。待在同一间屋子里时，两人冷着脸谁也不理谁。苏迈带着两个弟弟躲开念书去，或者陪着范英照顾孩子，只剩下朝云夹在中间做和事佬了。朝云生性聪慧，与苏轼夫妇感情也很深，看到他们闹别扭，自己也觉得难受。她趁单独跟王闰之一起做家务活的时候，小声劝说："夫人，向先生认个错吧，这样僵着也不是办法。"王闰之委屈地说："多少年来，我一直让着他，日子过得容易吗？他倒好意思说出那么绝情的话。"朝云忙劝道："就为这一句话，何苦呢？"王闰之激动地说："他从来就没有真心地对我好过，从来没有给我讲讲他的想法、他的心里话。他总是叫别人体谅他，他体谅别人吗？吃苦、受累、担惊、受怕这没什么，可他为我想过吗？他关心过我吗？多少女人还羡慕我嫁了一个独一无二的大才子，可顾家庭过日子有多少难处，谁又知道呢？我打下牙往肚里咽，有泪得往肚里流，他懂吗？我也是女人呀，他给过我多少温情？"

话匣子打开就收不住了。王闰之这么多年的委屈一下都释放出来，那泪水像开了闸似的扑簌簌地往下掉。朝云听了，心头一震，又一阵痛心，轻声安慰道："夫人，先生时下身处逆境，脾气坏一点也是有的。但他还是把夫人放在心上的。"王闰之仍止不住地哭。

吃饭的时候，朝云又试图斡旋，对王闰之说："夫人，别和先生怄气了，先生的脾气你还不知？先生已经不生气了，夫人快和先生喝杯和好酒吧。"说着递过两个酒杯来，把酒斟满。王闰之坐着不动，仍说着气话："我给他生了两个儿子生错了，前生该他的。"苏轼听了，火冒三丈，把酒杯摔得粉碎，吼道："教子无方，还执迷不误！连一点大家闺秀的教养都没有！"家人都吓得目瞪口呆，王闰之捂着脸哭着跑进屋去。朝云感到两头为难，但也无法可想，忙跟着进屋去劝。苏轼气得脸色发青，饭也吃不下，一个人往外走去，苏迈忙紧跟着。剩下那两兄弟愣愣地坐在饭桌旁，苏迨说："都怨你！"苏过也不服气："你要好也行啊！"

苏轼独自来到江边，望着滔滔江水，心中烦乱不已。他已打定主意要做个农夫，平平静静地在乡间耕种生活，可现在家里的事却这样让他头疼。他不禁想起了王弗，想起她的聪慧温柔，善解人意。如果她还活着，一定会理解现在的处境，一定不会有嗟怨之心的。可是弗儿去世这么多年了……苏轼不禁叹了口气。

苏迈走到父亲身边，轻声地说："父亲，你不要生气了。母亲她也有苦衷。再说，您要气出个好歹来，孩儿可怎么办呢？！"苏轼歉疚地说："迈儿，为父对不起你。你从小就没了母亲，长这么大，为父对你的关心太少了。"苏迈忙说："父亲，不要这么说。孩儿虽然没有了母亲，可继母视孩儿为己出。天这么凉，江边的风大，父亲请回家吧。"

苏轼摆摆手，伤感地说："我想起你的亲娘了。如果她还活着，一定不会这么不理解我，永远不会。你先回去吧，我想在这儿静一静。"苏迈也哽咽道："继母操持这个家不容易，发点牢骚也情有可原。"苏轼说："密州的日子不比在黄州苦吗？她没有抱怨。今日怎么生了抱怨之心呢？是父亲被贬了，成了罪人，她爱慕虚荣！"苏迈忙说："父亲言重了，继母不是那样的人。她是为一家人操心啊。"苏轼听不进去，示意苏迈先回去，又无言地去看江水。苏迈看江风吹着父亲斑白的鬓发，心中一酸，默默地转头回去了。

现在情势闹得更僵了，范英抱着孩子，六神无主。朝云见苏迈回来，忙找他商量，贴耳对苏迈说了几句话，苏迈疑惑地点点头。又唤来苏迨、苏过，如此这般地给他们吩咐一遍，两个小家伙都懂事地点点头。

又过了一天，苏轼像往常一样下地干活回来，把斗笠撂在一边，走进屋来准备吃饭。只见苏迈三兄弟默默地坐在桌边，桌上摆着饭碗，却空空如也。苏轼不解地问："你们都怎么了？为何碗里没有饭食，在此闲坐着呢？"众人不作声。苏轼以为是兄弟间闹别扭了，便问苏迈："是谁顽皮使气呢？"苏迈仍不作声，给苏过使了个眼色。最小的苏过果然机灵，双臂抱在胸前，振振有词地说："父亲，从今日起，我等罢饭绝食。"苏轼瞧他那认真劲儿，哑然失笑，忙问为何。苏过认真地说："父亲和母亲什么时候和好，我等就什么时候吃饭。"

苏轼满脸歉意，叹道："原来是这样。同你们母亲吵架，原是为父的错。西北边境在打仗，为父却在这儿孤守江边，所以近来脾气很不好。为父今日在田间想了很久。你们的母亲、还有你们都跟着为父受苦了，但无论怎样艰难，大家都从不生一丝一毫的抱怨。为父却做得不好，遇见不平之事，如鲠在喉，必欲吐之，也不顾你们爱不爱听。你们的母亲是个好人，嘴上逞强，心里却慈悲好善。其实要照顾这么大一家子，她已是左右支绌、身心俱疲，听见为父说泄气话又怎么能安之若素呢？都怪为父，怪为父啊！"

朝云早拉着王闰之躲在门后聆听。王闰之听苏轼说出这番话，眼睛都红了。只听见苏轼又接着说："可你们不能不吃饭啊，你们从小到大，也只有今日的饭食最该吃得理直气壮！因为你们亲手耕种的五谷稻麦，来年作你们的盘中餐，粒粒皆是你们自己的辛苦！所以不能因为父而白费了你们朝耕暮耘的汗水。唉，待为父给你们做饭去，算给大家赔礼道歉，给你们的母亲赔礼道歉。"

王闰之眼眶湿润，激动万分。她从里屋慢慢走出来，流着泪说："你的好意我心领了。以后，我再也不惹你生气了。是我不对，请大家原谅。我这就去下厨做饭。"苏轼也忙作揖道："委屈夫人了，为夫有愧呀。"二人和好如初，众人都开心地笑了。

朝云笑吟吟地陪王闰之在灶下生火做饭。忽然苏迈跑进来，手里提着一块稻草捆系的肉，高兴地说："为了庆祝父亲母亲和好，我去集市上买了点肉回来。"王闰之也很高兴，但瞧着朝云问："这猪肉怎么做才好吃呢？"

这时苏轼正在书房教苏迨、苏过念诗。苏轼笑着说："孩儿们，你们母亲正在厨下烧饭，为父且吟读两句饭前开胃诗文。青青田上稻花香，碧水清浅摇绿秧……"

朝云听到先生念诗，笑着对王闰之说："夫人，你听，稻花香……碧水清浅……先生这是让咱们少放些水，再盖上青稻秧哪！"

又听见苏轼吟道："但得农家日缓缓，不劳劝耕赵家庄。"

朝云接着说："哦，先生说日缓缓……用文火呀，缓缓地蒸。"

王闰之将信将疑，忙将肉洗净放到锅中蒸起来。过了半个时辰，香气渐渐飘满了屋子。王闰之盛了一大碗炖猪肉，端到饭桌上来。苏迨、苏过闻见香味，早已垂涎三尺，急着要举筷子。王闰之皱眉道："请你父亲先尝。"

苏轼笑道："那我恭敬不如从命了。"举筷尝了一小块儿，赞不绝口："嗯，这肉很香啊，我从没吃过这么香的猪肉。黄州这地方，富人不吃猪肉，而穷人又不知如何烹调，你们是怎么做的？"王闰之笑着说："是按夫君说的办法做的呀！"苏轼茫然不解。朝云笑着解释道："先生不是说什么……田上稻花香……水浅……绿秧……日缓缓，什么的嘛，我就让夫人少放了些水，用文火蒸了。"

苏轼恍然大悟："原来是'无心插柳柳成荫'啊。无心之中做成这么一道美味佳肴来。"朝云一边盛饭，一边笑说："原来夫人是以先生的诗文将错就错，天缘凑巧而成。真有意思！不过，这道菜是算夫人做的，还是先生做的呢？"苏轼与王闰之相视一笑。苏迈打趣道："我看该算父亲做的。想不到父亲还是个文人厨子哪！"大家都笑起来，两个小家伙早按捺不住，举起筷子吃起来。

朝云斟了两杯酒说："先生夫人这回可要喝和好酒啊。"王闰之含羞地举起杯子，苏轼爽朗笑道："唉，我这脾气不好，应该感谢夫人，这事要是放在季常的夫人柳氏身上，打我一顿棒槌，不也得挨着吗？你比河东狮吼强多了。"众人大笑。王闰之面色绯红，抿嘴把酒一饮而尽。

苏轼继续带着一家人在山上开荒，渐渐把那些荒草恶木都刈除尽了，碎石瓦砾都垒成田界，板结的硬土也一寸寸地刨松，种上麦种。到十月光景，地气偏暖，麦苗已长得很高大，苏轼很是欢喜。但当地农夫告诉苏轼，过高过大的麦苗不易抗过冬雪，想要来年收成好，就要放任牛羊吃掉麦苗叶。苏轼感激拜谢，精心侍弄这一片庄稼。

到这一年岁末，黄州果然连下了几场大雪，似乎也兆示来年会有个好收成。趁着大雪农闲，苏轼带着儿子在荒地一侧筑起了一片平台。台上建起了几间草屋，墙壁里面又绘上了雪景，屋外用竹子编成一围篱笆。

到第二年开春，荒地上已是绿意盎然，令人欣喜！苏轼饶有兴致地看着这一片亲自耕耘的土地，内心无限喜悦。朝云笑说："先生真是个地道的农夫了。"苏迈也接着说："父亲，屋已盖好，田地初成，都该有个名号了！"

苏轼捻须说："地处城东，东有山，山有坡。白居易云，'朝上东坡步，夕上东坡步，东坡何所爱？爱此新成树'。这地就叫东坡吧。这几间茅屋是大雪中所盖，就叫雪堂吧。"朝云和苏迈都微笑称许。苏轼笑着说："老夫如今也有雅号了，今后就叫作东坡居士！"

苏迈高兴地说："那父亲就是苏东坡了！"

苏轼点头自言自语："是啊，今后只有苏东坡，再无昔日的苏子瞻了啊！"

苏过也插嘴说："那家里烧的猪肉就叫东坡肉咯！"众人都笑起来。

没过多久，苏东坡的名号便传遍了整个黄州。黄州人都知道这个昔日的大才子大文豪，竟要在乡间学做农夫了，个个惊奇不已。

那徐君猷身边有个一同调任过来的吴通判，乃是王珪的学生和亲信，暗中受了王珪、蔡确的指使，监视着苏轼的一举一动。王珪害怕苏轼重新被皇上起用，就指使吴通判搜集他的言行，以便从中找到构陷他的机会。有差役把东坡居士的名号告诉吴通判时，吴通判立刻写了密信转递给王珪。王珪看了信冷笑道："这个苏轼啊，没粮吃，他自己种；没肉吃，他自己烧。若是以后没酒喝，我看他也能自己酿出来。实在是拿他没办法。若他从此以后，真正志在东坡，做个饮酒吟诗的陶渊明，老夫倒可高枕无忧了。"蔡确还是不放心，叮嘱吴通判继续紧盯着苏轼的举动。那吴通判巴结着王珪，每日做着发财升官的美梦，岂有不尽心的！就派手下留心打探，此且不提。

巢谷自从暗暗跟随苏轼到了黄州，见他与陈季常相遇，料想沿路不会再有人加害他了，就悄悄拜别，始终不愿现身相见。后来云游到三清山道观见到了师傅吴复古。那吴复古本是闲云野鹤，四处游走，飘忽不定的，这回却好像知道巢谷会上三清山一样，专门在山中等候，清修了半年的光景。三清山风光奇秀，乃是葛洪曾经修行炼丹的地方。吴复古见巢谷心有郁积，心神未安，便留他在山中静修，一句话也不问。巢谷虽满心迷惑，但见师傅不开口，也不敢贸然去问。

如此每日练武、静坐，又过了半年。吴复古突然开口说："我们去看望苏子瞻吧！"

巢谷惊诧不已，又犹疑不决："师傅，徒儿还是不下山的好！"吴复古笑道："跟随我在这三清山中修行半年，难道心中的郁结还是舒解不通吗？"巢谷支吾不言。其实他心中何尝不想见苏轼呢？自从苏轼被捕入京，他就一路暗中相随保护。在汴京御史台监狱，巢谷见苏轼受尽屈辱，曾想去割了李定、舒亶等鼠辈的首级，但想起师傅的训示，怕杀了他们之后，苏轼的冤屈更难雪清，就隐忍着直到苏轼贬到黄州。

吴复古心如明镜，朗声道："你的脾气太过刚烈，动不动就要用刀子杀人，全不像方外之人。难道对小莲姑娘仍念念不忘吗？"

巢谷见师傅说中心事，心中惘然，但嘴上还是吞吞吐吐地否认。吴复古长叹一声："小莲乃一只骄世之凤，命合如此，怎会爱你。再说，这与子瞻无干。"巢谷低头认错道："师傅教训的是，弟子从未怨过子瞻，弟子只是俗念太重了。"吴复古摇头说："非也，非也。有大智慧者，必有深情；有深情者，方有大智慧。当初为师正是看上你这一点，才收你门下。情劫历尽，智慧之门顿开。"巢谷忙跪下叩头道："多谢师傅指点。此次看过子瞻兄之后，弟子一定追随在师傅身边，好好学道。"吴复古说："道即我，我即道。心中有道，不学也有道；心中无道，学也无道。南华祖师当年不知我是蝴蝶，还是蝴蝶是我，即是此意。巢谷，你要切记啊。"巢谷赶忙叩谢师傅教诲，此时他的心早已飞到黄州去了。

巢谷与师傅水陆兼程，很快就到了黄州。二人早听说苏轼在黄州学做农夫，亲垦荒地，最近自起了个名号叫作东坡居士，便径直往东坡而去。远远望见田垄上，苏轼穿着一身粗布短衣，正与苏迈锄地。巢谷疾奔向前，大喊道："子瞻！"苏轼远远望见，又惊又喜，扔下锄头，跌跌撞撞地迎上前去，激动地抱住巢谷说："巢谷贤弟，真的是你吗？我不是在做梦吧？你这几年到哪里去了？我还以为见不到你了！"巢谷泪流满面，哽咽得说不出话。苏迈也感泣不已。吴复古飘然至前，笑道："好啦好啦。大士何曾有生死，小儒底处觅穷通。偶留一映千山上，散作人间万窍风。"苏轼忙作揖道："不肖侄苏轼叩见道长。还是道长道行深，如此达观，小侄被道长笑话了。"吴复古看着苏轼一身打扮，笑说："东坡居士头已白，看来也是修行至深啦。"苏轼大笑，即刻请二人到雪堂安歇。

还未进屋，苏轼就喊道："闰之，看看谁来了？"王闰之正在家中忙活，出门一看，不由得惊呼起来："吴道长！巢谷大哥！"吴复古笑呵呵地端详着闰之说："闰之啊，跟着子瞻受苦了。我可没有给你保好媒啊，怪罪贫道吗？如今还成了农夫之妇了。"王闰之说："道长哪里话，跟着子瞻，吃糠咽菜也是愿意的。"说完与苏轼相视一笑。

苏轼忙招呼着众人坐下，说："吴道长这回可要多住些日子，久不跟道长学道，这满身俗气要借道长的仙气拂去才是。我跟巢谷也有满肚子的话要讲。"家人都围坐过来，絮谈良久。巢谷便把如何在官船上杀死官差、暗中保护苏轼父子、相随至黄州的情形讲了一遍，苏轼等人听了都惊讶不已。回首往事，唏嘘流泪。

苏轼连忙叫苏迈邀请陈慥、柳氏、潘丙等一干好友齐集雪堂，置酒欢聚。众人带着些鸡鸭果肴欢欢喜喜前来，潘丙还带了一坛上好的黄酒。王闰之和朝云忙着招呼客人，在庭院的柳树下摆起一桌菜肴，给众人斟酒。

苏轼显得十分高兴，举杯向众人说："诸位前辈、好友，雪堂落成，感谢诸位前来祝贺。吴道长和巢谷远道而来，苏某先敬二位一杯！"吴道长笑道："我的东坡贤侄，如今果真要在黄州当一农夫吗？"苏轼长揖施礼道："苏某不才，做一农夫倒也遂了平生之愿。如今在这东坡之上垦辟了几亩田地，又蒙各位好友帮助修筑了这雪堂，如此大可在此安度余生了。道长，您是得道长者，也是先父的好友，当此雪堂落成，小侄定号之际，还请题上一副楹联啊。"众人都叫好。吴复古赶忙含笑推辞。这时巢谷说："师傅出口成章，莫说题上一副楹联，就是题上千副万副，也是杯酒之间的事，如何作难？"吴复古笑道："好你个巢谷，将你师傅的军来了。"挥手要打巢谷，巢谷笑着躲开。

吴复古捻须笑道："你们有所不知，贫道虽略略读书，却从不留文字。"陈慥也是修道之人，忙问其中缘由。吴复古说："南华老祖有言，凡是可以用语言说出来的，都是事物的糟粕；只有那些可以意会而不可言传的东西，才是精粹。故而贫道不敢轻言。"柳氏是个直脾气，早等得不耐烦了，脱口而出："那道长日可发千言，何以不能写一副楹联？"陈慥恼她言语轻率，忙拽她的衣袖，柳氏固执不理。吴复古大笑："二者大不相同！我虽日发千言，却都随风而逝，如同未发一言。但这雪堂对联一出，必因子瞻而传之后世，岂不破了我的规矩？"苏轼忙拱手说："道长太抬举小侄了。不过还望道长为小侄破例。"吴复古看众人盛情难却，大笑说："该守则守，当破则破，任其自然，不用人心，乃是道家的宗旨。罢了，贫道就题上一副。"苏轼大喜，忙叫朝云端上纸墨笔砚来。

吴复古题道："台榭如富贵，时至则有；草木似名节，久而后成。"众人看了，都有些不解。吴复古说："'富贵'者，人人欲求，不求则是矫情；但要求之有道，顺其自然，不可强求；'名节'者，立身之本，但人如草木，冬来自凋，而历冬不凋者，方为劲草，故'久而后成'。"众人见解得精妙，都赞不绝口。苏轼也拱手拜谢。

吴复古呷了口酒，徐徐说道："贫道献丑了。不过我也有一问，这草堂何以名之'雪堂'啊？"苏轼笑道："道长倒考起我来了。此堂建时方遇大雪，故以雪名之，以纪其事。"陈慥、柳氏、潘丙都点点头。苏轼又接着说："不过又全非如此。"众人忙问为何。苏轼指着墙壁上的壁画说："吾非取雪之名，而取雪之意。此凹也，此凸也。在大雪杂下之时，高处和洼处是平均的，高处雪也高，洼处雪也洼；但当大风过后，则凹处的雪留下，而凸处的雪就被吹走了，大风不因其高就偏心，不因其低洼就贬损，反倒将高处之雪吹往洼处。苏某由此悟出，天道无私。"

众人唏嘘叹服。巢谷不解地问："子瞻兄之意，乃是要躲在低洼之处，遁世自保？"苏轼摇摇头说："非也。吾非逃世之事，而是逃世之机。苏某非是逃避世事，逃避的不过是世人的机诈之心罢了。"吴道长颔首称许。

王闰之见众人只顾着说话，忙走过来劝酒，又对苏轼嗔怒道："喝了几杯酒，又开始胡说了。"苏轼笑着说："今日道长和巢谷到来，为夫只不过是太高兴了。"说完又对众人说："诸位，今日此兴未尽，黄州有一名胜，就是城西江边之赤壁。我看不如租条大船，明日泛舟江上，作赤壁一游如何？"众人都拍手同意。潘丙说："我熟知黄州水土人情，由我去租条船来。"苏轼谢过，众人醺然暂别。

将近黄昏时，黄州郊外的村径上，走过来一胖一瘦两个和尚，边走还边拌嘴。正是佛印和参寥。佛印推着一车粮食，参寥背着一个装钱的褡裢。他们听说苏轼在黄州缺少钱粮，故结伴送来。佛印胖大沉重，参寥癯瘦飘逸，两人走在一块儿倒别有风味。到了雪堂院门外，佛印把门板拍得震天响。苏轼在里屋问："哪位敲门啊？"

佛印说："僧敲月下门。"

苏轼一听是佛印，不禁大喜，忙迎出来开门："好你个佛印，还未进门，你就骂我！"见参寥也在，更加惊喜地说："参寥兄也来了！今日仙长大师齐集雪堂，真是机缘巧合！"忙将二人领进来。参寥合十施礼问："仙长？莫非吴道长也来了？"苏轼连声说是。佛印忽然有些迟疑地说："我……我怕我这假和尚见不得真道长！"

吴复古已走了出来，大笑道："假作真时真亦假，无为有处有还无！佛印大师如何还参不破真假有无！"佛印擦擦头上的汗小声说："道长厉害！厉害！"参寥合十道："阿弥陀佛，总算还有人治得了你！"苏轼见他们见面就斗嘴，哈哈大笑，忙把众人带进里屋。家人都出来与二位大师相见。

佛印拍着肚皮大喊道："和尚云游四方，到东坡先生家化缘来了。"苏轼忙说："东坡先生家有秘制东坡肉，只是大师吃不得荤啊。"参寥闭目念经，直说罪过，佛印却笑说："非也，非也，佛在心中，与吃什么无干。"吴复古大笑："好个酒肉和尚，正所谓酒肉穿肠过，佛祖留心中啊。"

少顷，王闰之端着一大碗东坡肉放在桌上，又单独为参寥准备了一些素斋。佛印早已垂涎三尺，也不顾旁人，狼吞虎咽地吃起来。苏轼说："二位故人前来，真是机缘凑巧。我已邀请诸位好友明晚泛舟赤壁，饮酒赏月，岂不快哉！"佛印一听有酒，直嚷着："有酒有肉，和尚我也不算白来黄州了。"众人听了都笑。

第二天傍晚，潘丙早将租来的船泊在临皋亭下。苏轼领着众人，陆续登船。晚风拂来，江静无波，大船稳稳地向城西溯流而上。潘丙摆上酒肴，众人依次坐下，倚着船舷看两岸风光，饮酒谈谑，好不惬意。吴复古苍髯飘动，神情安闲，参寥默捻佛珠，闭目深思，令人有超尘出世之感；陈慥与巢谷是十几年未见的老朋友了，又都习武修道，自然对酌畅谈；苏迈则与潘丙坐在一边轻声说话。只有佛印嘴巴闲不住，千方百计地想跟苏轼斗嘴说禅。

少顷，月亮升起来。天空纤尘不染，清光都洒在江面上。江上细浪粼粼，光影玉碎。近岸几处浅洲沙浦，生满芦苇，水汽袅袅，薄雾浮动，大船似乎浮在空中。

苏轼倚在船头，举着酒杯，幽幽吟道："桂棹兮兰桨，击空明兮溯流光。渺渺兮予怀，望美人兮天一方。"众人都击节相和，醉歌再三。潘丙拿出一支洞箫来，呜呜地依节吹奏。箫声苍凉幽怨，声声飘落烟波之上，随着江流倏忽远逝了。

到了城西赤鼻山下，江流渐渐迅疾起来。原来赤鼻山独峙中流，江水受阻遏不得不在此绕个弯儿才平稳地向东流去。山脚下巉岩万状，涛声四起。船工小心地将船摇到赤鼻山下，只见断崖千尺，遮蔽月影。近处惊涛拍岸，雪浪飞溅，不禁令人心神悚动。半空里水雾弥漫，危峰出云，连月光也显得寒冽起来。

苏轼感慨地说："此处传说是三国周郎赤壁。当年曹操亲率大军东下，舳舻千里，旌旗蔽空，何其雄哉！却被周瑜大败于此，樯橹摧折，仓皇逃走。往事一越千年，那些英雄豪杰都在哪里呢？可见今古同一梦，功业化尘土，还不如现在我们泛舟江上，饮酒为乐啊！"

参寥双手合十道："阿弥陀佛，子瞻事事看得破，视功名若云烟，视人事如幻梦。如此悟性，何不入我佛门？"佛印笑说："子瞻一生聪明，真是血性汉子。早把功名富贵梦抛到天外，跟我这酒肉和尚倒有一比。"苏轼"呵呵"一笑："躬耕东坡，难道就不能参禅悟道吗？"

这时江边划来一条小船，船上站着两个人，擎着火把，远远喊道："是苏大人吗？"众人都放下酒杯静听。小船靠近，原来是官差。为首一个施礼说："苏大人果然在这里。太守徐大人有要事相告，差小的送信来。"说着掏出信函递给苏轼。

苏轼取信看过，大惊失色，站立不稳，几乎要晕倒。众人忙问怎么回事。苏轼痛心地说："徐大人收到公文塘报，说西北永乐城兵败，士卒一万二千三百余人全部阵亡，西夏兵大举入侵。"陈慥、巢谷气愤地拍起桌子，参寥、佛印等也是义形于色，悲愤不已。苏轼接着说："徐太守还说朝廷敕令各州府征兵征粮，搜括钱帛，天下必定骚然不安了。"陈慥叹气说："朝廷又要议和，交纳岁币？"

苏轼不胜悲愤，打发差役回去，回到舱中，抓起酒坛，仰天痛饮。巢谷连忙夺下来，安慰道："子瞻，着急也没有办法！"苏轼神色茫然地说："如今我还能说什么呢？"吴复古一直沉默不语，忽然长啸一声："英雄豪杰，长歌当哭啊！"

苏轼夺过酒坛，猛地灌了一口，把酒坛重重地摔进江里。大江似乎也懂得人的悲愤，挟着风势卷起汹涌浪头，不断地拍打着岩石。在震天的怒响中，苏轼长啸一声，朗声唱道：

"大江东去，浪淘尽，千古风流人物。故垒西边，人道是，三国周郎赤壁。乱石穿空，惊涛拍岸，卷起千堆雪。江山如画，一时多少豪杰。　遥想公瑾当年，小乔初嫁了，雄姿英发。羽扇纶巾，谈笑间，樯橹灰飞烟灭。故国神游，多情应笑我，早生华发。人生如梦，一樽还酹江月……"

四十八　小舟从此逝

　　神宗得知永乐兵败，将帅兵卒死亡无数，大哭一声，呕血晕倒。王珪、蔡确等自知错用徐禧才酿此大败，急忙差人赴边议和，想以贡纳岁币息事宁人，一面又向圣上推诿责任，企图逃脱惩罚。神宗大病一场，无力处理朝政，就由着王珪将这事蒙混过去了。神宗这才想起苏轼的话，后悔不已，想召苏轼回京。王珪、蔡确巧舌如簧，百般搪塞推脱，神宗只好作罢。

　　苏轼自从赤壁之游归来后，终日忧郁不乐，不时前往太守府衙打听边事消息，每每失望而回。那吴通判自然将这些情形密报王珪。

　　参寥与佛印告别诸人，又四处云游去了。吴复古与巢谷也要辞行，被苏轼留住又住了二十多天。吴复古说："贫道已答应了三清山道长的邀约，不能延误，今日便告辞了。子瞻，家国两不忘，你在黄州多加珍重。"苏轼施礼敬谢，又挽留巢谷。巢谷想起小莲的事，于是推辞说："师傅年逾九旬，身边需要人照顾。再说……再说，我也想跟随师傅潜心学道。子瞻兄，我得空再来黄州看你。"苏轼见如此，不再挽留，随同陈慥、潘丙送二人到临皋亭下的江边，目送他们乘船离去……

　　光阴荏苒，苏轼到黄州已是第三年了。农时耕稼，闲时读书，偶尔去太守府中询问一下政局大事，或者邀请二三好友，随意出游，日子真是好消磨得很。微薄的俸禄，加上东坡上的田地收成，差不多可以解决一家人的吃穿，尽

247

管粗茶淡饭，妻子儿子都有晏然自安之色。遇有困难时，友人往往慷慨接济，这一切让苏轼觉得很欣慰。

这日，苏轼又将陈慥请到雪堂来盘桓数日，相从谈经说道。苏轼说："在黄州遇农事闲暇，便有意取《论语》《易经》等书，精习研读，意欲在治经上有所成就，所以一刻也不敢懈怠啊。"陈慥夸赞道："子瞻兄守本务道，精神可嘉啊。"苏轼笑说："我近日将陶渊明的《归去来兮辞》词句重组，按民间山歌唱出，农民于田间耕作时，敲牛角为节拍，别有一番情趣。季常兄可愿意指教一下？"陈慥笑道："现在的苏东坡，跟以前的苏子瞻完全不同了，你可真是乐在其中啊。难道你真愿意做陶渊明，在东坡田间终老此生吗？"苏轼淡然地说："乐天知命，本本分分做一个自食其力的农人，又有什么不好？天意苟如此，且进杯中物吧。"陈慥点点头。二人边说边走，不觉来到江边。

苏轼忽然看见一个妇人站在江边，神情绝望，口中念念有词，双目紧闭，往江里跳去。苏轼大叫一声："不好！赶快救人！"陈慥马上跳入水中，将那妇人双手托起，苏轼站在岸上把她拉了上来。二人把她抬到江边柳树下躺着，她浑身湿透，口吐江水。片刻，那妇人睁开眼，哭道："为什么要救我？不如让我死了算了！活着只有受苦受罪，为什么不让我去死？"

苏轼安慰道："这位大姐，你先不要着急，你只管告诉我，有什么冤屈苦难。"

那妇人平静下来，哀哀戚戚地道出原委："奴家是城南王喜家媳妇。奴家为王喜生了四个女娃。五个月前，奴家又生了一个女娃。当家的骂奴家生不了儿子，每日对我拳打脚踢。家里穷，子女又多，他就要把我那五个月大的孩儿拿去溺死。我痛哭求饶，给他磕头，他也不肯，说家里缺米少粮，再养这些小孩，大人都要饿死了，不如趁孩子还小及早溺死，免得将来变成恶鬼缠身。奴家打不过他，孩子就被他抢了去，丢到水里溺死了。奴家也不想活了，就想不如跳到江里去，一死就清清净净了……"

苏轼听了气得直发抖："岂有此理！岂有此理！你那丈夫连五月婴孩都能痛下杀手，简直丧尽天良，牲畜不如！你那女儿何罪之有，天底下竟有这般灭绝人伦之事！"陈慥也怒道："亲手杀死自己的骨肉，实在是天理不容！"

王喜媳妇只管呜呜地哭："他嫌我只会生女儿，还说要休我，横竖我是活不下去了。"苏轼说："你糊涂！走！你且随我去官衙，告你丈夫去！这就随我去官衙！"王喜媳妇摇头哭道："大人，我怎么能告他呢？他再怎样，也是我当家的。是我没用，生不出儿子，拖累了这个家。"苏轼气急了，斥责道："这与你有何干系？他已犯下人命大案，官府岂能不管？"王喜媳妇拗不过，又不愿去告官，只得挣扎着起来，哭着跑开了。陈慥见状，叹了口气，忙问苏轼怎么办。苏轼说："黄州竟有这等事，我不能坐视不管。那王喜家就住在附近村中，你我这就去通判堂找吴通判告发，派衙役去将那王喜锁了，免他再害人！"陈慥点点头，跟苏轼来到通判堂。

苏轼向吴通判禀明了来意，恳请道："通判大人，这王喜滥杀亲生骨肉，罪深孽重，实不容赦。请吴通判即刻差人捉拿那王喜，以明法纪，劝善惩恶。"吴通判傲然地看着苏轼，懒懒地答道："本官还以为出了什么紧要大事呢，让苏大才子这般火急火燎，原来如此。"苏轼一惊，正色质问道："吴通判，下官以为你会拍案而起，缉查凶犯，却为何还安然高坐于堂上呢？"

吴通判不紧不慢地说："苏轼，本官已知道此事，自会派人处理，退堂！"说罢，就要退堂。苏轼悲愤莫名，拂袖告辞。吴通判突然叫住苏轼说："苏轼，听说你已自号东坡，成日躬耕不辍，乐得自在。这份自在，来之不易，你要好自为之！"苏轼冷眼看看他，气愤地出去了。

陈慥追在后面问道："那狗官说要你好自为之，似乎话中有话啊。"苏轼说："不过是前任曹贵的惯用伎俩，想吓唬苏某，苏某可不怕他！且看他如何处置。"

苏轼回到家里，郁郁不乐，吃饭时也怒形于色，连王闰之新做的东坡肉也不愿意去尝一口。朝云知道苏轼心事，和颜悦色地劝道："先生，今日夫人做了先生最喜欢吃的东坡肉，先生尝一尝，如今夫人的东坡肉只怕比先生做的还要好呢！"王闰之夹了一块到苏轼碗里，苏轼勉强吃了一口，心不在焉地夸赞一句。朝云见苏轼愁思满腹，不敢再多说什么。

晚上陈慥突然来访，见着苏轼便说："子瞻兄，我已找人问过，今日自你我走后，吴通判并未差人捉拿王喜。此时那王喜正躺在家中睡觉，一切如常。"苏轼又惊又怒，说："我今日听吴通判话中绵里藏针，就觉得不对。此案涉及无辜婴孩的性命，且大坏人伦常理，他怎么可以置之不理呢？"陈慥也沉吟："是啊，确实蹊跷。子瞻兄，你与徐太守相熟，要不找他去问问？"苏轼细想半天，说："处理民事诉讼，掌管刑狱缉捕，这是通判分内职责，你我不必去见太守。等明日再上通判堂！"

第二天，苏轼与陈慥再次来到通判堂，苏轼强压住怒火，说："吴通判，下官特来相问，为何迟迟不去捉拿人犯王喜？"吴通判脸有愠色，懒懒地说："苏轼，你一个有罪在身的团练副使，却来质问我堂堂通判，实在无礼。"苏轼拱手施礼道："下官若失礼节，还请吴通判见谅。只是此案人命关天，我实在是心急如焚，不能安坐片刻啊。"

吴通判颇不耐烦地说："行了，行了，苏轼。本官昨日就跟你说过，莫忘了你是有罪之身，该你管的你管，不该你管的不要管。本官受朝廷恩命，自当尽忠职守，不负圣上之托，还轮不到你来指手画脚。"说完扬长而去。苏轼半晌说不出话来，陈慥只好拉着苏轼离开。

苏轼越想越气，对陈慥说："吴通判这个昏官污吏，岂有此理！我几次三番催促他，他表面应承，却暗地不动，就是不拿人。我不能容忍王喜那恶人逍遥法外。走，跟我到他家中去看个究竟。"说着便急匆匆地拉着他向城南走去。

二人四处打听，来到王喜家院门外，见王喜媳妇坐在院子里，抱着几个小孩子呜呜地哭，王喜站在屋檐下破口大骂："贱女人！儿子都不会生，养着你有什么用？生这么多女娃，只知道张嘴吃饭。都给我下地干活，不然都得饿死。"王喜媳妇只知道哭，那几个小孩子都吓蒙了，也跟着哇哇地哭。

苏轼在篱笆外看到这情景，大怒："哼，这等恶徒，决不能姑息！季常，吴通判不拿他，我去拿他。我要亲自审审，问问他的良心何在！"陈慥大惊，忙劝阻道："子瞻兄，不可鲁莽行事啊。你仍是戴罪之身，朝廷明令，你就连公文都不得签署，何况拿人审案呢！不如我们去禀明徐太守，请他作决断。"苏轼摇摇头说："徐太守去武昌府办公事去了，一时回不来。此事我不能坐视不管！正是像吴通判这种人纵容姑息，此类灭绝人伦之风才猖獗不止。"

陈慥苦苦劝道："子瞻兄，你若私自拿人，触犯律例，这可正合了朝中有些人的意了。"苏轼倔强地说："我所经历的祸患还少吗？季常，你不知道，这几日我食不甘味，夜不能寐，不让我审这一回，只怕会积忧成疾，我不能再等了！"陈慥无奈地说："那好吧，到晚上我带几个家丁去把他绑了。"

二人商议已定。晚上陈慥带家丁将王喜五花大绑，带到雪堂来。苏轼端坐院中，众人拿着火把，环列四周。王喜还弄不清楚发生了什么事，惊恐地看看四周，双腿发抖。

苏轼大喝一声："王喜，你可知罪？"

王喜"扑通"一声跪下，哭喊道："大……大人，小的老实本分，从不惹事，没打过谁也没偷过谁，胆子倒比谁都要小一些……实在不知道犯了什么罪呀？"

苏轼见他毫无悔过之心，更加愤怒，吼道："住嘴！你这禽兽不如的败类，还敢在这里装腔作态！我问你，你前日如何将自己五个月大的女儿浸水溺死的？快说！"

王喜哀哀哭求道："大人，小的也不忍心杀死亲身女儿。但家中缺粮，哪里养得活她，横竖是死还不如死在我手中。大人，小的也是没有办法啊！"

苏轼喝道："岂有此理！你竟因为缺粮就杀死自己的亲身女儿吗？你还有没有良心！"

王喜一脸茫然，说："小的想大人是少见多怪，小的前两年遇上饥荒，也曾埋过一个女婴，倒无人怪罪小的。大人，求求你……"

苏轼听了，更加怒不可遏："大胆恶徒！你手中竟有两条亲身骨肉的人命！你还不以为罪，你，你实在已经不可教化！来人，将他关起来，明日待我将他送官查办！"

家丁们把王喜押下去了。陈慥不无担忧地过来说："此事惊动官府，那吴通判定会从中生事啊。"苏轼余怒未歇，叹气道："现在管不了这么多了。此等恶徒若不绳之以法，王法天理何在？！我明日亲自将他带到通判堂，我要看那吴通判，他判是不判？"陈慥忧心忡忡地点点头。

第二天，苏轼叫陈慥在堂下候着，自己推着五花大绑的王喜来到通判堂，喝令跪下，王喜吓得哭喊饶命。吴通判坐在堂上，冷冷地瞪着苏轼。苏轼上前禀明："吴通判，下官昨夜已审问了恶徒王喜，王喜对他杀死两条人命一事供认不讳。还望吴通判明察，尽快将其治罪，以正视听。"

吴通判早就想寻找机会来整治苏轼了，见此情景，拍案喝道："大胆苏轼！你本戴罪之身，贬官于此，竟敢私设公堂，枉法乱纪，你该当何罪？"王喜吓了一跳，一时又摸不着头脑，愣愣地看着两位大人。陈慥心里也一紧，暗想不妙，跑到门口观望。

苏轼见状，不由发怒道："吴通判，你不审这杀人恶徒，为何倒审起我来了？"吴通判冷笑道："苏轼，你怕是忘了，你是连公文都无权签署的罪官，更何况私设公堂？你不听本官一再劝告，如今已犯下了重罪。"苏轼大笑道："吴通判，我之所以要私审王喜，全因你渎职不力。我两次三番告知于你，你却不闻不问，使人犯逍遥法外。我不得已才代行，你不是不知道。吴通判，我以为私设公堂违律一事，此后再议，你先审问这王喜再说。"

吴通判傲然地说："苏轼，本官用不着你来教导做事。本官早就告诉过你，你且管好分内之事，不要越权干涉本官职责所在。你自作聪明，就是不听。"苏轼质问道："吴通判，老夫却要问你，王喜一案，罪大恶极，你身为本州通判，却为何百般推托，迟迟不拿不审？你这不是渎职是什么？！"

陈慥见苏轼与吴通判顶撞，预感不妙，但也无法可想，只得候在门口静观形势。吴通判被苏轼说得语塞，忙转换话题，猛拍一下惊堂木喝道："好，本官就审给你看！王喜！你为何溺死自家女儿？"

王喜连忙磕头，战战兢兢地说："大人啊，小的家中穷困，眼看养不活她了，没办法只好如此。"吴通判接着问："那你是否如这位大人所说，此前还活埋过你家另一女婴？"王喜磕头如捣蒜，哭着说："是的，大人。那年饥荒闹得凶，小的也是没有办法。"吴通判问道："王喜，本官再问你，你家邻居可曾同你一样，也溺杀或活埋过自家女婴？"王喜说："有过，有过。大人，这黄州村野之中，世代都是如此。"

苏轼听罢大惊。吴通判冷笑道："王喜，你且说说这位苏大人昨晚是怎么审你的？"王喜说："大人，这位大人怕是新来的，不了解此地风俗。昨夜捉了小的，硬说小的这样做是犯了重罪。小的也觉得奇怪，此事在黄州是十分平常之事，从没听说有人因此被判罪。小的想说给这位大人听，这位大人不听，反将小的关入他家柴房之内，一夜蚊虫叮咬，实在是受苦啊！"

吴通判得意地对苏轼说："苏轼，你可听明白了？这杀女婴一事，乃黄州乡间风俗，自古沿袭，从未变过。今日我若将这王喜投入牢中，则黄州村村都有罪人，将他们全部投入牢中，十个黄州监牢也装不下！苏轼，你不要在这里自作聪明，自以为是了！"苏轼这才明白，吴通判早就知道这里有如此恶俗，却置若罔闻，视人命如草芥，不由得转惊为怒。吴通判命衙役即刻将王喜放回家去，王喜看着苏轼，半步都不敢动。吴通判大吼一声："还不快滚！"吓得王喜连喊"谢天谢地"，一溜烟跑了。

苏轼见吴通判堂而皇之地释放人犯，怒道："吴通判，你居官守职，管好分内之事自然是不错，但为圣上宣仁爱德，扬善抑恶才是为官的大义所在。你早知黄州有这等伤天害理的恶俗，竟能安之若素，听之任之！你几十年来读的圣贤书，都读到哪里去了？"

吴通判胸中恚怒，喝道："大胆苏轼！你这个以诬蔑君父而臭名远扬的罪官，倒口口声声教训起本官来！你先教训你自己吧，你已犯下私设公堂之罪，看你如何向朝廷交代！"苏轼早料到他会以此来要挟，正色道："大不了再治我的罪，再贬我，我不怕！只是你这昏官纵容恶俗，实在罪莫大焉！"

吴通判拿他没法，气得话也说不出："苏轼……你别太猖狂！"苏轼说："苏某就是有这狂拗的脾气，才会到黄州来。此事苏某必当追查到底，告辞！"说完与陈慥拂袖而去。

吴通判急忙写了密信，将苏轼私设公堂一事告知王珪，其中又免不了添油加醋地说了一通。王珪看了信，赶紧把蔡确找来一同商议。蔡确说："相公，他连签署公文的权力都没有，却敢私设公堂审问人犯，其罪不小啊。"王珪冷笑道："到了黄州这么一个破地方，竟也不愿闲着。上回听说他学会种地了，我很是高兴了一阵，难道这也没将他的脾气磨平一些吗？都落魄成这个样子了，还仍是乐此不疲啊！"

蔡确心领神会，但又不无担忧地说："相公，圣上近日龙体欠安，常恍惚有思。我听宫里人说，圣上最近常念及苏轼，颇有免他罪名，擢升他回朝之意。"王珪心中一惊，忙说："圣上龙体不安，我也已老病无用了，苏轼若此时回朝，变数就不可测了。明天你我一同进宫，将苏轼私设公堂、越权涉政一事告知圣上，非重重地惩治他不可。"蔡确点头称是。

次日，王珪、蔡确入宫奏事。神宗满脸病容，精神不振。他正想召二人进宫商议擢用苏轼一事。王珪抢先上奏道："陛下，黄州团练副使苏轼贬放期间，竟私设公堂审理人犯，公然蔑视朝廷律法，当严惩不贷，以儆效尤。"张茂则急忙把奏章呈给神宗。

神宗看完奏章，气愤地扔在地上，说："这个苏轼！朕本想告知二位卿家，朕欲令苏轼修史，擢他回京，不想他又生出这种事端……"王珪乘机说："陛下，'乌台诗案'国人上下无不知晓，若马上重用罪臣，天下必以为错不在苏轼，而在陛下，对陛下圣誉恐有不利。"蔡确也连忙上奏："陛下，苏轼以戴罪之身，违条乱法，罪上加罪，足见其不念圣恩，毫无悔意。陛下，此等罪臣，何堪重用?！"

神宗被二人说得心烦意乱，加上病体沉重，便下口谕警诫苏轼慎重行事，不可越权干政。王珪、蔡确仍嫌处罚太轻，神宗不耐烦地说："那就再罚俸一年吧！"王珪还要再进言，神宗已由张茂则扶着退入内宫了，只好怏怏退下。

苏轼郁郁不乐。朝廷将他罚俸倒在其次，他烦恼的是自己无力改变这种恶俗，那狗官吴通判又百般掣肘。眼下春耕正忙，苏轼每日闷闷地下地干活，愁眉不展。朝云看在眼里，急在心里。

寒食节的时候，家家禁火。绵绵春雨下了三五天，无法出门耕作，苏轼只好坐在书房内长吁短叹。屋侧的海棠花都落了，为泥水沾污，好不令人怜惜，而灶房中冒出的湿苇难以燃烧的浓烟，遮住了他远望大江的视线。苏轼叹了口气，拿出家酿的酒来自斟自饮了几杯，提笔写下两首诗来：自我来黄州，已过三寒食。年年欲惜春，春去不容惜。今年又苦雨，两月秋萧瑟。卧闻海棠花，泥污胭脂雪。暗中偷负去，夜半真有力。何殊病少年，病起头已白。春江欲入户，雨势来不已。小屋如渔舟，濛濛水云里。空庖煮寒菜，破灶烧湿苇。哪知是寒食，但见乌衔纸。君门深九重，坟墓在万里。也拟哭途穷，死灰吹不起。

这便是苏轼有名的《黄州寒食诗》，然而比诗更有名的，是苏轼手写此诗的书帖。《寒食帖》至今仍流传在世，与王羲之《兰亭集序》、颜真卿《祭侄稿》并称为"天下三大行书"。

寒食节尽，太守派人送来新火。苏轼听说徐君猷从武昌府办事回来，急忙登门造访。

王闰之在家忧愁叹气，她最害怕丈夫出去管他不该管的事情。这大半年来苏轼在家耕种读书，外出访友游玩，让她安心不少，不想他本性难移，又闹出这一桩事情来。她担心不知什么时候祸从天降，如在湖州一样，官差又会冲进家里来抓人，朝云赶忙宽慰她不要胡思乱想。王闰之叹了口气说："跟着你先生就得认这个提心吊胆的命。如今又被罚俸一年，以后日子可怎么过呀？"朝云笑着安慰说："夫人，事已至此，急也没用了。好在咱们自家有地，不愁无粮。"王闰之点点头。

朝云接着说："只是先生自接了圣谕以后，就郁郁不乐，饭也不好好吃，只知道早晚下地耕种。长此以往，先生的身体恐怕吃不消啊。"王闰之说："是啊，气大伤身。他如今不比年轻时候了，也该静心养性了。那些闲事再不要去管了，好心去管，却两头不买好，又是何必呢。朝云，我劝他没用，你替我说说，他听你的话。"朝云听了，两颊绯红，害羞地说："哪里。夫人，先生心中清楚夫人是为他好的。"王闰之看着朝云，心中若有所思。

苏轼见了徐太守，讲起乡民溺婴及吴通判置之不理等事，痛心地说："徐太守，此种恶俗一定要革除。佛言杀生之罪，以杀胎、卵为重。对牲畜都是这样，何况人呢？俗话说小孩子得病而死是无辜，这般死法才是真正的无辜啊！"

徐太守是仁德之人，但对此事也无可奈何，叹气道："子瞻啊，此地不知何时兴起了这种恶俗，没有男孩的人家头胎生了女孩都要用水溺死或是活埋，省下钱来养儿子，真是造孽。但居然世代沿袭，相传了下来。我也知道该革除这种恶俗，只是冰冻三尺非一日之寒，短日内要见成效只怕不行。"

苏轼坚定地说："正因如此，徐公啊，就该立即以法律告之于那些乡民，向他们宣讲善恶，约束他们的行为，若遇再犯者当以刑罚惩处，则革除这种恶俗指日可待；若迟疑不动，它永远都是一成不变的风俗。"

徐君猷非常敬佩苏轼的爱民之心，当即表示会上奏朝廷，请示革除恶俗，同时又不无忧虑地说："子瞻，因为此事，你不惜与吴通判对质公堂，公然交恶。那吴通判仗着是王珪的学生和亲信，连我拿他也无可奈何。这次朝廷罚俸，一定是他捣的鬼。子瞻今后可要提防着他，万一圣上再误信这帮小人的谗言，添下新罪名来，就不好办了啊。"

苏轼笑道："多谢徐公关心。这些小人苏某见得多了，来者不拒。"徐君猷好言劝慰，斟酒来与苏轼对饮，二人畅谈至深夜而别。

一日，苏轼与苏迈干完农活，扛着锄头从东坡上下来。路过一片竹林，见竹林里人影闪动，两个汉子正往深处疾走，隐约还有婴儿的哭声。苏轼急忙跟过去，见两个人正在地上刨坑，另一个人正从竹筐内取出一个婴儿来，放进坑内，吩咐旁人赶快填土掩埋。婴儿哇哇直哭，那两个汉子却无动于衷地继续填土。

苏轼大惊，冲过去大喊："住手！快给我住手！"一个汉子急忙上前阻拦，把苏轼推倒在地。

苏迈跑过来把父亲扶起，苏轼上前质问："你们活埋自家婴孩，良心何在？"那抱孩子的汉子答道："我家中穷苦，养不起娃。这是本地风俗，什么良心不良心的！"说完，又叫人赶快填土。

苏轼急了，大吼道："住手！快给我住手！为了不让你全家挨饿，这婴孩就该死吗？你竟要活埋她们，这等禽兽不如的行径都做得出来！"说着又要冲过去抢出孩子。两人把苏轼架住，拼死不让他靠近。

苏轼眼看着他们一锹土一锹土地把婴孩掩埋下去，孩子的哭声渐渐微弱至无声。苏轼悲愤至极，大哭道："大胆恶徒，丧尽天良，快住手啊！"无奈被人架住，怎么反抗也动弹不得。苏迈上前解救，也被推倒在地。

苏轼躺在地上放声大哭，头发都散乱了："天杀的恶俗！天杀的恶俗！"苏迈忙爬起来抱起父亲。苏轼不顾浑身尘土，愤怒地冲到通判堂，撇开众衙役的阻拦，直闯到堂上，指着吴通判的脸骂道："昏官！方才我亲眼看见几个乡民活埋女婴，惨绝人寰，你却坐在这里不闻不问！你这是助纣为虐，我要上报朝廷，问罪于你！"

吴通判见苏轼闯来，着实一惊，冷笑道："大胆苏轼！你刚刚被罚俸一年，圣谕言犹在耳，今日又来咆哮公堂，越权干政，你这是违抗圣命！该被问罪的是你！"苏轼怒骂道："昏官，满嘴伪善之词，你只管当官，人命你却不管！"

吴通判恼羞成怒，大叫道："苏轼匹夫，本官告诉你，不管那是不是本官的事，你无权过问！来呀，将罪官苏轼拿下！"众衙役冲上来把苏轼反剪双手摁住，苏轼暴怒喊道："昏官！"苏迈冲过来阻拦，也被擒住。

吴通判抬起手扇了苏轼一耳光，奸邪地笑道："看你还猖狂！什么大宋第一才子！你父子二人今日咆哮公堂，妨碍公务，我就要治你的罪！来人！把苏轼押入大牢！"

苏轼仍怒骂不止："昏官！你无权押我！放开我！"吴通判毫不理睬，得意扬扬地退入内堂，提笔给王珪写信。他仗着王珪的权势才敢羁押朝廷罪官，这回抓着苏轼的把柄，一定要狠狠惩治一番，上次朝廷罚俸实在是太轻微了。写完信，急忙差人送往东京去了。

王闰之得知丈夫和儿子被关进监狱，急得大哭："早跟他说不要管闲事，不要管闲事，如今惹下了这么大的事，连同迈儿也被关入牢中。这可如何是好啊！"家中范英跟苏迨、苏过都六神无主，只有朝云镇定地对王闰之说："夫人，如今急也没用，依我看，夫人何不去找徐太守，让徐太守找那吴通判说说情，我想徐太守的话他不会不听。"王闰之想如今也只有如此了，慌忙跑到太守府去。

徐君猷听说苏轼被吴通判抓进监牢，也急得来回踱步，无奈地说："苏夫人啊，这吴通判得当朝宰相王珪庇护，一直恃宠骄矜，目中无人，对子瞻兄更是心怀敌意，本太守也拿他无甚办法。"王闰之又急得流泪："徐太守，你能不能找那吴通判说说，他毕竟是你下属。子瞻虽然对他不敬，但是因急公好义而起，他也该当体谅啊。"

徐君猷好生安慰道："苏夫人，子瞻兄一心革除黄州恶俗，能想常人不能想，敢做常人不敢做，实在令我这个太守汗颜哪。但子瞻兄不该与那吴通判正面冲突，让他以藐视公堂之名问罪囚禁，这就难办了。不过夫人请放心，子瞻兄处境艰难，仍不忘仁爱之德，真是令人感佩。本太守岂能不帮他呢？"王闰之稍微安下心来。

徐君猷急忙去通判堂找到吴通判，吴通判知他必为苏轼而来，佯作签署公文，倨傲不理。徐君猷见状正欲发怒，但又强行忍住，说道："吴通判，我来此是关于羁押苏轼一事。他虽行为失体，有咆哮公堂之嫌，但念他有心革除黄州恶俗，其心劝善，若将其羁押未免罚之过重。吴通判，你以为呢？"

吴通判这才起身说："那苏轼好生猖狂，口口声声辱骂本官，还要出手袭击本官！圣上刚下圣谕，令他持以慎重，勿再轻躁。他非但不听，反倒比此前还要肆无忌惮！徐太守，苏轼违抗圣命，藐视公堂，欲打朝廷命官，数罪并罚，理当羁押！"

徐君猷冷笑道："本太守倒是听说是通判大人打的苏轼。"

吴通判素来肆无忌惮，也不把太守放在眼里，狂妄地说："谁看见了，你大可拉苏轼过来与我对质。徐大人，我知道你与苏轼私交甚好，可你也不能废公徇私啊。此事我已去公文如实禀报宰相王珪大人，王相公自会依律审处。王相公所回公文没到之前，苏轼应被押在牢中！"

徐君猷见他趾高气扬的样子，发怒道："你越级上报，到底你是太守还是我是太守？"吴通判故作恭敬又不无得意地说道："徐太守，话不可这么说，我乃在官言官，尽忠分内之事，与是不是太守有何干系？"徐太守气得拂袖而去，一面好言安慰王闰之，一面写明奏章递往汴京，请朝中同道协助斡旋此事。

苏轼与苏迈被关押在黄州府监牢内，狱卒都是黄州本地人，都知道苏轼的仁德，因此并不为难他们。后半夜，苏迈睡着了，苏轼却辗转反侧，难以安眠。月光从窗棂间透了进来，清寒似水。苏轼想到自己半生忧患，无论在朝在外，处处受谤遭黜，不禁深深长叹。回想少年时致君尧舜、济世救民的那些凌云壮志，竟恍惚如云烟一样捉摸不到。本以为贬谪到黄州，该安于田亩的，却还是改不了旧脾气，以致如今又在监牢里仰望明月。人生究竟该怎样摆脱这些忧患之心的缠绕呢？

正寂静之时，忽听见天边一声哀哀的雁鸣，凄断人肠。苏轼惘然觉得，自己就像这只孤雁一样，失群孤飞，不觉吟出一首词来："缺月挂疏桐，漏断人初静。时见幽人独往来，缥缈孤鸿影。惊起却回头，有恨无人省。拣尽寒枝不肯栖，寂寞沙洲冷。"

苏轼转头看着熟睡的苏迈，心头才觉得一点点安慰，也躺下睡去。

第二天，王闰之带着朝云送饭进来。苏轼正在牢中踱步，听苏迈背诵《孟子》："仁者爱人，有礼者敬人。爱人者，人恒爱之；敬人者，人恒敬之。"见到王闰之进来，笑说："夫人，朝云，你们来了。好啊，又可以吃我的东坡肉了。"王闰之嗔怪道："你呀，还有心说笑。"忙将饭菜盛给丈夫和儿子。

王闰之又说起找徐太守的事："我央求徐太守去找吴通判说情，结果他跟吴通判大吵了一架。那吴通判怕是不怀好意，我担心又会……"苏轼忙安慰道："夫人不必担心，'乌台诗案'都挺过来了，大不了再把我贬远一些嘛。我在此处，倒也乐得清静。只是家中田地少了我和迈儿二人，一旦荒废，往后我们一家吃什么啊？"

王闰之凄然一笑："子瞻，你放心。迨儿、过儿懂事了许多，一读罢书就去田间劳作。加上我和朝云，这农耕不会耽误的……"苏轼笑道："连夫人都下地耕作了，看来我这次坐牢也不是满盘皆输啊。"朝云与苏迈都笑了。

王珪收到吴通判的密信，急忙找蔡确来商议。蔡确看完信，大喜道："相公，我明日就去奏明圣上。这一次，苏轼可不止罚俸那么简单，必定要他获罪再贬！"王珪冷笑一声："持正啊，老夫早就知道此事不会完结。以老夫多年来对苏轼的了解，他绝不会一个回合就退下。他自己遇事，逆来可顺受；但遇见别人的事，一定是拉不下面子，逆来而不顺受。仍旧是读书人的脾气啊。"蔡确不明白王珪的意思。

原来王珪深谙官场之道，懂得应人接物之术。正是凭借这个手段，他不断排挤他人，攀爬高位，屹立官场不倒。他深知苏轼倔强直率的脾气，你越压他，他越强；你避开他，不理睬他，让他扑个空，他反倒不知如何是好，不战自退。王珪劝蔡确道："持正啊，为官之道，你还是稚嫩了些啊。所谓一张一弛，文武之道。凡事都用强，不见得都有效。老夫听说徐君猷也要给圣上写奏章，圣上若知道苏轼私设公堂是因救助婴儿而起，十有八九就会原谅他。所以最稳妥的办法就是，让圣上听不见苏轼这个人名。听不见，他也就想不起此人来了。你明白吗？"蔡确恍然大悟，感激涕零："相公实在英明！多谢相公提点。"二人就此商议，使了个以退为进的方法，移文到黄州令太守尽快释放苏轼。

徐君猷收到公文，即刻到通判府令吴通判放人。吴通判见是王珪亲笔指示，百思不得其解，但又不敢不遵从，只得赔笑签署公文，将苏轼放出来。

苏轼回到家，妻儿都欢喜万分。晚上苏轼去太守府上拜谢，徐君猷置酒相邀，深感歉意地说："子瞻啊，本官无能，以致你经此牢狱之灾，连日来深怀愧疚，哪里担得起这'多谢'二字啊！"苏轼仍举杯敬谢。

徐君猷想到王珪指示吴通判释放苏轼，心中隐隐感到忧虑，说："那吴通判是王珪、蔡确等人的奸朋之党，素来与你作对。这次竟然是王珪授意释放你，而且也没有惊动圣上。"苏轼笑道："王珪老奸巨猾，也许是欲擒故纵之术。"徐君猷点头称是。

苏轼倒没有把这事放在心上，他关心的是黄州溺婴恶俗有没有得到改变。徐君猷叹气道："子瞻，我连日来差衙役们去村中劝诫晓示，禁止杀婴，但收效甚微。这些乡民们说，反正不杀也养不活，故而仍是照杀不误，只不过不敢明着杀了。唉，要除此恶俗，并非一朝一夕之功啊。"苏轼着急地说："太守，可否让我去晓谕乡民……"徐君猷说："不可啊子瞻，那王珪这次明令禁止你越权干政，否则一定严办贬职。所以你千万不可妄言轻动，此事由我来办就是。"

苏轼忧闷地饮尽一杯酒，拍着桌子叹道："唉，眼见这恶俗横行，却无能为力。不得签署公文，不得擅自离境，不得越权干政，这些都无所谓，无官一身轻嘛！但见恶行于世，却要做个袖手旁观之人，这等于夺我心志，斩我手足，使我百无一用啊！"徐君猷劝酒道："子瞻，不必忧愁。此事从长计议，总会有解决办法的。"苏轼知道徐太守是在安慰自己，闷闷地喝得大醉，至半夜方起身告辞。

苏轼醉醺醺地回到雪堂，晃晃荡荡来到门口，见大门已关，敲门也无人回应，大概是家人都睡着了，就索性坐在院子里的石阶上，静静地听江潮起伏。明月悬空，无言地照着苏轼佝偻的身影。

苏轼想到自己饱读圣贤之书，满怀济世之念，现在却连黄州千百婴孩的性命都解救不了，不禁苦笑，拈起一根树枝随意在沙地上写道：夜饮东坡醒复醉，归来仿佛三更。家童鼻息已雷鸣，敲门都不应，倚杖听江声。长恨此身非我有，何时忘却营营。夜阑风静縠纹平。小舟从此逝，江海寄余生。

…………

四十九　救儿会

第二天早上，王闰之披衣起来，找到朝云，焦急地问道："朝云，看到先生了吗？"朝云诧异地说："没有啊，我一早起来就没见着。先生昨晚不是去徐太守府上饮宴了吗？"王闰之说："是啊，我等到半夜也没见他回来，不料就睡着了。没想到今早也没见到人影。"朝云心中一惊。王闰之急忙叫苏迈到太守府上询问。

苏迈从太守府回来说："母亲，孩儿去太守府问过了，管家说父亲昨晚三更时分就离开太守府了。父亲没回家，会去哪里呢？"王闰之着了慌，生怕苏轼会有什么不测，眼泪都流下来。苏迈安慰道："母亲不要心急。孩儿去潘叔叔、陈叔叔家问问，再去各处打听一下，可能父亲去找他的朋友去了。"

朝云忽然发现了石阶下沙地上的字迹，辨认着念道："……小舟从此逝，江海寄余生"，不禁惊呼："不好！先生要走！"

王闰之一惊，几乎晕倒。朝云忙扶着说："夫人先回家休息，我们再各处找找。"苏迈即领着苏迨四处叫喊寻找。

陈慥也闻讯赶来，一面叫柳氏留下照顾王闰之，一面跟苏迈渡江去问潘丙。见到潘丙，陈慥焦急地说："子瞻兄不见了！昨日子瞻兄在太守府上饮酒，独自离去，结果一夜未归，不见踪影，只在地上留下一首词！"潘丙跺脚大惊道："哎呀！莫非是寻了短见了？！"

众人都知道最近苏轼为黄州溺婴的事一直忧心如焚，担心他会因为无法插手革除恶俗而心灰意冷，走上绝路，忙分散开到各地去打听。苏迈沿江边寻来，见江滩泥沼上有一只鞋，捞过来认出是父亲的，登时方寸大乱，不禁对着江面放声大哭。王闰之、朝云等赶来，都跪在江边痛哭不已。陈慥、潘丙等人心中也不胜悲伤，但一面还要劝慰苏轼家人。

徐君猷管家慌忙禀告太守："大人，不好了！听人说，昨晚苏东坡从咱府上饮酒归家，便驾一叶小舟跑了！还有人说，是看着他挂冠走的，也有人说他成仙升天了！"徐君猷大惊失色。管家提醒说："大人，今早苏家的人来府上打听过，说苏居士一夜未归。"徐君猷觉得事出蹊跷："昨晚饮酒还好好的，怎么突然就……"管家说："大人，州失罪人，可不得了，朝廷会怪罪下来的。"徐君猷发怒道："怪罪下来又怎样？别的罪人，失一百也无甚要紧，这东坡先生可只有一个啊！还不赶紧派人四处寻找，打听清楚！"管家唯唯诺诺地退下了。

吴通判听衙役说苏东坡投江而死，心下大喜，连忙写了信札快马呈给王珪。蔡确拿着信跑进来向王珪作揖贺喜道："相公，听说苏轼在黄州投江而死。相公，恭喜你从此少了心头大患啊！"

不料王珪读完信，忽然放声大哭，拿着手绢揩泪道："天杀我也！苏轼英才盖世，却始终不能为本相所用。不管怎么说，他都曾是老夫的学生，而老夫却对他爱护不够，以致他步入迷途，致使朝廷痛失栋梁！都怪老夫有私心啊。"蔡确眨巴着眼睛，愣了一下，他不知宰相大人为苏轼之死竟如此悲痛，忙说："宰相，请节哀啊！"王珪继续哭道："持正啊，他一定是郁郁不得志，沉积胸中，愤恨难平，这才走上自绝之路。如此英年早逝，是天妒英才啊。"蔡确忽然明白过来，也跟着放声大哭，从眼角挤出两滴眼泪来。

于是汴京风传苏轼去世，自街巷市井至朝廷宫禁，无人不为之哀悼痛惜。这事儿终于传到内宫里，神宗听此噩耗，惊得从病榻上坐起，精神恍惚，又悔恨不已："投江？他有什么不能说的委屈啊?！唉，苏轼人才难得，朕却从未好好用他。一定是这个缘由，一定是这个缘由。如今生死隔绝，朕悔之晚矣啊。张茂则，'乌台诗案'是朕过分了，过分了啊。"张茂则默默垂泪，忙过来劝慰神宗。

范镇在京郊隐居，听到这个消息，老泪纵横，哭道："子瞻哪！我已老朽年迈，行将入土，想不到老夫竟要先为你写墓志碑铭。苍天啊！"急忙派人到黄州去吊唁。

苏轼一家人和周围的友人沉浸在巨大的悲伤和绝望中。可是三日后的黄昏时分，家人突然看见苏轼慢悠悠地走回家来，跟往常一样和众人笑着打招呼。人们都目瞪口呆，先是惊疑，继而狂喜，最后又号啕大哭，弄得苏轼都不明白发生了什么事。

王闰之哭着跑过来，一把抱住苏轼说："子瞻！"众人都围拢来，含着眼泪，不知是喜是悲。王闰之擦干眼泪，哽咽着说："子瞻，我还以为你……真是吓死我了。"

苏轼见众人的表情，茫然不解，但他忽然兴奋地说："夫人，我已想通了，朝廷既然命我不得签署公文，不得擅自离境，不得越权干政。好，我不能惩治恶人，但我总能救人吧。夫人，为救黄州无辜女婴，我要成立一个救儿院！"众人面面相觑。苏轼接着说："既然乡民们养不起女婴，就把她们送到救儿院来，我们来养！"

王闰之明白丈夫又在筹划什么了，但她什么都不怕了，只要丈夫平安归来，就是天大的喜事，即便再上堂骂了吴通判，再来一道贬书，也无所谓了。她的心里经此一大波澜，自然比先前更坚定、更沉着。

待苏轼梳洗一番，安歇之后，家人都来问这夜未归宿、消失无踪的冒险经历——苏轼浑然不觉，旁人却已心惊胆战了。

原来苏轼在题诗后，伫立江边默听江声。他心中的苦闷无法化解，又只好去问天上的明月。突然他豁然开朗，想到了以一己之力挽救婴儿的办法，既然无法取得黄州官方的法令支持，何不自己以菩萨慈悲之心去感化那些乡民呢？他并不想只做一个埋首耕田、不问世事的农夫，而是要继续践行心中的志愿，不管如何艰难，都要用尽自己微薄的力量去帮助他人。

想到这里，苏轼的酒全醒了。苏轼首先想到了黄州众多的寺院，希望借助寺院僧人广施善缘，教化乡民不再填埋溺死婴孩，然后再募捐钱粮，成立一个专门收留女婴的救儿会，帮助那些养不起孩子的穷人们渡过难关，等他们境况稍好，自可把孩子抱回家去。如此溺婴之恶俗不是迎刃而解了吗？

于是他当即夜访定慧院，会见善济方丈，讲明来意。佛家说，救人一命胜造七级浮屠，善济方丈当即表示同意，愿派座下弟子四处化缘，晓谕佛法，为成立救儿会出力。

苏轼喜不自胜，又思忖单单一个定慧院人寡力薄，不足以撼动这数十年来根深蒂固的恶俗，便又走访数家佛寺，走得匆忙，鞋子都陷在泥里弄丢了。苏轼到寺中拜见长老住持，说明来由，希望僧众群贤一起努力，众僧没有不同意的。

陈慥听了苏轼的设想，连拍大腿，兴奋地说："成立这个救儿会，真是造福积德之举啊。"潘丙说："我们都是本地人，苏大人一个外乡人尚且如此，我等怎能袖手旁观。我们早有此意，只是苦于无人倡导。"

苏轼见众友人热情支持，欣慰地点点头说："目前借助僧众化缘募捐远远不够，我想请大户捐献。我来带头，每年捐献十缗。这些日子我们到黄州的大户家去募捐，这等顺应天意之事，必得响应。"一面又转头向王闰之笑说："只是又得劳烦夫人再勤俭持家，受些清苦过日子了。"王闰之笑道："夫君有如此心肠，救命度人，我一个妇道人家就是跟着吃苦受困也是值得的。"朝云望着夫人和先生，抿嘴一笑。

苏轼接着说："我已请善济大师代为掌管募捐理财之事。至于救儿会的地址，我想雪堂空余房间有不少，便设在此处吧。朝云与英儿正好可以代为看护孩子。"朝云与范英笑着点点头。潘丙拱手说："那我等就去乡间村镇向村民宣讲大人诚意，晓谕大家把实在养不活的婴孩送到救儿会来。"苏轼对各位拜谢不迭。

苏轼亲拟一则告示："黄州恶俗，生女而溺。父精母血，天地之赐，男女无差，安可弃之？苏某不才，愿尽薄力。生女难养，吾代哺之。城东有山，山有东坡，坡有雪堂，救儿之所……"告示上最后题名"东坡居士"。苏轼交付潘丙张贴于城门、酒店、渡口、村舍等处。不几日，黄州城镇乡间都知道东坡居士成立救儿会救助穷苦人家的婴孩。

太守徐君猷听说，对李胜之感慨地说："改风易俗，实非易事。苏子瞻能想常人不能想，敢做常人不敢做。实在令我这个太守汗颜哪。"李胜之说："黄州这许多年的恶俗，恐怕短时间内不易改变。救儿会进行起来必定困难重重。大人，我们也该尽些绵薄之力啊。"徐君猷点点头，不但捐助了钱粮，还派手下差役协助操办救儿会的诸多事宜。

潘丙往集市商铺前张罗人手张贴救儿会告示，正遇上善济大师带着几名弟子来商铺化缘。店主人见和尚来了，赶忙说："大师，要化缘应该去城东，那才是有钱人的地方，城西都是小生意人，没有钱啊。"善济合十顶礼道："阿弥陀佛，施主，贫僧并非为化缘而来。黄州城成立了救儿会，不知施主是否知晓？"店主人指着潘丙所贴的告示说："知道知道。苏大人要成立救儿会解救溺婴，全黄州城都知道了。"

善济说："敢问施主家中是否有女婴？"店主人说："现在没有，三年前就溺死了。"善济合掌念道："阿弥陀佛，罪过罪过！"店主人不以为然地说："如果这也算罪过，那黄州许多人家都有罪了。这是本地传下来的习俗。再说我们家贫，实在没有办法，女儿也是亲骨肉，怎能眼看着她流落街头乞讨为生，甚至冻饿致死呢？不如趁小时候溺死，也好让她早投胎去。"善济耐心劝道："施主所言实乃大谬也！溺死女婴乃有意杀人，要堕无间地狱的啊！"店主人吓得面如土色，这时潘丙跑过来说："苏大人为大伙儿想了一个法子，我们在东坡雪堂那里办了一个救儿会，各家凡有女婴养不起的，都不要溺杀，送到救儿会来，由我们来抚养，不要你们出钱粮。等孩子大了，你们宽裕些，再由各家领回去。也请诸位转告近邻亲友，切勿再像以往，随意溺杀婴孩了。"店主人忙点头，围观的众人也都指指点点，深表感谢。

苏轼担心乡民溺婴观念根深蒂固，一时难以说动，便和陈慥亲自到田间地头与村民攀谈。一位老农对苏轼说："苏大人，您有菩萨心肠。可这是黄州多少年的风俗啊，怎能说改就改？"苏轼答道："老人家，这风俗不好，就应该改。再说，溺死女婴于人伦不合啊。"

又有人说："我家穷苦，养了闺女就养不了儿子，不溺死女孩，难道叫我断子绝孙不成！"苏轼耐心地说："生男生女一样都是骨肉，又有什么区别呢？倘若溺死女婴这恶俗不改，几十年后黄州男多女少，大部分男丁连媳妇都娶不上，那时候还谈什么子孙！乡亲们，我也知道大伙儿的难处，成立救儿会即是为此。大伙儿若有养不起的女婴，可以送到救儿会，苏某不收一文一毫。若家境宽裕些了，也可随时来领孩子。"

众人面面相觑，都不知该怎么说才好。陈慥对大伙儿说："大家回去务必仔细想想，这可是积德造福的事啊。"

各村各镇村民都议论纷纷，数十年来祖辈延续的风俗，竟然要被破除，自然并非易事，但对人们心头的震动，却是巨大的。

渐渐有被说动的，抱着舍不得溺死的孩子，偷偷跑到雪堂篱笆外，把孩子放在地上，转头就跑。朝云和范英见有人送婴儿来，急忙抱进堂内，悉心照料。告示上的消息四处传播，村名听多了，慢慢大胆些，陆续有人抱着孩子哭哭啼啼地前来，交付救儿会照料。他们在认领探视的手续上画过押，才依依不舍地离去。不久，救儿会已经收留了数十个婴儿了。

苏东坡建立的救儿会恐怕是世界上最早的孤儿院。他的这一善举使黄州人深为感动，溺死女婴的恶俗从此得以改变。

苏轼见救儿会收留的婴儿越来越多，心中十分高兴。善济大师笑着说："苏居士，老衲断定你前生就是个僧人，不，该是菩萨转世。"苏轼笑道："大师莫要取笑我这俗人哪！"善济道："不是菩萨，何能如此救苦救难？"

苏轼大笑："世上哪有救苦救难的菩萨？"善济惊奇地问："苏居士不信我佛？"苏轼说："信，也不全信。儒、释、道三教，苏某皆信。"善济追问道："老衲不懂，三教怎能合在一起？"

苏轼说："我讲个故事吧。有一次啊，孔子、老子和释迦牟尼相遇。释迦牟尼说：'二位何不往西天取经？'老子说：'你的经都讲了些什么啊？'释迦牟尼说：'四大皆空，超度众生。'老子说：'既是如此，就不用取了。'释迦牟尼说：'为何？'老子说：'我的《道德经》讲有生于无，无即是空，方生方死，生死齐一，焉用超度？'释迦牟尼说：'原来如此，怪不得道教在中土如此昌盛。孔圣人，不知你有何说？'孔子说：'孔教讲仁，仁者爱人，如何爱人？就是要舍己为人；既要舍己为人，自己就是空，是无，既能舍己为人，就可自度度人了！'释迦牟尼听了，长吁了一口气，说：'儒、释、道三教，原

267

是同根所生啊，正可取长补短。'"

善济大为叹服，合十顶礼道："阿弥陀佛，善哉，善哉，好一个三教合一。不想今日这救儿会变作弘法的道场了，令老僧有醍醐灌顶之感。"

苏轼笑道："募捐钱粮之事还得继续劳烦大师。"忽而又忧愁地说："眼下婴儿越来越多，恐怕雇来的奶娘奶水不够了。目前之计，只能拿些钱粮去换些羊奶来支撑一下。"朝云笑道："先生，您的心比女人还细呢！"苏轼说："朝云这句话大有深意！"朝云说："这些孩子可真命苦，这么小就被父母遗弃。不过有许多人有感于先生的慈悲义举，又回来把孩子领回家去了。"苏轼点点头说："如此一来，这扔孩子、送孩子的肯定越来越少！"

钱粮费用仍是大问题，奶水不济，只能拿些稀粥米汤来喂养婴儿了。救儿会里婴孩哭声不绝于耳，令苏轼心中十分着急。善济大师和各僧众筹措的钱款不几日便用尽，陈慥与潘丙所捐助的也所剩无几。苏轼只好叫王闰之拿出家中存粮，先煮些稀粥维持一下，他去找太守再想想办法。王闰之虽顾虑家中生计，但仍咬牙拿出本已不多的粮米。

吴通判得知救儿会婴儿众多，每日消耗巨大，就要支持不住了，大笑道："我看苏轼如何养得起这么多婴儿。这个千斤重担，看来他是拿得起，放不下了。"赶忙上奏朝廷。

正是"山重水复疑无路，柳暗花明又一村"，事情忽然又有了转机。那一对冤家和尚佛印和参寥，又出现在黄州的郊外，各推着一个小车儿，匆匆赶路。期间自然也少不了相互拌嘴，沿路吵个不休。

佛印埋怨道："要不是你脚力不济，就早一日见到子瞻了！"

参寥驳道："我成年吃素，还要推着这一车粮食，脚力自然不如你！"

佛印："你是说我吃荤不是？"

参寥："我可没有那样说。"

佛印："出家人有话直说，你怎么拐弯抹角？"

参寥："你也算是出家人？"

佛印："除了吃肉，我比你更像出家人。"

参寥一笑："看看，你自己说吃肉了，我可没说。"

佛印："好你个参寥，居然把我绕进来了。苏子瞻都不是我的对手，你敢和我斗嘴！"

参寥："口说无凭，这回我要亲眼看看是子瞻的嘴硬，还是你佛印大和尚的嘴硬！"

佛印："当然是我佛印的嘴硬。"

参寥："何以见得？"

佛印将钱褡裢一晃："你别忘了这个？"

参寥："钱有何用？"

佛印："除了这两车粮食，加上这送给子瞻的买粮钱。俗话说，'吃人嘴软，拿人手软'，子瞻吃了咱们的粮食，自然嘴软。"

参寥："听说是'吃人嘴短，拿人手短'，未曾听说是'软'。"

佛印："你们北方人说'短'，杭州说'软'，不闻吴侬软语之说吗？"

参寥哈哈大笑："牵强附会，牵强附会。若是当初李定、舒亶有你这辩才，子瞻怕是出不来了。"

佛印："审李定、舒亶时，我一定去。快赶路吧。"

原来他们听说苏轼在黄州筹建救儿会，到处募捐钱粮解救女婴。这等行善积德之事，二人岂会不来相助？于是化缘积了点钱粮，一路送过来。

一胖一瘦的两人，正大汗淋漓地往东坡雪堂赶去，忽见前面几个民夫也推着小车，车上载着粮食，一个道人在一旁督促众人赶路。仔细一看，却是巢谷。三人相见，仰天大笑，佛印说："我们佛道两家，果然是殊途同归，不谋而合啊！"巢谷也笑说："二位大师，赤壁之会，如今又见面啦！"三人结伴同行，来到雪堂院门外。

佛印高声叫道："东坡居士，和尚又来化缘了。"苏轼与王闰之慌忙迎出来，见参寥和巢谷都在，喜出望外："各位老友，你们怎么来了啊？"巢谷说："师傅听说子瞻办了一个救儿会，又说你月俸微薄，最近又被罚俸一年，只怕余粮不多，就叫我送来这些钱粮供救儿会之用。"苏轼惊喜之余，急忙施礼谢道："诸位真是雪中送炭啊，不瞒大家，我们正为此事发愁呢。"参寥合十说："阿弥陀佛。子瞻，你所做的是济世为民的大善事，贫僧只是效法而已。"巢谷即命众民夫把粮食卸下来，王闰之忙招呼众人歇脚喝茶。

苏轼拉着巢谷说："巢谷，你能来就太好了。上次匆匆一别，没想到这么快又能见面。这回一定要在我这里多住些日子。"巢谷笑道："这回我不走了，子瞻可容得下小弟吗？"苏轼大喜过望："真的吗？这太好了。可吴道长他老人家怎么办？"巢谷说："是师傅叫我过来的。他老人家闲散惯了，喜欢自在。他吩咐我过来帮助子瞻兄，说救儿会的事情需要人手。而且，而且……"苏轼知道巢谷的心思，不无歉意地说："小莲的事，为兄一直想跟你谈谈，为兄对不起你啊。"巢谷慌忙阻止道："子瞻兄，千万不要这么说。我在师傅那里修行，就是为了解开这个心结。如今能坦然面对子瞻兄，就是没事了。"苏轼眼眶湿润，叹气说："先不说这么多了，你旅途劳顿，先好好休息。来日方长，你我兄弟再把酒叙谈。"巢谷含泪点头。

得到巢谷等人的援助，救儿会的钱粮得以补充，足以应付接下来数月的消耗了。苏轼与王闰之商议，东坡贫瘠狭小，不如购置一些良田，以贴补救儿会之用，也解决了家中生计。陈慥得知，表示愿意贷钱给苏轼，以救急之用。潘丙说："离黄州城东三十余里，有地名'沙湖'。此地良田甚多，不如前去查勘之后，再买不迟。"苏轼听罢大为高兴："眼下春光正浓，不如你我一同前往沙湖，聊作游春，不知意下如何？"众人欣然应允。

苏轼脚穿芒鞋，头戴斗笠，手持竹杖，与众人一同前往沙湖。一路春花烂漫，春鸟啼鸣，好不惬意。潘丙说："沙湖良田肥美，种一斗，获十斗，合适的话就买几亩，多打些粮食，救儿会也无忧了。"陈慥看着苏轼一身打扮，打趣道："只怕那里的农人看到子瞻兄这一身装扮，不以为是买田的，倒以为是种田的呢。"

苏轼笑说："我苏东坡甘愿做一农夫，如今无人相识，正说明这农夫是做到家了啊。再说，农者，天下之大也，做农夫有何不可啊？"陈慥说："不对吧，三教九流之中，上九流是帝王、圣贤、隐士、童仙、文人、武士、农、工、商，农者列老七。"

苏轼摆摆手说："不对不对。帝王、圣贤无人不吃粮。民以食为天，实则人以食为天。帝王要管不好国家，天下挨饿，就会造反，历朝历代都是因为天下饥而亡的。归根到底，庄稼人才是天下的最大者。"

潘丙拍手说道："先生这么说，真是令人佩服啊。"

正说着，天忽然下起雨来。江南的天气便是如此，云气凝结，飘荡山间，说不定什么时候就会落雨。

众人都没带雨具，只得四散奔逃，去寻找避雨的地方。只有苏轼悠然不惊，笑着说："天降甘露，尔等不受，有负苍天之美意呀！"众人瞧着自己狼狈的样子，不禁莞尔。

少顷，雨就停了，夕阳从云间投射出明亮的光芒来。路两旁的翠竹被雨水洗濯，显得越发洁净和精神，空气也清爽了许多。苏轼笑着说："刚才遇雨，成一小词且吟给诸位听听——

莫听穿林打叶声，何妨吟啸且徐行。竹杖芒鞋轻胜马。谁怕？一蓑烟雨任平生。料峭春风吹酒醒，微冷，山头斜照却相迎。回首向来萧瑟处，归去，也无风雨也无晴。"

陈慥沉吟道："'也无风雨也无晴'，子瞻兄心神超迈，胸襟旷达，实是我辈所不能及啊！"苏轼朗声大笑，花白的胡须在风中微微飘动。

五十　本　色

苏轼谪居黄州已将近四年，虽足不出黄州，诗词文章却风行海内。苏辙就感叹说，自从兄长斥居东坡，学问大进，就像江水沛然大涨，纵横驰骋，自己已追赶不及了。

一日，神宗在宫内进御膳，满案珍馐佳肴，神宗却食之无味，精神不振。张茂则进来启奏道："陛下，原来苏轼并没有死，都是醉酒闹出的误会。"神宗惊喜地问："果真如此？"张茂则掏出一页纸来，递给神宗说："这是苏轼作的《念奴娇》词，黄州已经传唱甚广，人人都会唱'大江东去'了。"神宗阅罢，精神大振，连连惊呼："好词！好词！朕从未读过如此大气磅礴的好词！大江东去，波澜壮阔，一往无前，苏轼真是天纵奇才！"

张茂则故意说："陛下，苏轼可是罪臣贬官哪！"神宗说："谁说苏轼有罪了？"又自觉失言，改口说："人谁无过呢？苏轼才学盖世，胸怀磊落，忧国哀民，实为忠臣。朕以为该是擢升苏轼回京的时候了。"张茂则贺喜道："苏轼确是忠臣贤才，如今陛下失而复得，实在隆福齐天啊！听说他还在黄州成立救儿会，拯救弃婴，实在是仁德之举啊！"神宗大悦。

这时参知政事章惇求见。章惇奏道："黄州太守徐君猷上奏，黄州团练副使苏轼倾力革除黄州杀婴恶俗，但却被黄州通判吴俊达百般阻挠，并以不实罪名将苏轼羁押牢中数日。如今苏轼又倡议成立救儿会救济女婴百名，光大圣上爱民之德，实乃善举。伏望陛下圣鉴，奖善惩恶，以示百官。"神宗阅览奏章后，大怒道："大胆吴俊达，荒政怠职，不辨善恶。苏轼为朕施仁，他却陷苏轼于罪。恶莫大于毁人之善，此等昏官，不可宽恕。"即命逮捕吴俊达进京，听候审问。

圣旨很快下达黄州，差役将吴通判锁入囚车，押解进京，正好路遇苏轼等人。吴通判头发凌乱，衣衫不整，垂头丧气地坐在囚车内，见了苏轼，不发一言。苏轼目送囚车而去，不禁长叹。

陈慥满心奇怪地问："那吴通判几次三番与子瞻兄为难，如今获罪被逮，大快人心，子瞻兄何以长叹？"苏轼指着这条官道说："三年前我就是从这条官道贬至黄州的。这官道上多少人来人往，宦海浮沉，想到这里，故发此叹。"

陈慥笑说："子瞻兄既看得破，不妨去找佛印和参寥大师参禅如何？"苏轼说："这两位冤家和尚，只怕坐在庙里也吵个不休。我去找他们，他们又要拉着我耍嘴皮子了。"原来佛印、参寥远送钱粮过来，暂时安歇在城南的安国寺中，苏轼也时时到寺中默坐谈禅。现在看到吴通判被逮入京，忽然想起自身遭际来，念此茫茫红尘，烦扰实多，清净恨少，便欣然拉着陈慥往安国寺去了。

眼见吴通判落马，又风闻神宗想要召回苏轼，王珪、蔡确、舒亶等人感到不妙，一起聚在王珪家商议对策。王珪将苏轼《念奴娇》词递给蔡确观看，慢慢地说："'故国神游，多情应笑我，早生华发'。好啊，真乃千古绝唱，语意高妙，看似写赤壁，其实是抒发自己心志。难怪圣上爱才若渴，决心要重用苏轼啊。"

蔡确把词扔到一边，愤愤地说："这是苏轼故技重演，每以诗词蛊惑圣心。相公当阻止圣上将他免罪升官啊。"舒亶也跟着说："相公，苏轼对'乌台诗案'怀恨在心。他若卷土重来，一定会借机报仇，到时必定纷争又起，朝野不宁。"

王珪老奸巨猾，见他们都急了，依然不紧不慢地说："二位不懂圣上心里的想法，老夫再上奏阻止，只会更坚定圣上的决心。"蔡确忧虑地说："这可如何是好，我们总不能束手待毙吧？"舒亶附和说："是啊，相公，对苏轼万不可让步啊。让一步，他就能进百尺。"

王珪冷笑着说："你们说得对，又说得不对。苏轼要防，但要防的不止苏轼一个。苏轼一事为何这么快就变生意外？关键是章惇密奏圣上所致。章惇这一奏，不仅黄州通判吴俊达被牵连入狱，而且苏轼重得圣心，晋升在望，实在是一石二鸟啊。"

王珪这一提醒，蔡确才恍然大悟，他们专心一意盯着黄州的苏轼，倒把眼皮底下的章惇忽略了。他点头说道："对，相公，这章惇着实可恶！他虽为王安石的变法派，但与苏轼有同年进士之情，而且两人一直私交甚笃，守望相助。"

王珪忧虑地说："苏轼虽然棘手，但毕竟远在天边。而章惇近在眼前，已官至参知政事，圣上还有意调任他为中书侍郎。若调苏轼回京，他二人联手，我们就难以应付了。必须想法子除掉他。"

舒亶眼珠骨碌一转，说："相公，此事交给下官办理就是了。下官一定让章惇身败名裂！"

舒亶最擅长使用阴谋诡计。他找来一个叫作沈利的市井泼皮，拿些银钱堵住他的嘴，先让他诡称要变卖田产，又唆使他状告章惇的父亲霸占自家田产，并且告到开封府，将事情弄得沸反盈天。第二天舒亶就密札上奏神宗，请圣上严办。神宗大怒，即令御史台严查此事。舒亶意在诬告章惇父亲，给章惇扣上恃权枉法、徇私包庇的帽子，即使事后查证非实，也会令章惇清誉受损，不安于朝。章惇即刻令开封府查办此案。知开封府蔡京本因赞同王安石变法受到擢用，后来王安石、吕惠卿等人相继被排挤出朝，他却为人圆滑、善于钻营，没有被贬，被安置知开封府。他见章惇在新党人中威信越来越高，有意巴结他，就亲自过问此案，把沈利拘押到开封府大牢，百般毒打拷问。

舒亶又仗着王珪的权势，买通牢中关节，派人半夜里借郎中入狱医治为名，暗暗将沈利谋害了，做出个章惇为掩盖罪行、指使开封府杀人灭口的假象。

蔡京得知，立即登门拜访章惇，将沈利夜晚暴死牢中之事相告。章惇闻讯大惊。蔡京忙献计道："下官已打听到沈利的来历，他本有田自愿出卖，后又改口诬告，背后定有阴主。"章惇问道："到底是谁在背后唆使？"蔡京谨慎地看看四周，低声说："下官派人查过，沈利曾与舒亶府上管家碰过头，还收了他的钱。必定是舒亶想借此诬告大人。"章惇冷笑道："恐怕还不只是舒亶，他依附王珪，与蔡确等人沆瀣一气，设此计害我。我章惇可不是这么容易欺负的。"蔡京见章惇已自有主张，旁敲侧击地问："大人，外面人都说，圣上最不能容忍兼并民田这等事，如今龙颜震怒，恐怕对大人不利啊。而且沈利已死，死无对证啊！"章惇冷笑道："清者自清，我章家门风，最厌恶为利忘义，清廉之名，天下皆知！我当面见圣上，澄清一切。"蔡京说："大人清正廉洁，圣上一定明鉴。"章惇笑道："蔡大人秉公执法，章某感激不尽。"蔡京含笑告辞。

章惇是个强干精明的枭雄，岂能任人诬陷宰割？第二天上朝，台谏纷纷上章弹劾他。神宗发怒道："章惇，沈利告你父霸占田产，你为何杀人灭口？"章惇冷静地说："陛下，微臣冤枉。臣既然敢敦促开封府审理此案，就不怕他人诬告，意在查个水落石出，岂能杀人灭口？杀人灭口者，非是微臣，而是后有阴主，企图嫁祸于臣。臣虽不肖，但臣家还不至于为区区十亩地败坏家族清誉，伏望陛下明察。"

蔡确、舒亶出班奏道："陛下，章大人自喊冤枉，恐怕是想逃脱罪责。沈利告发章大人之父强占田产，章大人应避其嫌，任由朝廷审理，岂能擅自下令审理涉嫌之案？"

满朝文武都知道王珪一伙人的权势，不敢得罪，都默不作声。王珪忽然屈身奏道："陛下，章大人虽然对此案有些莽撞，但还不至于杀人灭口。另外，章家颇有廉名，臣不敢想会强占民田。伏望陛下，不宜深咎章大人过失。"

章惇早明白王珪表面上公正无私，为自己说话，但用心险恶，不可不提防，便恳请神宗："陛下，臣决不担此污名，请求陛下择人审清此案，为臣洗刷嫌疑，还臣清白。"

舒亶指着章惇大声说："大胆章惇！还敢百般狡辩，难道圣上会故意诬陷你吗？清白与否陛下自有圣裁。"章惇轻蔑地反驳："舒亶，你这贼子，真是可恶至极！"神宗见状大怒道："章惇，朝堂之上，岂能谩骂言官！"

章惇欠身施礼道："臣一时无礼，还请陛下恕罪。但臣所以无礼，全因舒亶而起，此人道貌岸然，暗地里尽行鸡鸣狗盗之事。"

神宗忙问何事。舒亶心虚，吓得脑门冒汗，手足无措。章惇接着说："禀告陛下，舒亶竟敢盗窃翰林学士院伙食费。臣已着人查清属实。这是翰林学士院三个月以来的伙食清单，这是郭文海、韩天麟、王义等人的证词，白纸黑字，证据确凿！伏请陛下御览！"一面掏出一份奏章来，递呈神宗。蔡确、舒亶等人大惊失色，王珪则暗暗叫苦。自己阵线内部的把柄让章惇抓住了，这招确实厉害，但脸面上还是装得若无其事。

神宗阅罢奏章，厉声喝道："舒亶，究竟有无此事？"舒亶吓得连忙跪地求饶，大呼冤枉，帽子都磕掉了。神宗大怒道："白纸黑字写得清楚，你如何抵赖！"舒亶吓得语无伦次，大叫："陛下饶命！王大人救我！蔡大人……"王珪、蔡确假装没听见，拿着笏板毫不理睬。神宗呵斥道："舒亶，你见利忘义、明偷暗窃，如此品行作为，怎可担当朕的言官？朕要贬你到外地，越远越好，朕不想再看见你了！来人，将舒亶驱逐出朝！"

舒亶顿时吓得两眼翻白，被侍卫拖了出去。神宗对朝臣说："舒亶贪赃枉法，忌恨章惇，所以挟势弄权，诬告章惇之父。章惇实属无罪，擢升中书侍郎！"即改派王珪协助开封府审查此案，务必还章惇清白。章惇反戈一击，倒把舒亶扯下了马。王珪、蔡确等人沮丧无奈，又发泄不得，只得领旨而去。

舒亶雇了一驾马车，凄凄惶惶地踏上贬谪之路，没一个人相送。舒亶当年设计陷害苏轼，迫使苏轼外贬，没想到自己也会有这么一天！苏轼外贬，朝中正直之士对他愈加钦敬；而舒亶因鸡鸣狗盗之事外贬，颜面品格丧尽，人人不齿。

舒亶正自沮丧，忽然听车外有人大声说："舒大人，且留步一叙！"舒亶诧异之余，探出车外，见章惇带着两个随从，正在旗亭候他。章惇拱手施礼："章某得知舒大人今日离京，特来相送。舒大人，下车来喝一碗酒吧。"舒亶迟疑了一会儿，还是走下车来，却不敢动那碗酒。

章惇端起碗来豪饮一口，笑道："舒大人，天寒地冻，路途遥远，还是喝碗酒暖暖身子吧！"舒亶惊疑不定，不知章惇在耍什么把戏，勉强喝了一小口，竟呛得咳嗽连声。章惇说："舒大人被贬，只有章某一人来相送，舒大人却为何躲着章某啊？哦，忘了跟舒大人说了，宰相王珪大人已经查清了家父购置民田一案，纯系诬告，圣上已准奏。"

舒亶冷笑道："章大人，你也用不着这样。有哪个朝官不被贬啊，下官没什么可丢人现眼的。"章惇微笑道："舒大人此言差矣，若是政见不同，或遭奸佞陷害而被贬，尚有一腔正气，自然会得个好名声。而你就不同了，靠害人起家，如今却因盗窃翰林学士院伙食费而坐罪外贬，与君子被贬怎可同日而语？"

舒亶自知理亏，又知他存心来奚落自己，心气早泄了一半，但仍狡辩道："君子？在舒某眼中，这世上只有王侯和平民，哪里有什么君子和小人。成者王侯，就是君子！败者，就是小人，是贼！"

章惇勃然大怒，拍着桌子骂道："哼，你岂止是小人，你简直是个无赖！你们以为我是苏轼啊，可以随遇而安，逆来顺受，不愿与你们争斗！我可没那么好的耐性，我是有仇必报，以血洗血之人！你若害我一分，我必十倍还你！"

舒亶被骂得脸都发白了，嘴唇抖抖索索地说不出话来，赶紧爬上马车，狼狈而去。章惇放声狂笑。

王珪见不但没有扳倒章惇，反而折损了舒亶，急忙找蔡确来商量对策。蔡确是个毫无主见之人，事事只听王珪的，只会在一旁跺脚发怒："好个舒亶，坏了大事！"还是王珪冷静，缓缓说道："舒亶反复无常，且贪图小利，不可与之共事，贬到外地也好。只是章惇的确颇为麻烦，如今大有直上青云之势。对他只有用缓兵之计了。"蔡确点点头，又说："相公，圣上已经多次提到苏轼的重用之事，这次又提出让苏轼到江宁，担任江宁太守。前两次，已经敷衍过去，这次又如何是好呢？"王珪捻须细想，徐徐说道："尽量拖一段时间，实在拖不过，就说江宁任上并无空缺。如今黄州没了吴通判，那苏轼必然故态复萌，再生事端，我们再寻机会下手便是。"蔡确忙笑夸宰相高明，唯唯不已。

徐君猷派差役到苏轼家中告知舒亶被贬的消息，苏轼恰好不在家。王闰之谢过差役，忙对巢谷说："舒亶害得子瞻含冤被贬，如今他自己也终尝苦果。快去找子瞻回来，我们在家好好庆贺一番。"巢谷也满心欢喜，跑出家门来寻苏轼。

苏轼正在江边芦苇丛里垂钓呢！正是初冬时候，沙净水枯，芦叶萧瑟，苏轼披着蓑衣，悠闲地手执钓竿，静静欣赏江上的景色。巢谷兴冲冲地跑过来说："子瞻，你不知道吧？舒亶被贬出朝廷了！徐太守派人来告知的。快回家去，夫人烧了几道小菜，要小事庆贺一番！"苏轼仍拿着钓竿，一动不动，悠悠地说："若将舒亶这些人常挂于怀，耿耿在心，那我等在黄州这些年岂不是白待了？"

巢谷笑着说："话虽如此，但胸怀是胸怀，除奸是除奸，不管到了多大岁数，我这人一听除奸就高兴痛快。"苏轼摇头说："朝廷走一个舒亶，还会来一个王亶。官场之上，你来我往，各种人物都像韭菜一样，割了还会长出来。一句话，官场上没有值得庆幸之事。当你庆幸之时，不幸也就来了。"

巢谷反问："那子瞻兄你如何又在此'独钓寒江雪'呢？"苏轼答道："李白说，用弯月作鱼钩，用虹霓作钓线，用大奸大蛀作鱼饵，钓东海之大鳌，不是没有道理啊！人生何以不能用弯月作钓钩、用江河作钓线、用高山作钓台，以星光作渔火、以万物作钓饵，去钓苦海之大乐呢？"

苏轼远眺江面，对岸寒林簇簇，野烟迷离，四周寂然无声，只有江水缓缓流动。巢谷忙过来拉着苏轼说："我看你生来就是个渔夫樵子！快走吧，夫人给你准备的饭菜都凉了。"苏轼提着钓线，作鱼上钩状："人生总有赶不上的饭菜，却没有温不热的酒。"巢谷大笑："若钓上了大鱼，正好拿回家下酒。"苏轼大笑，收了钓竿，巢谷捧着鱼篓，缓步回家去了。

苏轼与巢谷快到家时，远远望见一个人穿着宽袍，骑着高头大马，器宇轩昂，慢悠悠地走在村路上。一群乡间孩童见他装束奇怪，跟在后面又唱又嚷，那人却毫不在意，怡然自得。巢谷悄悄地问苏轼："真是个怪人，他穿的是哪朝哪代的衣服啊？"苏轼笑说："那是唐装，画学博士米芾米元章好此奇装异服。"等走近了，果然就是米芾。米芾乃是宋朝第一奇人逸士，不仅书画双绝，堪与苏轼比肩，行为举止更是怪癖奇特。他性情孤傲，不与俗人相交，但遇同道风流雅士，则诚心相待，一见如故。平生迷恋书画奇石，如果遇上稀世珍品，必定倾囊收藏，赏玩不已，废寝忘食，故人称之为"米癫"。苏轼与米芾早在汴京就有交往，此次专程来访。

互道契阔后，苏轼赶忙烹茶相待。米芾拱手问："米芾到来，东坡先生何以得知？"苏轼故作神秘地说："其实不知。只是刚才垂钓江边，袖中起了一卦，故而知道你要来！"

米芾惊讶地说："苏公易学精妙，令人钦佩呀。"苏轼问道："蜀人好《易》，苏某不过略有闻见而已。元章也精通易理，不知以元章高见，《易》之精髓何在？"米芾捻须说道："易乃无常，因无常而生生不息。"苏轼笑而不答。米芾赶紧问："还请苏公赐教！"苏轼笑说："刚才在江边垂钓，观看江水洄漩之势，因而悟到，易道之常理，就是变动不居，这种变动如同水，水无常形，随物赋形。"米芾不禁拍手赞叹。

这时陈慥突然踏步进来，见有客在，拱手笑道："子瞻兄，今日雪堂真是高朋满座啊！"苏轼忙将二人引见。陈慥施礼道："久闻'米癫'大名，今日得见，果然风度不凡！"米芾含笑谦逊地说："季常兄是血性男儿，米某真是沽名钓誉了。"

米芾又拿出一轴画来，请苏轼赐教。苏轼观看良久，沉吟不语。米芾说："还请苏公直言。"苏轼捋着胡须笑道："那就请恕我唐突了。元章画技娴熟，令人赞叹，然仅得竹之形，尚未得竹之神。"米芾追问："何谓竹之神？"苏轼神秘地一笑："米兄先洗尘安息，至于何为竹之神，那要沐浴斋戒后方可得知。"

巢谷和陈慥面面相觑，不知苏轼葫芦里卖什么药。不一会儿，米芾洗沐完毕，装束整齐，苏轼拉着他直往屋外走，一边说："城南安国寺内有修竹千株，元章可与我同去寻觅竹之神。正好我有两位高僧朋友暂居安国寺，我来给你引见！"巢谷和陈慥也紧跟过来。

到了安国寺，只见万竿高耸，果然是一片竹海！虽说是寒冬时节，但满

279

目翠意逼人。漫步于林间小径，微风吹来，竹韵悠远，令人有恍然遗世之感。苏轼闭目听了会儿风声竹声，指着竹海说："看这竹子，有神无神？"米芾答道："万物自生，莫不有体，莫不圆融，莫不有性，莫不有神！"

苏轼点点头："正是！看这竹子，竹从一寸之长，长至剑拔十寻，其竹节竹叶，从一开始就齐备了。现在画竹的人，乃是一节一节地画，一叶一叶地加上去，脱其本源，自然就失掉了竹之神韵。"米芾赞叹道："苏公见解超凡，深得自然之妙啊！那么又该如何画竹呢？"苏轼说："故画竹必先得成竹于胸中，执笔熟视，等眼前出现了所要画的竹子，急起而画，一气呵成。正所谓胸有成竹是也！不过，这首先要有高超的技巧，使内外合一，心手相应。"

陈慥上前说："子瞻兄所说与《南华真经》上的庖丁解牛是一个道理。"苏轼称许道："正是。我有一位表兄，名叫文与可，是画竹大家，我曾作诗说，'与可画竹时，见竹不见人。岂独不见人，嗒然遗其身。其身与竹化，无穷出清新。庄周世无有，谁知此凝神'。所以依此理路，我也曾学得几笔，在元章面前见笑了。"

米芾施礼说："苏公过谦了！苏公见解超出我辈，元章受益不浅哪！"苏轼说："数年前我曾画得一幅墨竹，送给江南的友人潘丙，后来那幅画差点让一位丝绸商人买去。苏某的画虽不是什么宝贝，但若沾染了铜臭，就是有辱此竹。我就将画拿回烧掉了。"

米芾叹服道："苏公真是晋宋间人物，儒雅风流，正与这竹海相衬。"苏轼笑着说："可使食无肉，不可居无竹。无肉令人瘦，无竹令人俗。人瘦尚可肥，俗士不可医……"

这时佛印和参寥远远走过来。佛印听见苏轼吟诗，大喊道："子瞻兄高雅绝俗，莫不是要吃竹子了？"苏轼忙与众位引见，接着说："今天众人都在，正所谓良友嘉会，不如再去赤壁一游如何？如今天寒水枯，一定别有一番风味。"佛印说："赤壁游赏倒是惬意，可是光吃竹子，无肴无酒，那还有什么意思？"巢谷灵机一动："子瞻兄刚才在江边垂钓，鱼篓里不是钓得几尾鲜鱼吗？"佛印大喜，摊开两手说："酒呢？和尚我可是要喝酒的呀！"参寥见状，连说"阿弥陀佛"。苏轼大笑："回家问问闰之，说不定她藏着几坛酒不让我知道呢？"

回到家中一问，王闰之笑道："我倒是有一坛好酒，藏着好长时间了，就是怕你有不时之需。"忙将酒取出来。苏轼大喜："夫人可比刘伶老婆好！"朝云听了，抿嘴微笑。王闰之不解地问："刘伶的老婆怎么了？"苏轼笑说："刘伶是'竹林七贤'之一，是有名的酒鬼。他老婆就劝他，说喝酒伤身误事，哭着闹着一定让他戒酒。刘伶说：'好吧，不过，我自己管不住自己，我要对鬼神发誓，才能戒酒。你替我准备好祭祀鬼神的酒肉，我好祷告发誓。'他老婆很高兴，就给刘伶准备了酒肉，让刘伶祝誓。刘伶跪而祝曰，'天生刘伶，以酒为名。一饮一斛，五斗解酲。妇人之言，慎不可听'！于是便喝酒吃肉。等他老婆回来一看，刘伶已经大醉，倒在地上了。"朝云咯咯笑起来。王闰之佯作嗔怒道："还是这样，老没正经。"

苏轼还是请潘丙雇好船，众人搬上酒肴，在萧瑟的风中，向赤壁驶去。时近深秋，两岸寒林烟树，秋色如醉。船工小心地将船摇到中流，缓缓而进。渐渐白日西斜，暮霭愈加凝重，只见几点寒鸦在余晖中闪动。苏轼与米芾不愿枯坐舱中，跑到船头来眺望江中景色。

由于天寒的缘故，江水清浅，沙痕参差，四顾莽莽萧萧，令人不禁有悲凉之感。苏轼感叹说："去年七月，江水滂沛。苏某与舟中众人同游赤壁，那时水天一色，恍如仙境。现在才过了一年多，江山已不可复识了！可见人事渺如尘烟，良可感叹哪！"参寥听罢，即刻捻着佛珠念起经来。米芾笑道："苏公胸襟如此，正为江山增色不少。"

船稳稳地摇到赤鼻山下，明月如霜，光可鉴人。江岸怪石森然，好像猛兽蹲伏在前，崖壁陡绝千丈，又好像鹰隼俯投欲下。苏轼向大家提议道："去年乘江潮来看赤壁，风浪拍石，震人心魂。此番风景大异于前，我们不妨舍舟登岸，到赤鼻山上俯瞰江水，如何？"众人欣然同意。佛印大和尚早跑到船头，吩咐船家将船靠岸。江水退去后，再没有雪浪飞溅，江底的礁石都显露出来，满是江涛冲刷的痕迹。佛印不顾身躯肥胖，率先跳到江岸的巨石之上。众人依次下船，循着嶙峋礁石往山上攀登，摸索着荆棘巉岩，慢慢登到山顶。

小山虽不算高，但俯临江水，断崖壁立，恍惚也有万仞之势。月光照见山影，隐隐绰绰的，似有山鬼隐匿其中。到山顶四望，只见四周昏黑，如浓墨渲染，如磐石悬空，又如混沌未开，江水沉沉缓流其间，不知从何处奔来，也不知流向何处。苏轼情从中来，不禁长啸一声，似乎要破开这寂静一样，声音在山谷间回响，霎时风起水涌，仿佛连水底的鱼龙也要惊醒。

残夜将尽，苏轼叫船工将船划到中流，任其漂荡而下。看已尽，酒已凉，杯盘狼藉，众人醺然欲睡。苏轼轻声对米芾说："元章，前番来游赤壁，苏某曾作《赤壁赋》一篇，记游赏之乐和心中所悟，一直秘不示人。回家后当为元章手书此赋，权当对你来黄州看我的谢礼。"米芾大喜，连忙拜谢。

这时一只大鹤呼扇着翅膀，从东飞来，引颈长鸣，从头顶一掠而去。苏轼对巢谷说："此次再游赤壁，独独缺了吴道长。你看那飞鹤，玄裳缟衣，肯定是吴道长所化，见你我同游之乐，也来凑个热闹。"巢谷笑道："古时有丁令威化鹤仙游，莫非师傅真有此感应，化作飞鹤来看望我们？"众人醉中谈笑不已，一直到船泊在临皋亭下。

回家之后，苏轼乘着醉意，拿出笔墨来，为米芾手书《赤壁赋》。苏轼写一句，众人就跟着念一句。陈慥说："'寄蜉蝣于天地，渺沧海之一粟。哀吾生之须臾，羡长江之无穷'。唉，回想起江上所见，读来都不免怅然。"

"不然，不然。子瞻的文章钟于情而善于悟，有结必有解。你们听这几句，"巢谷接着念道，'惟江上之清风，与山间之明月，耳得之而为声，目遇之而成色……'"

参寥跟着默诵道："'取之无禁，用之不竭，是造物者之无尽藏也，而吾与子之所共适'。竟让贫僧又想起那夜的月光。佛经以月喻佛法，洞见此身清净无碍，子瞻真是参悟得透啊。"

苏轼写完，掷笔大笑说："各位谬夸苏某，今番再游赤壁，岂不是得再写篇《后赤壁赋》来？"米芾道："先生这篇《赤壁赋》，短短数百字，不仅将人在宇宙中之渺小道出，而且又生出享受自然赐予的超然之情。由慨然归于平淡，由绚烂转为质朴，先生之文已入澄明之境，放眼大宋唯先生一人而已。况且先生此书笔意超然，龙蛇舞动，真令小弟爱不释手。若写得出《后赤壁赋》，苏公一定要让我饱看一番，先睹为快！"

苏轼笑说："果然是'米癫'本色！诸位，何不珍惜这趁兴饮酒的时光，以消残夜！"众人也不推辞，欢饮不迭。东方已经微微露出晨光了。

米芾在雪堂与苏轼纵谈书画，情谊融洽，盘桓了十余日，便辞别而去。他所携带的苏轼手书《赤壁赋》卷轴，不久就传遍京师，人人争阅了。